TERRAIN. PROPRIÉTÉ. MAISON NEUVE. CONDOMINIUM. CHALET. MULTI-LOGEMENTS

COLETTE ESCULIER

Les éditions Uriel
7405, rue Beaubien, E. suite 302, Montréal. P.Q. Ca. HIM 3R5

4e édition CHOC
Janvier 1999

Dépôt légal - Bibliothèque nationale du Québec, 1998

Dépôt légal - Bibliothèque nationale du Canada, 1998

Avec amour,
je dédie ce livre à mes parents,
Robert et Georgette Esculier.

Je vous aime.   *xxxx*

La photo sur la page couverture est une gracieuseté de la *«Boîte à photos»*
1438, rue Beauharnois, Longueuil.
Propriétaire : Denis Lepage
Photographe : Geneviève De Foy
Téléphone : (450) 468-5759

La conception de la page couverture.
Graphiste : Denise Du Paul
Téléphone : (514) 593-9120

Correction : Marie-Diane Lee
Téléphone : (514) 937-8671

Mise en page : Colette Esculier
            Jean-François Gendron
            (450) 920-6548

Distributeur exclusif

LES ÉDITIONS URIEL

7405, Beaubien, E. suite 302
Montréal, P.Q. Canada, HIM 3R5

REMERCIEMENTS

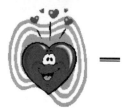

Remerciements particuliers à Marie-Diane Lee pour sa précieuse collaboration lorsqu'est venu le temps de réviser et de corriger ce livre. Sans elle, il ne serait qu'un gribouillis de mots.

Remerciements à Jean-François Gendron pour sa patience et son aide à m'apprendre le maniement de l'ordinateur et de la mise en page et cela, malgré toutes les embûches que m'occasionnèrent mon ordinateur et mon inexpérience en ce domaine.

Remerciements pour leurs précieux conseils à Jean-Marc L'heureux, Inspecteur en bâtiment et à Lorraine Joyal, spécialiste en immobilier qui est aussi mon amie et associée en affaire; d'avoir accepté de faire partie de mon conseil de lecture.

Remerciements particuliers à Denis Lepage de La Boîte à photos ainsi qu'à Geneviève De Foy (photographe)

Remerciements à Denise Du Paul (graphiste) pour la conception de la page couverture.

Remerciements à ma sœur, Céline Gagné, ainsi qu'à Danielle Brisebois que j'ai dérangées plus d'une fois lorsque j'étais en difficulté avec mon ordinateur.

Un gros merci à Marjolaine Vézina qui m'a encouragée à écrire ce livre, ainsi qu'à Raffaele Callocchia pour la magnifique plume qu'il m'a offerte, en guise de chance.

Remerciements à mon frère, François Esculier, ainsi qu'à ma sœur et mon beau-frère Gaétane et Gérard Morel, d'avoir été si patients et de m'avoir soutenue dans mon projet.

Un remerciement tout spécial à vous, chers lecteurs. Sans votre intérêt à vouloir vous informer davantage, ce livre n'existerait pas.

TABLE DES MATIÈRES

TABLE DES MATIÈRES

TABLE DES MATIÈRES

TABLE DES MATIÈRES

TABLE DES MATIÈRES

TABLE DES MATIÈRES

Introduction

DÉSORMAIS, L'ACHAT D'UNE PROPRIÉTÉ ET LA TRANQUILLITÉ D'ESPRIT VONT DE PAIR.

Il suffit de bien vous documenter, d'aiguiser votre sens de l'observation, d'allumer votre intuition, de larguer les questions pertinentes, d'attiser la confiance en vous-même et de parcourir fidèlement les étapes d'une recherche qui mène à la rentabilité et à la victoire.

L'ACQUISITION D'UNE PROPRIÉTÉ: DES MILLIERS DE DOLLARS EN JEU

Malheureusement, pour plusieurs acheteurs **L'INVESTISSEMENT LE PLUS IMPORTANT DE LEUR VIE se métamorphose subitement en un interminable cauchemar. Cauchemar où vices cachés, frais juridiques, tracasseries de toutes sortes viennent hanter, chambarder, hypothéquer, pour des années à venir, leur vie professionnelle et familiale.**

SAVIEZ-VOUS qu'une bonne partie des litiges débattus en cour concernent l'immobilier? **LA CAUSE?** Selon ma propre expérience dans le domaine, 90% des acheteurs sont très peu informés. La plupart du temps, ils sont mal conseillés par tous et chacun. Vous connaissez sûrement de ces individus qui semblent être nés avec la science infuse. Méfiez-vous d'eux!

RÉSULTAT? L'inexpérience d'un grand nombre d'acheteurs a pour conséquence des choix inadéquats et non appropriés à leurs besoins réels.

CE QUI S'EN SUIT? Déception. Frustration, ainsi que la sensation de s'être fait rouler. La maladresse d'un acheteur inexpérimenté pèse peu face à des vendeurs rusés et souvent conscients des anomalies de leur produit. Ceux-ci proclament à coup de tambour, l'évidence même de leur honnêteté et de leur intégrité. Hélas ces vendeurs incitent chez l'acheteur un empressement intensifié par une fébrilité émotionnelle propre à lui faire sauter des étapes et à agir sans discernement.

POURQUOI EST-CE AINSI ?

La majeure partie du temps, l'individu se met les pieds dans les plats. Ce, peu importe le domaine. **Pourquoi?** Uniquement parce que l'homme ne se connaît pas véritablement. Il cherche à ignorer ou à passer outre ses faiblesses, plutôt que d'en prendre conscience et de les surmonter. **Ce manque de connaissance de soi** constitue souvent la cause des pétrins dans lesquels chacun d'entre-nous sommes souvent embourbés. Évidence même de nos erreurs, de nos pertes d'argent, d'achats insatisfaisants et souvent inutiles.

POSEZ-VOUS CES QUESTIONS :

- *AVEZ-VOUS TENDANCE* à faire confiance trop rapidement?

- *AVEZ-VOUS TENDANCE* à vous laisser dominer par vos émotions et votre impulsivité, lorsque la conversation est agréable et va bon train?

- *AVEZ-VOUS TENDANCE* à dévoiler trop rapidement vos coups de cœur, vos projets, vos inquiétudes?

- *AVEZ-VOUS TENDANCE* à démontrer une attitude de gêne, de nervosité, de peur?

- *AVEZ-VOUS TENDANCE* à manquer de patience et à conclure une transaction trop rapidement parce que vous êtes écœuré, fatigué de chercher?

- *AVEZ-VOUS TENDANCE* à vous mettre un bandeau sur les yeux et à signer le document qu'on vous présente sans en avoir au préalable fait une lecture intégrale?

- *AVEZ-VOUS TENDANCE* à laisser aux autres le soin de tout faire à votre place?

SI VOUS AVEZ RÉPONDU «OUI» à plus d'une de ces questions, cela démontre qu'il vous manque certains outils pour devenir un acheteur averti. ***IL EST IMPORTANT, LORS D'UN ACHAT AUSSI ONÉREUX QUE CELUI D'UNE PROPRIÉTÉ, D'ÊTRE BIEN INFORMÉ ET DE FAIRE CONVERGER SES EFFORTS VERS UNE RECHERCHE SÉRIEUSE ET APPROFONDIE.***

VOICI ENFIN LA BIBLE EN MATIÈRE D'IMMOBILIER

Ce livre est un recueil précieux et indispensable entre les mains de tout acheteur averti ou aguerri. Vous y apprendrez comment **METTRE EN VEILLEUSE VOTRE IMPULSIVITÉ ET VOS ÉMOTIONS,** souvent responsables de vos mauvais choix. Vous ferez davantage **CONFIANCE** à votre jugement. Étant le seul instigateur de la prise en charge de votre achat, vous deviendrez très vite un expert. **Il s'agit de votre argent,** économisé depuis de longues années, au prix de bien grands sacrifices. **Vous faites un des achats les plus importants de votre vie. NE LAISSEZ PERSONNE VOUS INFLUENCER, VOUS IMPORTUNER, VOUS ENVAHIR!** Vous prenez une décision CAPITALE! Donc, restez seul maître à bord. Vous n'avez pas à faire plaisir à personne!

Dites-vous qu'on n'est jamais mieux servi que par soi-même. Surtout, soyez patient et attentif. **Observez et écoutez.** Ce que vous en retirerez constitue autant d'éléments indispensables à votre investigation. Ne les négligez pas.

ASSEZ, C'EST ASSEZ !

Durant ma carrière, j'en ai vu de toutes les couleurs! Combien de fois me suis-je sentie impuissante devant tant d'hypocrisies, de fourberies, de mensonges? Tous les jours, je voyais des personnes charmantes et sans malice s'enliser dans des acquisitions frauduleuses ou douteuses; faisant face à des êtres rusés, totalement dépouillés de morale et dont seul

le profit empoché avait un sens à leurs yeux. Ces individus, imbus d'eux-mêmes, sont souvent inconscients des conséquences désastreuses relatives à leur comportement. Toutefois, certains d'entre eux ont souvent hypothéqué non seulement l'avenir de l'acheteur, mais celui de sa famille (santé, travail, loisirs, études).

Combien de rêves se sont évanouis sous un tel fardeau! Lorsqu'un opportuniste utilise un tel stratagème, pour quelques milliers de dollars de plus, il devrait s'interroger sur sa vraie nature. Pour ma part, je trouve que de tels gestes sont répugnants. De toutes façons à force d'en voir «des vertes et des pas mûres» un jour, j'en ai eu marre!

Je suis convaincue que vous n'aimeriez pas être accroché à leur hameçon, ni risquer de mettre en péril la sécurité de votre famille, de votre

travail ou de votre argent. Je suis persuadée que l'idée d'avoir à tout recommencer à zéro, du jour au lendemain, de voir votre argent se dilapider devant les tribunaux ne vous enchante guère. Alors, suivez religieusement les conseils et les étapes proposés dans ce bouquin. Ainsi, vos chances de vous faire «ROULER» deviendront tellement minimes que vous pourrez dormir sur vos deux oreilles!

Apprenez à vous faire confiance. Écoutez votre petite voix intérieure. Cette voix qui vous avertit régulièrement en cas de signes évidents d'erreurs. Cette voix que, trop souvent, vous repoussez, du revers de la main. Acceptez l'aide que vous offre ce guide. Soyez patient. Surtout, n'apposez jamais votre signature au bas d'un contrat avant d'avoir écarté tout doute raisonnable et d'avoir effectué une fouille approfondie.

Écrire ce livre constitue pour moi une méthode rapide et efficace d'informer, d'enseigner à qui veut apprendre, la marche à suivre lors d'un achat immobilier. Je vous offre les fruits de mon  expérience. Je vous dévoile les dessous cachés de la vente en y relatant des expériences vécues par d'autres et par moi-même. Je vous étale les outils nécessaires pour creuser et déterrer les pièges camouflés ou déguisés par des chasseurs de primes astucieux et gourmands. C'est la tranquillité d'esprit, un mieux-être, un placement sûr, un investissement rentable que vous désirez acheter? Gardez toujours cette image en tête. Elle vous aidera à ne pas passer outre certaines consignes. Peut-être trouverez-vous que j'exagère, que je cherche à vous effrayer? Alors, je vous suggère de vous rendre au Palais de Justice de votre région et de vérifier tous les litiges ayant un rapport avec l'immobilier. Vous serez étonné de ce que vous allez y découvrir. Prendre connaissance de ce qui arrive aux autres permet souvent de réaliser que personne n'est à l'abri des mauvaises transactions. Vous pourriez être la prochaine victime. Cependant, un acheteur avisé redouble de vigilance. Il est aux aguets, ce qui le positionne à son avantage.

Sur la page couverture de ce livre, on peut y voir un panneau de signalisation. Cet hexagone rouge constitue un symbole universel. Peu importe que les mots «stop ou arrêt» y soient inscrits. Il devrait vous faire penser à danger ou à tout le moins, prudence. **DANGER ET PRUDENCE ne veulent pas dire s'abstenir**. Ils réfèrent plutôt à la nécessité de prendre du recul, d'observer, de renforcer sa vigilance. Loin de moi l'idée de vous décourager d'acheter! Je suis moi-même une fervente partisane d'achat immobilier. Toujours à la recherche de la maison idéale, j'en suis à ma dixième propriété!

Il est légitime de magasiner pour ce qui constitue la maison de vos rêves, le magnifique terrain sur lequel vous construirez votre petit château, la formidable propriété à revenus qui vous assurera un fond de retraite intéressant, ce splendide condominium niché au septième ciel, cette délicieuse maison de campagne ou ce chalet où votre petite famille se délassera en pratiquant ses sports préférés. C'est le meilleur placement que vous puissiez faire!

Malheureusement, les gens ne savent plus sur quel pied danser. À qui faire confiance? Dans les journaux, aux émissions de télévision comme «J.E», «La Facture», «Le Point», on parle continuellement de fraudes ou d'erreurs commises par des notaires, constructeurs, banquiers, avocats, vendeurs et autres professionnels.

HEUREUSEMENT, il y a encore des individus intègres et responsables. Il ne faut surtout pas placer tout le monde dans le même panier. Cependant, lors d'une rencontre avec l'un d'entre eux, soyez sur vos gardes. N'en dévoilez que très peu sur vous-même. Restez neutre et ayez une attitude confiante et réservée. Soyez extrêmement attentif à tout ce qu'on vous dit. Ne laissez paraître aucune fébrilité émotionnelle, car la plupart de ces personnes sont habilitées à lire le langage corporel et elles peuvent se servir de ces éléments pour vous détecter et prendre avantage sur vous. Plus encore: posez des questions, le plus de questions possible et sous des angles différents. Observez votre interlocuteur et notez tout ce qui se dit. Voilà un bon moyen de détecter les contradictions. Lorsqu'il vous demande des informations, répondez sous forme de questions. Cela a pour effet de déconcerter l'interlocuteur. Car moins il en sait sur vous, mieux c'est.

C'est vous l'acheteur. C'est vous qui possédez les cartes maîtresses. Plus vous les découvrez, plus vous donnez accès à vos faiblesses. La plupart des gens parlent trop. Cela se retourne contre eux. Minimisez les risques de vous faire avoir. Prenez en main la responsabilité de votre achat. Ne confiez à personne le soin de le faire pour vous. Un achat d'une aussi grande importance doit être fait scrupuleusement, sérieusement. Songez à toutes ces années passées à travailler inlassablement afin d'économiser votre petit pécule! Songez qu'à cause d'une mauvaise acquisition, ce pécule peut flamber en un temps record! Pensez à tout cela avant d'acheter.

Vous vous demandez certainement: «Pourquoi faire une recherche sur une propriété que je convoite si aucune offre d'achat n'a encore été conclue à son sujet?» À cela, je réponds: l'un n'empêche pas l'autre. L'acheteur peut rédiger son offre et inscrire sur son contrat les clauses qui lui permettent de conclure sa transaction tout en se protégeant. Seul le fruit de votre recherche permettra ou non la continuité de votre transaction.

Que vous achetiez n'importe où en Amérique du nord, vous risquez de faire face aux même problèmes. Les normes de constructions sont similaires et la recherche également. Donc n'ayez pas peur et informez-vous.

CE LIVRE, C'EST VOTRE BIBLE! Point de référence indispensable, il vous suivra et vous guidera intelligemment tout au long de ce magnifique parcours inattendu qu'est la vie.

BONNE LECTURE, BON ACHAT! JE SUIS AVEC VOUS TOUT AU LONG DE VOTRE DÉMARCHE

Mon expérience

Mon expérience

Bonjour! C'est un immense plaisir pour moi de pouvoir communiquer avec vous par l'intermédiaire de ce précieux et indispensable médium que constitue ce livre. Cet ouvrage est destiné à quiconque souhaite bien investir son «avoir durement acquis au fil des ans.»

C'est bien humblement que je me permets de vous relater les expériences vécues au cours de mes vingt ans de carrière en immobilier. Je n'aime guère parler aussi longuement de moi-même, mais que voulez-vous «noblesse oblige!» Par contre, n'est-ce pas là le meilleur moyen de faire connaissance? Les faits relatés dans ce livre sont réels. Ils ont été vécus. Il y a de quoi vous mettre la puce à l'oreille et même vous faire dresser les cheveux! Ne faites pas comme l'autruche. Ne vous enfoncez pas la tête dans le sable en vous disant que de tels événements n'arrivent qu'aux autres. Soyez attentif aux moindres détails. Vous ferez connaissance avec un monde en duel constant où seules règnent la loi du plus fort et l'ambition d'empocher la timbale! Les rescapés de cet abus de pouvoir, blessés, meurtris, dépouillés de leur «AVOIR» sont souvent laissés pour compte. Ils se retrouvent perdus dans la noirceur d'un labyrinthe émotionnel et financier, ne sachant quand la lumière jaillira à nouveau sur eux.

Maintenant que j'ai atteint la quarantaine avancée, donc, étant devenue plus mature, je peux me permettre de partager avec vous les fruits de mon expérience et de mes compétences. J'espère que vous en bénéficierez, puisque le domaine de l'immobilier est si imprévisible.

J'ai terminé mon cours d'agent immobilier vers la fin des années 70. J'étais ce que l'on peut appeler «une vendeuse née.» À mon travail, j'ai pris rapidement ma place tout en menant ma barque toute seule. J'aime rencontrer de nouvelles personnes issues de différentes souches et couches sociales et ce travail me le permettait. J'étais heureuse et très à l'aise dans cet univers où l'inattendu et les surprises surviennent à tout moment. J'aime les défis. Ils me permettent de jongler avec mon mental et de développer ma créativité. Sans prétention, j'ai obtenu plusieurs prix à titre de meilleure vendeuse. Cependant, comme dans toute bonne chose, il y a toujours une ombre au tableau! Le succès des uns provoque la jalousie et la convoitise chez les autres.

À mes débuts, je travaillais dans un bureau où plus de quarante agents immobiliers se «pilaient sur les pieds». Beaucoup trop pour un même endroit! Pas tant pour l'espace que pour les appels et les tours de garde. Les plus actifs et habiles d'entre eux, plutôt que de rester au bureau à attendre qu'un éventuel client les appelle, partaient «sur la route» chercher la clientèle. Tandis que d'autres, moins entreprenants, confortablement assis à leur bureau, osaient de temps à autre une sollicitation téléphonique et se risquaient à «emprunter sans autorisation ni intention de retour» les messages laissés dans les casiers de leurs collègues. Ils s'assuraient ainsi leur gagne-pain en profitant du travail des autres. C'est d'une évidence flagrante que ces personnes n'étaient pas à la bonne place. Il aurait été plus approprié que ces gens aient un travail rémunéré autrement que par des commissions. La sécurité de nos messages et la confidentialité de nos clients devinrent un sujet constant d'inquiétude pour nous.

L'atmosphère au bureau était devenue insupportable. Être continuellement aux aguets et ne plus faire confiance à personne n'est pas le moyen idéal d'exceller dans un domaine qui nous tient à cœur. Espérons que les agents immobiliers de cette décennie n'aient plus à faire face à une telle situation! Quoi qu'il en soit, après plusieurs années de ce régime, une opportunité m'a été offerte, soit l'exclusivité de la vente de condominiums dans un immeuble en construction. L'idée m'intéressa au plus haut point puisqu'enfin j'allais me retrouver « Le seul maître à bord du bateau!»

J'acceptai la proposition! Évidemment, j'ai dû donner ma démission à la maison de courtage qui m'employait. Il va sans dire qu'en acceptant l'exclusivité de la vente de ces condominiums neufs, j'ai vu ma commission diminuer considérablement. Voici comment fonctionne la commission d'un agent immobilier. Lorsque vous inscrivez votre propriété avec un agent immobilier dans le but de la vendre, il existe deux formes de mandat. Le premier que l'on appelle **«mandat exclusif»** fait en sorte que seuls votre agent immobilier et ses collègues de bureau sont au courant de la vente de votre propriété. Il en coûtera au propriétaire-vendeur une commission de 6% sur le montant total de la transaction. Le deuxième mandat que l'on appelle **M.L.S. «Multi Levels Suscriptions ; pour inscriptions multiples»** constitue un choix plus avantageux puisque, outre votre maison de courtage immobilier, toutes les autres agences immobilières sont aussi au courant de la vente de votre propriété. La commission payable à l'agent immobilier sera alors de 7%. Ces montants sont payables uniquement s'il y a vente de la propriété ; autrement, ils ne s'appliquent pas. Toutefois, il en va tout autrement en ce qui concerne la commission offerte à la personne chargée d'un projet de constructions neuves. Généralement, le taux varie entre 1.5% et 3%.

Par contre, j'allais quand même bénéficier d'un revenu très intéressant parce que le projet comptait environ cinquante condominiums. J'ai eu de la chance! Les appartements se sont vendus comme des petits pains chauds et dans un laps de temps très court. C'est de cette façon qu'a débuté pour moi le périple de la vente sur plan. Cette expérience m'enthousiasma! L'engouement frénétique pour ce nouveau concept d'achat immobilier fit en sorte que ces complexes poussèrent comme des champignons à partir des années 70 jusqu'à aujourd'hui. Une publicité agressive envahissait les médias: on parlait de condo partout! J'étais à la bonne place au bon moment. L'argent coulait à flot pour tout le monde !

Que pensez-vous qu'il arriva? Les rapaces voulurent, eux aussi, une part du gâteau. *Résultats:* saturation du marché et une pluie abondante de promoteurs inexpérimentés et véreux, sans compter la panoplie

d'édifices avariés. *Conséquences:* des acheteurs abusés, escroqués et furieux. Bref, dans tout ce fatras, il devenait presque impossible de reconnaître les bons des méchants. Insatiables, certains s'attaquèrent à la transformation de vieilles propriétés.

Parmi celles-ci, certaines encore potables possédaient un trait de caractère, une personnalité, un cachet ; tandis que d'autres étaient carrément insalubres. C'est là qu'est né le concept de la copropriété indivise et de la société par action. Devinez qui paya la facture pour cette vogue «bon chic bon genre?» Les locataires et les acheteurs, indiscutablement! Cette grande mode de propriétés, offertes à un prix qui devait être modique, ouvrit la porte à quiconque se prévalait d'une présumée compétence en matière de rénovation immobilière. Ouf!

Heureusement, cela ne dura que le temps que «durent les roses!» Après environ deux ans de cette pratique, La Régie du Logement mit un holà! Il était temps! Cependant, l'épidémie avait déjà fait ses ravages. Il y a toujours deux côtés à une médaille. L'avantage de cette mode fut que toutes les villes, petites ou grandes, s'enjolivèrent. Le désavantage revint cependant aux locataires évincés de leur logement (avec un délai quelques fois inacceptable), désemparés et inaptes pour la plupart, à payer un loyer plus élevé en raison de leurs faibles revenus.

Je le sais, car j'ai été moi-même confrontée à cette situation. Je venais tout juste de terminer la vente d'un petit complexe de condominiums lorsqu'un ami me présenta à un promoteur qui venait d'acheter un ensemble immobilier situé en bordure de l'eau. Il s'agissait donc de transformer ce complexe délabré, laissé à l'abandon depuis des décennies par l'ancien propriétaire. Pourtant, cet immeuble se désignait par le passé comme étant un complexe d'appartements luxueux, spacieux et de grande qualité.

À titre de bras droit du promoteur, je devais participer, avec une autre personne, à la restauration complète de l'immeuble. Plus tard, la vente des appartements me serait confiée. Génial! Je chérissais l'idée de m'épanouir en explorant de nouvelles avenues! J'apportai également ma modeste contribution à l'élaboration des plans architecturaux. En ce qui concerne l'architecture, j'ai souvent reproché, aux hommes tout particulièrement, l'abstinence à mettre l'accent sur des détails si précieux, car si utiles à la maîtresse de maison. Quoi qu'il en soit, une splendeur est née de cet accouchement laborieux et nous étions tous enchantés du résultat! Avec un tel chef-d'œuvre, un prix accessible, le parachèvement de la vente s'annonçait couronné de succès.

À l'époque de sa restauration, cet immeuble abritait une quarantaine de locataires. Nous devions donc trouver une personne professionnelle, diplomate et habilitée dans la résiliation de baux. Une restauration d'envergure comme celle-ci ne pouvait s'exécuter avec des résidents sur place. Après maintes recherches, nous n'avons trouvé aucun spécialiste en ce domaine. Donc, on me chargea de cette besogne ingrate et c'est à contrecoeur que je dus m'en acquitter. J'étais désemparée, ne sachant trop que dire à ces gens, qui sentaient la soupe chaude venir, lorsque cet immeuble fut vendu à ce promoteur.

À ma demande, on me donna carte blanche ainsi qu'un budget pour dédommager les locataires. Je fis également préparer un document permettant de résilier chacun des baux. Prenant mon courage à deux mains, j'ai commencé la tournée. Ces êtres, quoique peu nantis, se sont montrés tout à fait affables et charmants. Les conditions matérielles dans lesquelles ils vivaient, croupissant à l'intérieur de tels taudis, étaient, sans l'ombre d'un doute, inconcevables. Mon remords s'atténua à l'idée que je leur rendais probablement service, ce qui indubitablement n'était pas encore évident pour eux.

La plupart du temps, lors de ma tournée, une odeur nauséabonde m'envahissait, ce qui me laissait toute la journée avec un quelconque arrière-goût. La pourriture s'était infiltrée partout: autour des cadrages de portes et fenêtres, dans les salles de bains, sur les planchers de bois décrépits par l'usure du temps. Qui plus est, certaines planches s'effondraient au passage! Quant aux murs, ils étaient tapissés d'une belle mousse verdâtre. La tuyauterie rouillée, quasi impropre à la consommation de l'eau, n'avait subi aucun *"lifting"* depuis des lustres! Les cadrages de portes et fenêtres perforés permettaient une ventilation naturelle qui aérait subtilement les pièces. Croyez-moi, je n'exagère pas! Des familles nombreuses et des personnes âgées s'accommodaient tant bien que mal de cette situation. Plusieurs d'entre eux y résidaient depuis plus de trente ans. Les déraciner de leur habitat sans prendre en considération le bagage de souvenirs et d'émotions s'y rattachant s'avérait un acte préjudiciable de ma part, voilà ce que je croyais.

Lors de ma rencontre avec chacun d'eux, je compris la fébrilité qui les enveloppait en rapport à cet attachement possessif des lieux. Tous ces logements spacieux, quoique délabrés, avaient sans exception deux points en commun: une vue imprenable sur le magnifique lac à l'Ouest de l'île de Montréal (très apprécié pour ces couchers de soleil envoûtants) et une vue splendide sur une cour intérieure en forme de fer à cheval. Cette cour, quelque peu délaissée, était fleurie parcimonieusement en certains endroits.

Bref, le résultat fut surprenant. La relation entre les locataires et moi-même était axée sur l'empathie, l'écoute et la compassion. Ce qui eut pour résultat que tous - *sauf une* - ont accepté et admis le pressant besoin de restaurer intégralement cet immeuble. Cela m'a permis d'offrir un dédommagement proportionnel aux besoins de tous et chacun, sauf cette femme plus avisée qui avait refusé. Cette mère, qui élevait seule ses cinq enfants, se mérita l'alléchante somme de quinze mille dollars. Pas trop mal n'est-ce pas! Lorsqu'on y pense bien, il ne

s'agissait là que d'un déménagement. Prenez conscience, qu'une seule personne fût exigeante et défendit ses droits et libertés et cela sur une quarantaine de personnes. Je lui lève mon chapeau et j'applaudis à un tel courage!

La morale de cette histoire: lorsqu'un individu s'informe correctement, cultive sa patience, agit avec discernement et sans précipitation, peu importe les événements, bons ou mauvais, pouvant survenir au cours de sa vie, il ne peut qu'acquérir de la maîtrise, vaincre les obstacles et régner efficacement sur son destin. Pour conclure, cette expérience enrichissante m'a permis d'accroître certaines vertus indispensables à tout être humain, vertus trop souvent mises au rancart par la plupart des gens.

Le promoteur, heureux de cet exploit, frétillait de joie à l'idée de pouvoir enfin commencer les travaux de rénovation. Son bonheur a éclaté lorsqu'il constata que le budget alloué pour l'éviction des locataires n'avait aucunement été dépassé, même après avoir payé quinze mille dollars à cette femme.

Au signal, tous se mirent à l'œuvre et les travaux de rénovation commencèrent. Cependant, quelques mois plus tard, ce fut le début d'un véritable cauchemar. Rien ne s'est déroulé comme prévu. Le promoteur avait jadis rénové quelques petites propriétés, mais ce n'était rien comparé à un projet d'une telle ampleur. Il arriva ce qui devait arriver. L'inexpérience dans un programme grandiose comme celui-ci, fit en sorte qu'on y commit erreur sur erreur. Dès le départ, on s'est éparpillé. Personne ne savait vraiment par où commencer! Habituellement, la première chose à faire quand on veut vendre un complexe domiciliaire, c'est de réaliser au plus vite un appartement témoin du produit achevé et conforme aux plans exposés. À cette fin, il faut choisir stratégiquement un appartement, situé de préférence sur un coin, doté d'intéressants attraits. Autour de celui-ci, il faut refaire les murs de briques effrités, maquiller artistiquement la corniche surplombant la porte d'entrée et donner aux fenêtres ce facial attendu depuis si longtemps et pour couronner le tout, chapeauter le toit d'un nouveau bardeau d'asphalte. Enfin, il faut modeler conformément aux plans et devis, un intérieur délicieusement raffiné et l'orner de ses plus beaux atours. Voilà donc un appartement modèle ayant prestance et fière allure qui enchantera les visiteurs.

Bref, ce promoteur avait tout à portée de la main pour réussir ce méga projet: un site exceptionnel, un édifice original par sa forme et ses caractéristiques, des garages intérieurs individuels, chacun communiquant avec l'édifice. Que demander de plus! Il préféra n'en faire qu'à sa tête et ignorer les judicieux conseils offerts par des personnes bien intentionnées et dont la compétence en la matière était irréfutable.

Il engagea pour la démolition des ouvriers plus ou moins aptes à faire ce travail. Lorsqu'une difficulté survenait, ceux-ci, ne sachant trop que faire, changeaient tout simplement d'endroit, laissant là, les travaux en cours pour en commencer d'autres ailleurs. Entre-temps, de petites firmes de sous-traitance en plomberie, électricité... assignaient, tant bien que mal, à leurs apprentis-acolytes l'exécution des travaux, vu le manque d'organisation et de supervision sur le chantier. Même moi, qui à l'époque ne connaissais presque rien à la rénovation, j'étais abasourdie par l'absurdité du déroulement des opérations. Bref, il commença à vouloir rapiécer ce qu'il croyait encore récupérable. Même la vieille brique, qui aurait dû être entièrement changée, n'eut droit qu'à un léger rafistolage. Idem pour les portes de garages. Et là, je ne parle pas du reste !

La vente se fit au même rythme que les travaux, c'est-à-dire lentement. Plus ceux-ci avançaient, moins l'immeuble ressemblait au chef-d'œuvre architectural luxueux annoncé et que l'on pouvait contempler sur les affiches publicitaires installées un peu partout sur le terrain. De petites guérillas éclatèrent de temps à autre, suscitant d'amères déceptions chez certaines personnes concernées par ce projet.

Le promoteur n'était pas foncièrement malhonnête. Il s'est vite rendu compte que le projet était trop lourd à supporter financièrement. Confronté à son amour-propre, il ne voulait pas perdre la face devant l'homme qui lui avait vendu ce projet, car cet homme possédait sur cet immeuble un lien financier ainsi qu'un droit de regard. D'ailleurs, tous les gens impliqués dans le projet étaient impressionnés par ce personnage imposant aux goûts raffinés. Le promoteur voulut donc lui démontrer, ainsi qu'aux autres, sa capacité et son habilité à concrétiser le rêve frénétique qui s'était emparé de chacun d'entre-nous. Il se prit lui-même au piège de sa vanité en croyant arriver au résultat initial par le biais de moyens peu coûteux. L'erreur fut cette exaltation communicative chez tous ceux qui avaient activement participé à l'élaboration des plans architecturaux, plaçant ainsi le promoteur devant le fait accompli. L'orgueil accomplissant subtilement son ravage, le promoteur n'eut pas le courage d'avouer qu'il n'avait pas les reins assez forts pour se rendre jusqu'au bout du projet.

Je quittai le projet de ma propre initiative, un an et demi plus tard. Je n'acceptais plus de travailler d'une manière aussi bric-à-brac. J'appris par la suite qu'il fit faillite. Ce long et fastidieux travail s'avéra peu rémunérateur pour moi; mais au-delà de l'argent, l'enrichissement que m'apportèrent ces connaissances nouvelles en valait le coup! Par exemple, j'ai été étonnée de découvrir les désagréments imprévus et onéreux d'une démolition. Tout au long de ma carrière, j'ai connu une multitude d'individus qui se sont ruinés en voulant faire du neuf avec du vieux. Il faut être extrêmement prudent lors d'une rénovation intégrale et avoir en réserve un «bon bas de laine». Qui sait ce que vous allez découvrir dans les murs et fondations de ces vieilles bâtisses, si charmantes pour la plupart !

Ensuite, j'ai vendu des copropriétés indivises et des sociétés par action. Je n'ai pas encore compris comment des gens cultivés, ayant une belle profession, ont pu acheter à pelletée cette catégorie d'immeubles qui se vendaient tout de même à des prix exorbitants pour ce qu'ils avaient à offrir. Il s'agit d'un concept de copropriété où vous détenez des actions ou un pourcentage de l'immeuble proportionnels à l'espace occupé et au prix payé. Afin de simplifier l'explication du concept, j'utiliserai le terme «actionnaire».

☞ Il est important de connaître la différence entre:

- *Une copropriété DIVISE (condominium).*
- *Une copropriété INDIVISE (immeuble jadis à caractère locatif).*

☞ *La première catégorie* est de loin la plus intéressante. Il s'agit d'acheter un appartement dans un immeuble où vous êtes réellement le propriétaire de l'espace que vous occupez. Vous n'avez aucun compte à rendre à personne quant à la nature de vos décisions en ce qui concerne la vocation de votre appartement ; exception faite des parties communes de l'édifice dont les règlements sont régis par un document nommé «déclaration de copropriété». Vous pouvez l'occuper, le louer ou le vendre sans demander l'autorisation à qui que ce soit. Vous êtes seul responsable de votre emprunt hypothécaire, de vos taxes ainsi que des frais d'exploitation de l'immeuble. Dans l'éventualité où vous seriez dans l'obligation de faire cessation de vos biens, aucun des autres copropriétaires n'en serait affecté.

☞ *La deuxième catégorie est à éviter.* Il s'agit d'un individu, propriétaire d'un immeuble à caractère locatif, qui décide de vendre à ses locataires ou à une tierce personne, un droit exclusif d'occupation de l'appartement. Vous devenez actionnaire de l'immeuble, et non, propriétaire de votre appartement. D'ordinaire dans ce genre de propriété tout est en commun. Le chauffage est très souvent central, l'hypothèque et les taxes foncières sont calculées sur la totalité de l'immeuble. Tous ces frais sont répartis entre les actionnaires et chacun est responsable du non-paiement de l'autre. Donc, si vous faites cessation de vos biens, les autres actionnaires doivent reprendre votre part et en assumer les coûts. Il vous est également impossible de vendre ou de louer votre droit d'occupation de l'appartement sans l'autorisation de tous les autres. C'est cauchemardesque que de seulement penser augmenter ou diminuer votre part de l'hypothèque. Imaginez maintenant si vous souhaitez vendre! Vous ne pouvez prendre aucune initiative sans l'accord des autres. De plus, la majorité de ces immeubles sont vendus tels quels; très peu rénovés, quelques fois, seulement bien fardés, la qualité de l'insonorisation et de l'isolation étant quasi inexistante. Les personnes y vivent davantage à titre de locataires que de propriétaires.

Cela me dépasse! Il paraît qu'il faut de tout pour faire un monde! Comment des personnes sensées pouvaient-elles aisément dilapider leur argent dans ce genre d'acquisition? Pourtant, une explication détaillée leur était donnée. Qu'est-ce qui pouvait bien motiver leur choix? J'avoue que je n'en sais rien. Les seules personnes vraiment heureuses dans ces transactions étaient les propriétaires-vendeurs de ces immeubles. Estimez le profit exubérant qu'ils empochaient !

Prenons l'exemple d'un immeuble situé à Outremont, secteur très huppé et recherché pour ses bons vieux immeubles à caractère souvent discutable. Supposons que l'immeuble soit un triplex dont la valeur marchande s'élève à 250,000.$ dollars. L'occupation du rez-de-chaussée pouvait se vendre entre 120,000.$ et 150,000.$ dollars selon la grandeur et la condition du logement. Le deuxième étage, moins populaire, se vendait entre 80,000.$ et 100,000.$ dollars. Quant au troisième, il se détaillait au même prix que le rez-de-chaussée, soit entre 120,000.$ et 150,000.$ dollars. Faites vous-même les calculs et vous comprendrez ce qui a motivé la folie collective des spéculateurs-propriétaires d'immeubles à évincer leurs locataires, sans scrupule ni respect pour ces derniers.

Cette euphorie se répandit dans tous les secteurs et toutes les couches de la société. Aujourd'hui, les individus ayant acheté ce type de propriétés sont presque incapables de les revendre. Pour transformer celles-ci en copropriétés divises, il leur en coûterait près de 10,000.$ dollars, et même plus. Quoi qu'il en soit, je n'ai pas fait ce travail très longtemps, me sentant mal dans ma peau chaque fois qu'une personne signait ce type de contrat.

Après cette aventure, je suis revenue aux constructions neuves de «condominiums divises». Mes heures de travail me permettaient de voguer vers d'autres occupations, d'autres défis. C'est alors qu'on me proposa d'aller négocier des achats et des ventes pour des investisseurs et spéculateurs étoffés. J'étais emballée par cette idée. Enfin, j'apprendrais l'art de la négociation avec des gros bonnets de la finance !

Tous ces hommes d'affaires possédaient chacun leurs informateurs, qui plus est, étaient souvent les mêmes: banquiers, syndics, bureaux d'évaluation, agents immobiliers ou autres gens d'affaires de même acabit. Constamment à la recherche du «super deal» qui les enrichirait davantage, ils se transmettaient même des informations entre eux, moyennant de temps en à autre une cote appréciable lors de la concrétisation de la transaction.

Il s'agit d'un monde, d'un mode de vie bien particulier où tous ces alcooliques du travail se connaissent et épient les faits et gestes de chacun. Inconsciemment, ces individus sont en attente du jour où l'un d'entre eux commettra l'erreur qui le plongera dans une situation financière dramatique. Ainsi pourront-ils s'accaparer pour des «*peanuts*» les avoirs de celui-ci.

Travailler avec ces experts en la matière était ce qui pouvait m'arriver de mieux au cours de ma carrière. J'attendais ce moment depuis longtemps. Au début, on me chargea de négocier pour eux l'achat de terrains déjà ciblés, et par la suite l'achat d'immeubles.

Les offres d'achat étaient ridicules et la marge de négociation minime. En fait, pour cette dernière, c'est ce qu'ils ont essayé de me faire croire au début, mais j'ai très vite compris les règles du jeu. Lorsque les deux parties finissaient par s'entendre sur un prix, des clauses et des conditions incroyables étaient ajoutées par l'acheteur dans un but très précis: pouvoir se désister en cours de route ou de revendre l'immeuble avant même d'avoir finalisé la transaction. Lorsqu'un propriétaire-vendeur reçoit une promesse d'achat, il doit vérifier sur la ligne où se trouve le nom de l'acheteur si le terme «*et/ou nominé*» apparaît à côté du nom de celui-ci. Ce terme signifie que l'acheteur a pour intention de vendre à une tierce personne l'offre d'achat qu'il a négociée avec vous en espérant réaliser un profit substantiel très rapidement.

Pendant la période de délai attribuée aux conditions mentionnées à l'offre d'achat, je devais exécuter une recherche approfondie du terrain ou de l'immeuble. **«La découverte d'anomalies, lors de la recherche et de l'expertise de l'immeuble, permet de renégocier un**

prix d'achat qui avait préalablement été accepté par le vendeur. D'où l'importance des clauses qui permettent à l'acheteur de pouvoir se désister de sa promesse d'achat pendant la période de délai accordé pour les vérifications» Ces hommes d'affaires m'ont également enseigné comment visiter un immeuble et accroître mon sens de l'observation. À mes débuts, ils m'ont guidée dans mes recherches, m'indiquant les endroits où je devais me renseigner, ainsi que les informations que je devais rapporter. Quant à la marche à suivre dans ces endroits pour obtenir l'information nécessaire, je l'ai apprise sur le tas!

Mes premières recherches me prenaient un temps fou, je ne voulais rien oublier et encore moins passer à côté d'une information primordiale pour l'acheteur. Heureusement, les gens en place sont très compétents, charmants et affables surtout lorsque la recherche s'effectue dans les petites municipalités. Pour les grandes villes, c'est autre chose, ils sont tellement débordés. Lorsqu'un individu s'y présente et qu'il ne connaît pas tous les rouages de la recherche, il y a toujours sur place des employés habilités à les lui enseigner. Vous apprendrez très vite à poser les bonnes questions et à trouver rapidement ce qui vous intéresse lorsque vous commencerez à fréquenter ces endroits.

J'ai fait ce travail pendant des années, tout en continuant la vente de condominiums neufs. Il y a toujours deux côtés à une médaille. Je crois que  cette vieille maxime s'applique très bien à ce milieu des affaires: **«LE MALHEUR DES UN FAIT LE BONHEUR DES AUTRES».** Seuls des gens en difficultés financières ou conscients des défauts majeurs de leurs propriétés pouvaient accepter de vendre leurs biens à des prix aussi dérisoires. Lors de ces transactions, j'ai également vu des individus pleurer. Ils n'acceptaient pas d'être ruinés. Habités par la colère et la frustration, ces individus préféraient tout perdre plutôt que de laisser ces requins de la finance s'enrichir sur leur dos!

Pourtant, dans certains cas, l'acheteur aurait pu offrir un prix raisonnable qui eut été salutaire pour le vendeur. Une telle entente aurait probablement permis au vendeur d'éviter la faillite et de s'en tirer avec une bonne leçon. Même en payant un peu plus cher, l'acheteur aurait bénéficié d'une marge de profit plus que considérable. Que voulez-vous, ce milieu est conçu pour des individus avares! Par contre, doit-on blâmer tous ces spéculateurs? Je ne le crois pas! Cependant, je n'ai pas toujours pensé ainsi. Au contraire, j'étais plutôt portée à compatir avec les victimes !

VICTIMES DE QUOI? De leurs mauvais choix, de leur imprudence, de leur inexpérience, de leur naïveté, de leur incrédulité et, dans certains cas, de leur ignorance en la matière. Bien sûr que c'est triste de voir tant d'individus se faire léser. C'est le pourquoi de ce livre. Plus d'un avait payé trop cher leur acquisition. Certains avait investi dans un des ces immeubles constellés de trompe-l'œil et coûtant, après coup, une fortune à rénover. D'autres se retrouvaient avec un immeuble à moitié occupé.

Cette expérience m'a appris à prendre du recul face à une négociation et à faire la différence lors des énoncés de chacun. J'ai également appris à lire entre les lignes, à observer, à étudier et à analyser les comportements de tous et chacun. Il ne faut jamais oublier que qui que vous soyez, acheteur ou vendeur, qu'instinctivement chacun travaille pour sa poche. Il s'agit d'en arriver à déceler les limites propres à chacun.

Mon intérêt en ce domaine augmentait davantage chaque jour. Alors, je décidai de tenter ma chance et de commencer à acheter des propriétés pour mon compte personnel. Mon premier achat fut un condominium situé sur le Plateau Mont-Royal, dans un petit immeuble de neuf unités, très bien localisé. Le constructeur n'arrivait pas à les vendre. Normal, l'intérieur des appartements n'était pas complété. Celui-ci voulait faire bénéficier l'acheteur du choix du revêtement et de celui des couleurs. Je lui ai alors suggéré de prendre un des appartements et d'en faire une unité modèle meublée et décorée. Ainsi, il vendrait plus rapidement. Il suivit mon conseil et m'engagea pour les vendre. Six mois plus tard, ils étaient tout vendus. Les gens se sentent toujours plus rassurés lorsqu'il y a de l'activité au sein d'une bâtisse en construction.

Il ne restait qu'un seul appartement à vendre, lorsqu'un autre promoteur me proposa la vente d'un complexe important. Je fis donc à mon employeur une proposition d'achat qui s'avéra très avantageuse pour moi. Il accepta, car il en avait marre de ce projet qui traînait en longueur depuis au moins deux ans. Un an après avoir habité cet appartement, je décidai de tester le marché de la revente. J'ai placé une petite annonce dans le journal sous la rubrique «visite libre» pour le samedi suivant. Je fus extrêmement chanceuse, car je l'ai vendu avec un profit inespéré dans la semaine qui suivit. Plus alléchant encore, aucun gain en capital à payer au gouvernement puisque je l'habitais! Avec ce profit réalisé, j'ai acheté un petit cottage entièrement rénové, sur la même rue ainsi qu'un chalet dans les Laurentides. Ce magnifique chalet, je l'ai acheté sans un sou comptant et avec une balance de vente pour deux ans sans intérêt. Pour ceux qui ne connaissent pas ce que signifie le terme, *«une balance de vente»*: il s'agit d'une hypothèque financée en partie ou en totalité, par le vendeur. Cette hypothèque est habituellement de deuxième rang et est enregistrée par le notaire aux Registres fonciers du **Bureau de la publicité des droits** (*autrefois appelé: «Bureau d'enregistrement»*). C'est le même procédé qu'un prêt hypothécaire. La banque consent à accorder un prêt et se sert de l'immeuble comme garantie. Six mois seulement après que j'ai acquis ce chalet, un médecin frappa à ma porte et m'offrit de l'acheter. Je lui fis une contre-proposition qu'il accepta. Une fois de plus, j'ai réalisé une marge de profit inespérée, surtout en un si court laps de temps. À cette époque, le marché de l'immobilier était «un marché de vendeurs» (c'est comme ça que l'on dit dans le jargon de l'immobilier). Ce qui veut dire que beaucoup d'acheteurs souhaitaient acquérir une propriété alors que très peu de propriétés étaient à vendre. Le prix de vente de celles-ci étaient à la hausse, vu leur rareté. Un marché d'acheteurs est l'inverse. Il y a trop de propriétés à vendre et très peu d'acheteurs. Donc, la valeur de la propriété diminue. Depuis le début des années 90, nous sommes dans cette vague. Cependant, la fin de cette décennie annonce un revirement de la situation. C'est pour cette raison, qu'avant les années 90, j'ai déménagé presque tous les ans. J'achetais une propriété, je l'habitais un an et je la revendais. Après l'achat du chalet, je me suis occupée de vendre mon cottage. Mon capital augmentait de plus en plus. Par la suite, j'ai acheté une autre propriété, toujours sur le Plateau et cette fois j'y suis demeurée cinq ans. La maison voisine était également à vendre. Elle nécessitait des travaux de rénovation. J'en parlai à une amie qui s'intéressait également à l'immobilier et ensembles nous avons acheté cette propriété. Le but était de la restaurer pour ensuite la revendre. D'où le début d'une longue et fructueuse association, qui d'ailleurs existe encore à ce jour. C'était le bon temps à cette époque!

La vente pour taxes nous intéressa, mon associée et moi. D'un commun accord, nous avons décidé d'étudier pendant un an ce style de vente avant d'acheter quoi que ce soit. Nous devions redoubler de prudence, n'y connaissant rien, ni l'une ni l'autre. Nous nous sommes d'abord abonnées à «*la Gazette Officielle*», que l'on peut se procurer au Palais de justice et dans les bibliothèques. De plus, nous avons surveillé les avis publics dans les journaux. Notre étude de marché commençait.

La façon logique de procéder était d'identifier au marqueur les propriétés susceptibles de nous intéresser. Quelques jours avant la vente, l'une d'entre nous téléphonait au shérif afin de vérifier si la vente avait toujours lieu, ceci dans le but de nous éviter des déplacements et des recherches inutiles. Plusieurs de ces propriétaires en défaut règlent quelques fois leur dû quelques minutes avant l'encan. Après un an d'étude, nous avons acheté une douzaine de terrains. Par contre aucun immeuble. Pendant notre étude du marché, nous en avions vu et entendu de toutes les sortes ! Entre autre, une histoire survenue à quelqu'un qui avait acheté une résidence très dispendieuse. Lorsqu'il a pris possession de sa maison, les armoires de cuisine avaient été arrachées, la salle de bain démolie, les vitres cassées. En plus, la maison était inondée; les tuyaux avaient été volontairement cassés. Je crois que l'ancien propriétaire était en «pétard»d'avoir perdu sa maison ! Dans ce genre d'acquisition, il est impossible de connaître à l'avance dans quelle condition sera la propriété lorsque la personne en défaut de paiement, la quittera. Aucune garantie ne vous sera donnée. Vous devez l'accepter dans l'état où vous trouverez la propriété. Beaucoup trop risqué comme achat. Du moins pour nous.

Un jour, une autre de mes amies m'invita à passer la fin de semaine au chalet qu'elle avait loué pour la saison. L'endroit était magnifique et elle me confia son ardent désir de l'acheter. Je l'ai encouragé dans ses intentions. Elle fit une offre au propriétaire qui la déclina prétextant ne pas vouloir vendre. Lorsque ça ne va pas avec une, on passe à une autre. Telle est ma devise! Des propriétés à vendre, ce n'est pas ce qui manque sur le marché. Bref, pour économiser du temps, nous nous sommes adressées au courtier de la région.

L'agent immobilier (qui était une femme) fut formidable! Elle connaissait son territoire, son marché jusqu'au bout des doigts. Après une vingtaine de visites extérieures, notre attention se porta sur un modèle de conception originale, peu standard. L'agent nous amena, à notre demande, directement au concepteur de ce type d'habitations, dont l'usine de fabrication se trouvait dans la région. Mon amie et moi étions toutes les deux fascinées et excitées par cette forme d'architecture non traditionnelle. Notre émotion s'amplifia davantage lorsque nous avons discuté avec le concepteur et pris connaissance des différentes possibilités qu'offrait ce concept. Ensuite, nous sommes retournées au chalet les bras chargés de documentation. Nous échangeâmes un regard complice; notre décision était prise. Ensembles, nous allions construire cette maison!

Le programme de la fin de semaine suivante était planifié pour la recherche d'un terrain. Toujours avec la même agente qui, cette fois-ci, nous amena voir un individu qui subdivisait une terre pour en faire un développement résidentiel. Il commençait à peine son projet et nous étions parmi ses premiers acheteurs. C'était le bon temps, d'en profiter! C'est ce que l'ont fit. On lui acheta trois terrains à un prix très avantageux, ce qui l'aida à bien démarrer son projet. Tout le monde y trouva son compte. Notre but, en achetant ces trois terrains, était de construire, sur l'un d'eux, une maison que l'on revendrait par la suite. Avec le profit réalisé, nous souhaitions nous bâtir chacune une maison sur chacun des deux terrains restants.

Nous étions enfin prêtes à nous propulser dans l'inconnu de cet univers qu'est la construction neuve! Cette maison préusinée était ronde. Elle possédait un toit de forme pyramidale qui s'arrondissait à sa base. De plus, la fenestration panoramique donnait un angle d'au moins 180 degrés, ce qui permettait un champ de vison très large. Une autre de ses caractéristiques, c'est qu'elle possédait une seule poutre de soutien. Cette poutre, située au cœur même de la maison, descendait du centre de la toiture jusqu'au plancher du rez-de-chaussée et pour, certaines propriétés, elle se prolongeait jusqu'au sous-sol. Imaginez l'effet, un plafond qui commençait à huit pieds de hauteur et montait en pointe jusqu'à dix-huit pieds de haut, atteignant ainsi le centre de la toiture. Quel toit cathédrale! Ce concept permettait de faire rêver et de laisser libre cours à l'imagination, pour quiconque, possède un brin de créativité. De la créativité, nous en avions! Donc, la première chose à faire, était de nous inscrire à un cours de design intérieur. Nous voulions à tout prix concevoir nous-mêmes l'aménagement des divisions de chaque pièce. Le délai prévu pour la fabrication de la maison en atelier ainsi que le temps alloué pour l'ériger sur le terrain nous permettait de suivre ce cours.

Nous avions décidé de faire également la sous-traitance de la construction. Par l'expérience acquise précédemment, je m'en sentais capable, ma copine, également. Avocate de profession, elle s'était amusée à transformer en copropriété indivise, un triplex qu'elle possédait. Sournoisement, le malheur s'abattit sur nous, lorsque son frère, qu'elle n'avait pas vu depuis longtemps, atterrit dans le décor.

Après quelques retrouvailles émouvantes, il commença par nous proposer de participer avec nous à l'élaboration du plan d'aménagement. Ses idées imprégnées d'originalité étaient selon moi extravagantes et coûteuses. Un point à son honneur, il savait les mettre en valeur par un médium qu'il maîtrisait très bien : «le dessin».

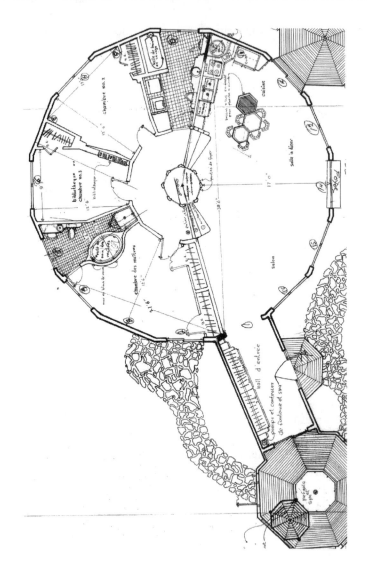

Cet homme était menuisier de métier. Cela ne m'aida pas à me débarrasser de cet intrus qui venait saccager tous nos plans. Ma copine, trop heureuse d'avoir retrouvé son frère insista pour qu'il supervise le chantier et qu'il exécute les travaux intérieurs. Je n'étais pas très enthousiaste à cette idée. Ma petite voix intérieure me criait «Non! Non! Non!»

Il nous amena visiter une bâtisse dont il avait charge de rénovation. Autant je fus impressionnée par la conception du plan d'aménagement, autant je fus déçue par la qualité de son travail en rénovation. Après plusieurs discussions, il réussit à nous convaincre de ses compétences. Il nous promit les meilleurs prix sur les matériaux de construction puisqu'il disait avoir des contacts en ce domaine. Il nous promit également de nous faire économiser sur le taux horaire de la main-d'œuvre puisqu'il exécuterait lui-même les travaux. Cet homme avait le verbe facile et savait se vendre.

J'ai fini par céder aux supplications de ma copine, tout en exigeant de celle-ci qu'à la moindre fausse manœuvre de son frère, nous reprenions le contrôle. Elle accepta ce marché.

Il commença par nous proposer d'ajouter un gazébo qui serait relié à la maison par un hall d'entrée. Selon lui, ce gazébo serait un atout de plus pour la vente de la maison. Un lieu de prédilection pour les belles journées saisonnières. Ça commençait très bien! Rien de tel n'avait été prévu dans notre budget. Nos moyens financiers ne nous le permettaient pas. Il fit donc un croquis, nous montrant ainsi toute la différence. Je dus avouer qu'il avait raison, c'était magnifique! **L'émotion** prit le dessus. Davantage lorsqu'il nous affirma qu'il pouvait le faire fabriquer en atelier par un de ses amis. Ce, pour la modique somme de 2,500.$ dollars. Un prix plus qu'intéressant, car sur le marché, ce genre de gazébo se vendait près de 4,000.$ dollars. Après consultation, ma copine et moi avons accepté.

À cause d'un contrat de rénovation dont il n'avait jamais été payé, cet homme avait quelques difficultés financières. J'ai compris très rapidement «pourquoi» cela s'était produit. Il nous demanda 1,000.$ dollars pour donner en dépôt sur le gazébo. Voulant lui faire un chèque au nom de la compagnie de son ami, il m'expliqua qu'au prix que celui-ci nous faisait, nous devions le payer comptant. Je n'aime pas remettre de l'argent liquide à une personne dont je ne connais que le nom. Mais cette fois, il s'agissait du frère de mon associée. Il nous promit que le gazébo serait livré en moins de trois semaines. Pendant ce temps, il engagea une compagnie pour préparer le terrain et faire couler le béton afin de recevoir cette petite merveille. De plus, j'ai avisé le constructeur de faire une ouverture supplémentaire pour introduire la porte reliant le gazébo à la maison.

Un mois s'est écoulé et toujours pas de gazébo. Pire encore, il ne s'était pas représenté la face sur le chantier. Donc, aucun des travaux intérieurs n'étaient commencés. Il prétextait un petit contrat à finir. Après vérification auprès de son ami, celui-ci me dit n'avoir jamais reçu la commande. Mes soupçons s'amplifiaient davantage. Furieuse, j'ai immédiatement exigé le remboursement de notre argent ! Mais le frérot de ma copine avait pris l'argent. Il nous raconta, pour se justifier, une histoire à dormir debout. Il était trop tard pour reculer. Des frais avaient été engagés pour ce gazébo. Je pris donc avec lui une entente : j'achète le bois et il le construit lui-même sur place. Quant au 1,000.00.$ dollars, il serait déduit de son salaire. Il accepta. Ce fameux gazébo coûta deux fois son prix.

Il n'était plus question pour moi de continuer à travailler avec cet homme. Donc, je donnai à ma copine un ultimatum et trois solutions. *Primo* : elle rachète mon investissement initial et elle continue la construction avec son frère. *Secundo* : je rachète sa part et je continue seule. *Tercio* : nous continuons ensemble ce que nous avons commencé et cela sans son frère. Elle choisit la première proposition. C'est avec tristesse et sans rancune que nous avons mis fin à notre association. Je comprenais très bien les liens familiaux qui l'unissaient à son frère. Elle voulait l'aider financièrement en lui donnant le contrat de la finition intérieure.

Afin de rembourser mon investissement initial, j'ai gardé les deux autres terrains et je lui ai cédé la maison. Prenant mes précautions, j'ai immédiatement avisé la banque qui avait émis l'hypothèque ainsi que le constructeur du fait que j'avais vendu mes parts à mon associée.

J'ai également exigé de ceux-ci, et par écrit, un dégagement personnel sur la responsabilité des contrats «passés, présents ou futurs» relatifs à cette propriété. Cela me fut accordé sans trop de difficultés, puisque ma copine était très solvable. Six mois plus tard, elle était ruinée. Son frère l'avait arnaquée. Lorsqu'elle remit les clés à la banque, la maison n'était toujours pas terminée. Je fus très affectée par cette nouvelle. J'ai appris dernièrement qu'après neuf ans elle subissait encore les contrecoups de cette aventure. Quant à moi, je l'ai échappée belle!

J'ai quand même réalisé mon rêve: j'ai construis deux de ces maisons et cela sans dépasser mon budget. Suite à cette réussite, un sentiment de fierté m'enveloppa. Cependant, je ne fus pas épargnée. Entre les années 89 et 90, la crise économique arriva sans prévenir. Impossible de vendre les propriétés. Les gens ne pensent pas trop à s'acheter une résidence secondaire luxueuse quand toute l'économie va mal. J'ai dû vendre par le biais de ces entreprises spécialisées dans les échanges commerciaux qui faisaient fureur à cette époque. Ce système d'échange avait presque atteint son summum et plusieurs commerçants et entreprises, professionnels et gens d'affaires, ont survécu grâce à cette forme de transaction (le troc).

En ce qui concerne le troc, il arrive, lorsqu'une de ces entreprises monte en flèche, que ses têtes dirigeantes soient dépassées par les événements. Le succès de l'entreprise leur fait commettre très souvent des erreurs de jugement. L'appât du gain, entre autres, fait en sorte que les dirigeants en veulent toujours plus. Alors, ils deviennent voraces et gourmands. Ils s'accaparent pour eux-mêmes, les meilleurs produits offerts par les nouveaux «marchands- membres» de leur entreprise, laissant ainsi les grenailles pour les autres membres. Cet abus de pouvoir finit toujours par avoir des conséquences désastreuses. Dommage! Cela fait du tort aux bonnes compagnies spécialisées dans le domaine de l'échange commercial. Pourtant, ce concept est vieux comme le monde, il a fait ses preuves au cours des siècles passés. Cela permet de faire tourner la roue économique. Pendant cette période néfaste, le domaine de la construction est descendu à son plus bas. Les projets domiciliaires se faisaient de plus en plus rares. Certains constructeurs tâtaient le marché pendant six à huit mois avant de décider de continuer ou non leur projet. Comme les ventes se faisaient très lentement, ils les retardaient souvent de deux à trois ans. Les quelques contrats que j'aie pu obtenir furent également reportés à plus tard. Durant ces périodes d'essai, je n'étais pas payée. Croyez-moi! À toujours devoir recommencer ailleurs sans être rémunéré, cela finit par dégarnir rapidement un portefeuille. Presque tous mes avoirs y sont passés. Que voulez-vous, cela fait parti «de la *game*»!

J'eus, par la suite, l'opportunité de vendre des condominiums localisés en Floride, à des gens d'ici. Un placement pour abri fiscal.

La présentation du dossier était exceptionnelle et attrayante pour l'acheteur en quête d'économies d'impôt. Les acheteurs potentiels étaient sélectionnés par le biais de listes répertoriées selon les revenus de l'individu. Ensuite, celui-ci était contacté par l'intermédiaire d'une agence de «*télémarketing*». Certains d'entre eux se rendaient sur place avant d'acheter, ce qui est tout à fait normal, car le montant de l'achat était important. La compagnie offrait l'hébergement pour deux nuits et l'acheteur payait lui-même ses frais de transport. Le billet d'avion était remboursé lorsque celui-ci achetait. Par contre, la plupart des gens préféraient acheter en visionnant la cassette vidéo. Celle-ci était d'une conception remarquable. Normal, car: «ils y avaient mis le paquet». Après six mois de ce travail, mes employeurs m'envoyèrent en Floride. C'est là que j'ai vraiment découvert ce que les gens avaient acheté.

Les sites étaient spectaculaires. Sur un des projets, situé aux abords d'un magnifique terrain de golf, étaient érigées de multiples rangées de bâtisses sur deux étages. Chacune de ses bâtisses comptait neuf appartements par étage. Cet ensemble immobilier contenait au total, plus de deux cents condominiums qui contournaient un lac artificiel.  Au centre de ce lac jaillissait l'eau provenant des nombreuses fontaines qui s'y trouvaient. Quel bonheur pour la multitude de canards suralimentés qui y résidaient! Ces immeubles dont la structure était de bois possédaient un revêtement faits d'un matériel communément appelé «bois pressé». Celui-ci était tellement pourri que des morceaux nous restaient dans les mains! Même plus: une simple pression des doigts suffisait à les égrainer complètement. Ce complexe était un régal pour les termites. Ceux-ci s'en donnaient à cœur joie à dévorer tout ce qui s'appelait «bois». Inimaginable! La construction datait d'environ six ou sept ans et en avait l'air de vingt. Par contre, l'intérieur des appartements était spacieux et assez bien décoré. Mais cela ne valait jamais le 80,000.$ à 120,000.$ dollars U.S. demandé. Il aurait été plus équitable de n'exiger que la moitié de ces montants.

Quant à l'autre projet, c'était un ancien hôtel dont la structure était faite de béton. Déjà mieux! Ce site était gratifié d'une vue splendide sur le canal maritime *«L'intracoastal»* et à un coin de rue de la mer. Les chambres et les suites de ce complexe hôtelier ont été converties en appartements pour condominiums. Les prix établis selon la superficie, l'étage et la vue, se répartissaient comme suit:

- de 60,000.$ à 80,000.$ dollars U.S.
  (unité de une chambre)
- entre 95,000.$ et 120,000.$ dollars U.S.
  (unité complète avec une chambre fermée)
- de 180,000.$ à 220,000.$ dollars U.S.
  (pour une suite complète avec deux chambres).

L'extérieur de ce complexe avait été complètement rénové. Quant aux appartements eux-mêmes, ils étaient vendus tels qu'ils étaient avant la conversion en condominiums. Les acheteurs devaient payer un supplément pour restaurer l'intérieur de ceux-ci. Il n'y avait aucun doute sur la beauté de ce site très apprécié. Cependant en magasinant un peu, il était possible de trouver mieux pour moins cher. Quoi qu'il en soit, ce moyen de contourner la loi fiscale par ce genre d'investissement était presque une attrape. Ces unités se vendaient cher parce qu'un rendement appréciable sur l'investissement était promis à l'acheteur par le biais de la location à court terme (à la journée, à la semaine ou au mois). Ces locations se faisaient par l'intermédiaire d'une agence de voyage localisée à Montréal ainsi que sur le site même pour les touristes en quête d'un hébergement. Que vous achetiez en Floride ou ailleurs, exception faite pour les appartements à temps partagés (*time sharing*), il est rare que la location à court terme soit permise lorsqu'il s'agit de condominiums. Donc, soyez très prudent!

Lorsqu'on vous propose un achat avec un revenu alléchant, il est possible qu'il y ait «**anguille sous roche**» Dans bien des cas, la déclaration de copropriété ne le permet pas et, de plus vous risquez que la Municipalité ait établi un règlement de «Zonage» à cet effet. De toutes façons, il est imprudent d'acheter une propriété à l'étranger sans avoir préalablement vérifié les clauses du document en question et de s'être informé auprès de la Municipalité de la région qui vous intéresse. Les promoteurs savaient que la réglementation de la Municipalité ne permettait pas la location à court terme. Ils croyaient pouvoir faire changer facilement ce règlement auprès de la Municipalité. Ce qui ne fut pas le cas. Les acheteurs s'attendaient à faire des gains substantiels, comme cela leur avait été démontré lors de la projection financière établie à cet effet. Une location à court terme est de loin plus rentable que celle qui est semestrielle ou annuelle. Imaginez l'excitation de ces gens devant une location dont la moyenne est de 100.$ dollars par jour, comparativement à celle d'une location annuelle avec un bail à 600.$ dollars par mois. Faites les calculs en supposant que seulement 150 jours seraient loués dans l'année et cela sans compter les locations à la semaine ou au mois. Êtes-vous d'accord avec moi pour dire que le prix d'achat était cher, mais que le rendement compensait largement le prix?

Tôt ou tard, le gouvernement s'apercevra du subterfuge et passera une Loi qui interdira ce type d'investissement comme abri fiscal. Ces individus véreux qui élaborent de tels plans d'investissements profitent des failles qu'ils découvrent dans la Loi pour s'enrichir. La plupart de ces gens avaient utilisé leur REER pour acheter et plusieurs d'entre eux ont tout perdu. Tout comme eux, je me sens victime de toutes ces supercheries. Soyez très prudent, si un jour, vous êtes sollicité pour ce genre d'acquisition alléchante.

Chapitre I

Les terrains

Voici ce à quoi vous pouvez faire face lors de l'achat d'un terrain. Les histoires que je vous relate sont survenues à des personnes de mon entourage maintenant aux prises avec des problèmes juridiques.

LE VENDEUR N'EST PAS LE PROPRIÉTAIRE

Lorsqu'un individu pense acheter un terrain, c'est qu'il veut y construire la maison de ses rêves. Il commence par feuilleter les petites annonces, il se procure tous les périodiques émis par les agences immobilières ou encore il prend sa voiture et roule gaiement sur les routes à la conquête de son trésor.

Après quelques appels téléphoniques et quelques visites, il trouve enfin son diamant brut. Ébloui par le site et le prix, il conclut un pacte écrit avec le vendeur et lui remet, par la même occasion, un chèque libellé à son nom, actualisant ainsi son désir d'acheter. Cette façon de procéder est très courante, mais elle comporte un risque. Êtes-vous bien certain que la personne qui vous vend ce terrain et qui encaisse votre chèque en est bien le propriétaire?

Je ne sais pas «pourquoi», mais j'ai l'impression de vous entendre rire derrière le bouquin. Laissez-moi vous démonter des faits qui arrivent presque tous les jours. Je ne vous apprends rien, en vous disant qu'il existe des personnages étonnamment brillants, sachant vendre et se vendre aisément. Ces individus sont, la plupart du temps, limités dans leurs finances. Regardez autour de vous, je suis persuadée que vous connaissez une personne de votre entourage qui possède ce profil. Ces individus sont continuellement à la recherche d'une méthode rapide et efficace pour faire de l'argent, peu importe le produit à vendre et les moyens employés. Les plus audacieux vont préférer le domaine de l'immobilier pour utiliser leurs talents, car ce genre d'investissement permet de faire de bons coups d'argent.

Ce type d'individu commence par chercher un promoteur de terrains qui en est à sa première phase de développement. Après tout le boniment usuel, il convainc celui-ci de lui vendre un certain nombre de lots à un prix très bas avec en plus une échéance très longue pour finaliser la transaction. Ce stratagème a pour but d'étirer le temps afin qu'il puisse revendre ceux-ci. Les promoteurs qui commencent un nouveau projet acceptent assez régulièrement ce genre de proposition, même si quelques fois le dépôt est très minime ou inexistant. Analysons la technique!

> ➤ **Premièrement:** cela permet de faire bouger les acheteurs indécis plus rapidement, cela sans mentir! Un acheteur peut devenir anxieux lorsqu'il s'aperçoit que les terrains se vendent vite dans le projet qui l'intéresse. Ne voulant pas perdre le terrain qu'il a sélectionné alors, il s'empresse d'acheter. Ça marche, ce genre de pub!

> ➤ **Deuxièmement:** lorsque le délai est trop long pour conclure la transaction ou que des conditions sont apposées sur la promesse d'achat, le vendeur du projet va se protéger en inscrivant une clause «*droit de premier refus*» sur la promesse d'achat faite par notre spéculateur. Cette clause permet au vendeur de recevoir d'autres promesses d'achat.

Le vendeur devra aviser par télégramme le premier acheteur avant d'accepter cette nouvelle promesse d'achat, car celui-ci a la priorité. Dans son télégramme, le vendeur doit accorder au premier acheteur un délai pour répondre. Ce délai doit être déterminé avec la clause du «*droit de premier refus*» et le temps accordé pour la réponse doit être court soit, 24, 48 ou 72 heures. Le premier acheteur, devra alors aviser le vendeur de son intention d'acheter immédiatement le terrain sur lequel il avait fait une offre d'achat ou de résilier celle-ci. Lors d'un désistement, la promesse d'achat devient alors «*nulle et non avenue et tout dépôt doit être remboursé*». Le vendeur pourra, dès lors, vendre officiellement le terrain au nouvel acquéreur. Ce procédé permet d'acculer au pied du mur une personne qui hésite à acheter ou qui n'a pas les fonds nécessaires pour acheter immédiatement. C'est souvent le cas pour ce genre spéculateur. Par contre, le vendeur doit remettre au premier acheteur la preuve de cette nouvelle offre d'achat.

Voyez à quel point la transaction est avantageuse pour un vendeur. Cela lui permet de jouer sur deux tableaux en même temps. C'est pour cette raison qu'ils refusent rarement ce genre d'entente avec des spéculateurs. Cette entente est également utilisé lorsqu'une personne loue une propriété avec l'intention de l'acheter.

Maintenant que l'explication est donnée, revenons à notre spéculateur et à la promesse d'achat qu'il a faite sur les terrains. Celui-ci est enfin prêt à

appâter son poisson. Il place dans les journaux sa publicité. Vous téléphonez. Vous allez visiter le terrain. Celui-ci vous intéresse. Tout heureux et pimpant, vous rencontrez de nouveau le spéculateur-vendeur avec votre offre d'achat en main et un chèque pour le dépôt. Celui accepte votre offre, encaisse le dépôt et recommence sa pêche. Il peut arriver plusieurs scénarios dans cette histoire :

- *Il a trouvé plusieurs acheteurs et s'envole avec les dépôts avant d'avoir notarié.*

- *Il se rend chez le notaire et, au terme d'un arrangement avec le promoteur, c'est celui-ci qui signe l'acte de vente et remet au spéculateur son profit.*

- *Il finalise au bureau du notaire, quelques minutes avant votre tour, sa transaction avec le vendeur du projet. Réalisant ainsi un profit sur votre dos, alors que vous n'étiez pas au courant du fait «qu'il n'était pas le propriétaire du terrain, au moment où il vous l'a vendu».*

Je suis persuadée que vous auriez préféré avoir cette différence d'argent dans vos poches plutôt que dans les siennes. En allant à la Municipalité de la région avant d'écrire votre promesse d'achat, vous auriez su immédiatement le nom et l'adresse du vrai propriétaire. Cela vous aurait permis de négocier directement avec celui-ci.

Il est important que vous sachiez que ce genre d'individus n'agit pas ainsi uniquement avec des personnes qui développent des terrains ou avec des constructeurs de maisons neuves. Il utilise le même scénario pour des propriétés existantes. Très souvent, leur «dada» préféré est de négocier avec des personnes âgées ayant de grandes terres. Ils les harcèlent souvent pendant des années, au point que ces dernières finissent par céder et vendent à un prix ridicule. Ces individus sont très débrouillards. Ils finissent par monter une liste impressionnante de gros bonnets prêts à racheter leur offre pour en faire un développement domiciliaire.

- Il peut également arriver que la personne qui vous vende le terrain ou la propriété n'en soit pas la seule propriétaire. Elle accepte et signe une promesse d'achat sans que les autres propriétaires ne soient au courant et elle encaisse le dépôt. Que pensez-vous qu'il arrivera lorsque ces autres propriétaires en seront informés?

- Il arrive même qu'une personne en instance de divorce accepte une promesse d'achat sur la propriété appartenant au couple et ce, uniquement dans le but de faire du tort à son conjoint. Pour ce faire, cette personne acceptera une offre faite à un prix ridiculement bas. Éventuellement, l'acheteur se retrouvera pris entre deux feux car l'autre conjoint refusera de signer l'offre.

- Ou il arrive aussi qu'un propriétaire vende deux fois le même terrain ou la même propriété à deux personnes différentes. Les deux transactions se finalisent au bureau de deux notaires différents et ce, dans la même journée.

C'est pour cette raison qu'aujourd'hui les notaires retiennent les fonds de la transaction jusqu'à l'enregistrement de celle-ci. Des escrocs qui acceptent plus d'une offre en même temps sur la même propriété, il en existe plus que vous ne pouvez l'imaginer. Ceux-ci peuvent être, ou non, propriétaires du bien qu'ils vous vendent. Tout ce qu'ils veulent, c'est encaisser les dépôts. Imaginez le pétrin dans lequel sera le vrai propriétaire! Vous ne savez rien de la personne avec qui vous transigez. Vous ne connaissez pas sa situation financière et encore moins son état émotionnel et psychologique !

Quelle que puisse être la raison qui pousse un individu à agir de la sorte, il y a toujours moyen de se protéger. Vous êtes pressé et vous n'avez pas le temps de vous rendre immédiatement à la Municipalité et vous souhaitez quand même faire votre offre d'achat ? Alors, exigez de voir le compte de taxes du bien immobilier. Ensuite, exigez de voir une pièce d'identité de la personne avec qui vous transigez. Le nom qui figure sur les deux documents devrait être le même. Vérifiez également si le numéro de lot, qui est écrit sur la promesse d'achat, correspond bien à celui du compte de taxes. Encore là, ce n'est pas garant que vous achetez le terrain que l'on vous a fait voir. C'est pour cette raison qu'il est important d'ajouter à votre promesse d'achat la clause vous donnant le temps nécessaire pour faire une recherche satisfaisante et plus approfondie. Pour le dépôt, faites-le au nom de votre notaire et du vendeur en «fidéicommis». Méfiez-vous du mafioso de la spéculation sans argent qui est toujours à la recherche d'une aubaine. À première vue, cet individu est aimable, gentil et semble être normal. Il connaît tous les trucs pour acheter sans un sou en poche et revendre, avec profit, ce qu'il n'a même pas eu à payer. Ces mafiosi agissent en toute liberté et impunité.

- **LE TERRAIN EST ZONÉ VERT:** (zone agricole) réservé à l'exploitation agricole. Afin de pouvoir construire un bâtiment «grange, maison ou autre» sur un terrain qui est zoné vert, vous devez avoir l'approbation de la commission de protection du territoire agricole et respecter la réglementation de la municipalité.

- **LE TERRAIN EST ZONÉ BLANC:** (peut être subdivisé en plusieurs lots). Vous pouvez construire et faire des lotissements de terrains, tout en observant la réglementation de la Municipalité.

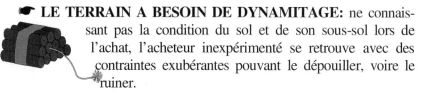

☞ **LE TERRAIN A BESOIN DE DYNAMITAGE:** ne connaissant pas la condition du sol et de son sous-sol lors de l'achat, l'acheteur inexpérimenté se retrouve avec des contraintes exubérantes pouvant le dépouiller, voire le ruiner.

Dans plusieurs cas, impossible de terminer la construction en raison d'imprévus qui occasionnent des coûts supplémentaires très élevés.

CONSÉQUENCE: possibilité d'abandon du projet «à cause de coûts trop onéreux» ou de faillite. Donc perte de l'investissement.

Il ne faut jamais oublier que tout est en interrelation au cours d'une construction nécessitant le dynamitage. Il y a tant d'éléments susceptibles d'y être affectés, dépassant ainsi la norme habituelle des coûts relatifs à chacun: *(excavation, fondation, puits artésien, fosse septique, champ d'épuration, entrée charretière, drainage, érosion, degré de pente, déboisement, remblais ou déblais, ainsi que les services d'utilités publiques tels que Bell, Hydro, Câble, Gaz...).* N'attendez pas d'être placé devant le fait accompli. Faites d'abord votre recherche! C'est très facile, vous allez voir.

IL EST D'UNE IMPORTANCE PRIMORDIALE DE BIEN CONNAÎTRE LA NATURE DU SOL AVANT D'ACHETER ET DE COMMENCER À CONSTRUIRE. VOUS VOUS ÉVITEREZ AINSI DES SURPRISES PEU AGRÉABLES ET TRÈS COÛTEUSES.

VOTRE TERRAIN PEUT-ÊTRE CONTAMINÉ.

Voici deux exemples de sols contaminés :

Le propriétaire d'une bâtisse à logements multiples eut à faire face à un drame financier lorsque le contenu du réservoir d'huile qui alimentait le système de chauffage central de l'immeuble se répandit dans le sol et imprégna la matière rocheuse. Cela eut pour conséquence la contamination du sol et des roches qui s'y trouvaient. Le réservoir était installé à l'extérieur de la propriété et enfoui dans le sol. Lorsque le proprio décida de vendre l'immeuble, le créancier hypothécaire du vendeur, qui était le même que celui du nouvel acquéreur (transfert d'hypothèque), exigea un test de sol. Découvrant que celui-ci était contaminé, il refusa le prêt et exigea même le remboursement intégral de l'hypothèque existante. Après plusieurs discussions entre le créancier hypothécaire et le vendeur, une entente fut prise pour la décontamination du sol. Cette opération coûta une petite fortune. Non seulement il a fallu décontaminer le sol, mais toute la matière rocheuse qui s'y trouvait. Imaginez la perte financière que le proprio a subie lors de la vente de cet immeuble. Les institutions financières exigent de plus en plus des tests de sol, surtout lorsqu'il s'agit d'immeubles à logements ou de développements domiciliaires. Elles ont été confrontées à plusieurs cas, depuis quelques années. Les terrains situés dans les grandes villes y étant plus sujet.

Il y a quelques années, un de mes amis acheta un terrain anciennement utilisé comme décharge à neige. Celui-ci appartenait à une Municipalité. Le terrain fut subdivisé en trois lots distincts. Il revendit deux de ces lots et garda le troisième pour lui, soit environ cent vingt-trois mille pieds carrés. Quelques mois plus tard, il revendit ce lot à un constructeur qui désirait en faire un développement résidentiel. Surprise! Lorsque le constructeur creusa pour commencer les infrastructures, il s'aperçut que cette partie du terrain était contaminée par la créosote (*liquide incolore d'odeur forte extrait de divers goudrons par distillation; utilisé pour la désinfection du bois.*) Ce terrain servit jadis à une usine de fabrication de rails pour chemin de fer. Mon copain fut très chanceux d'avoir acquis ce terrain de la Municipalité, car le nouvel acquéreur préféra négocier directement avec la Ville, plutôt que de prendre action pour vice caché contre mon ami. Après des mois de discussions, ils coupèrent la poire en deux et chacun paya les frais relatifs à la dépollution du terrain. Comme toujours, cette catégorie de travaux coûte cher. Le constructeur, afin de ne pas perdre sa marge de profit en raison de la dépollution du terrain, augmenta proportionnellement aux dépenses encourues le prix de vente des maisons du développement résidentiel. Qui paya la note de ces frais? Les acheteurs! Cela, sans même être au courant de la situation! Par contre, je dois ajouter qu'il est normal que le constructeur agisse ainsi. Le coût étant réparti sur un grand nombre de maisons, cela ne fait pas une énorme différence pour l'acheteur. L'histoire s'est bien terminée dans le cas présent.

Cependant, tout le monde n'est pas aussi brillant que ce constructeur. Il préféra payer une partie de la note et d'ajouter celle-ci aux prix de vente des maisons, plutôt que de s'embarquer dans des procédures juridiques longues et pénibles, coûteuses et sans fin. Personnellement, je trouve que cet homme s'est comporté comme un «fin renard» et qu'il a agi intelligemment. Malheureusement, ce n'est pas le cas de biens d'autres. Ceux-ci auraient vu, là un moyen de faire de l'argent sur le dos des autres et auraient entamé des procédures judiciaires.

Voyons maintenant ce qui aurait pu se produire, si cet homme avait choisi le chemin de l'action juridique. Le constructeur actionne mon copain –qui, lui - actionne la municipalité -qui, elle-, actionne l'ancien propriétaire et ainsi de suite jusqu'au propriétaire de l'ancienne usine! Cela n'a plus de fin et coûte très cher pour toutes les personnes concernées. Je comprends très bien que cela fasse vivre les avocats et remplisse les coffres du gouvernement. Cependant, qui peut réellement sortir gagnant d'une telle aventure? Qui a autant de temps à perdre, à se promener entre le bureau de l'avocat et la Cour? Qui aime autant dilapider son argent? Dans cette situation, qu'auriez-vous fait? Je vous laisse le soin de répondre en silence.

Que savez-vous, du terrain vacant et même boisé que vous achetez aujourd'hui? Comment pouvez-vous être certain qu'il n'y a jamais eu de ces moulins à scies très populaires dans les années 1840? Ou d'anciennes usines pour chemin de fer? Ou encore des vidanges d'huile déversée dans le sol par des propriétaires d'anciens garages. Une recherche au Bureau de la publicité des droits (Bureau d'enregistrement) vous permettra de lire l'historique du terrain et de savoir à quel usage le terrain servait. Ainsi, vous serez rassuré sur votre achat. Pensez-y bien, il ne s'agit que de deux heures de votre temps. Cela vous évitera des dépenses imprévues ainsi que des frais juridiques onéreux occasionnés par des anomalies que vous pourriez découvrir après avoir acheté. Les informations que vous découvrirez, lors de la lecture des documents légaux, vous donneront des indices pertinents qui vous permettront de savoir si le terrain a pu être contaminé. *«MIEUX VAUT PRÉVENIR QUE GUÉRIR»*

VOTRE TERRAIN EST ARGILEUX

Il n'est pas prudent d'ériger une fondation standard sur un terrain qui possède un sol argileux. La construction pourra alors se faire en asseyant la fondation sur des pilotis ou en construisant sur une dalle flottante à très large enver-gure. Ces types de constructions sont fréquents, mais coûteux. Pour ceux qui habitent dans la région de Montréal, observez les vieilles demeures situées sur le Plateau Mont-Royal, la majorité de ces maisons sont affaissées. C'est tout simplement parce que le sol est argileux dans ce secteur de la ville.

Souvenez-vous des propriétés sur le côté sud de la rue Sherbrooke. Certaines de ces vieilles demeures ont subi des dommages importants de structure à cause d'un glissement de terrain. Cela s'est produit, parce que le sol était argileux. Le secteur de Rosemont, là où se trouvait anciennement nommé le terrain «Angus», est un autre cas où le sol est argileux. Ce gigantesque terrain fut subdivisé et vendu à plusieurs constructeurs pour différents complexes domiciliaires. Ceux-ci constatèrent, en creusant, que le sol était argileux en plus d'être contaminé. Ce qui eut pour effet de les obliger à décontaminer le terrain «du moins ce qui pouvait être décontaminé» et à construire sur pilotis. Le fait de construire sur pilotis n'est pas un drame, cela n'enlève rien, à la qualité de la construction, sauf que les constructeurs ont dû faire face à des coûts plus élevés. En ce qui concerne les constructeurs, c'est un mi-mal, car ils ont les moyens financiers de faire face à de tels coûts. De plus, ils peuvent toujours se reprendre en haussant le prix de vente de leurs maisons. Mais, pour un individu ayant un budget restreint, cela peut devenir problématique. Un test de sol serait certainement la meilleure précaution à prendre.

LE REMBLAI

Un terrain peut avoir besoin de remblai, en partie ou en totalité, afin de pouvoir y construire une propriété. Ce n'est pas un problème lorsque cette tâche est accomplie par soi-même. Car, vous allez remplir votre terrain avec des éléments qui feront de votre sol, un sol ferme et solide permettant de recevoir une fondation stable, qui ne fendillera pas après quelques années.

Cependant, il arrive que le terrain ait déjà subi du remplissage lors de votre achat. À première vue, le sol est recouvert d'une très bonne terre. Mais, qui y a-t-il en dessous de celle-ci? Le propriétaire du terrain peut bien vous  dire n'importe quoi! Qu'en savez-vous? Vous n'étiez pas là lorsque les chargements de remblais sont arrivés. Vous seriez surpris de constater à quel point certaines personnes n'ont aucune conscience ni valeur morale. Plusieurs propriétaires s'octroient le privilège de sur-élever un terrain avec toutes sortes de cochonneries qui sont prises un peu partout. Ils n'ont aucune gêne à passer outre aux exigences de leur Municipalité. Ils convertissent ainsi leur terrain en un vrai dépo-toir recouvert d'une bonne terre. Le remblai composé d'éléments tels que végétaux et déchets de toutes sortes devront être enlevés. Les éléments de nature végétale (souches d'arbres, branches...) sont bio-dégradables. La décomposition de ceux-ci, après sept ou huit ans, déstabilise le sol et occasionne à votre fondation des problèmes de fissures et d'affaissement. Vous aurez également, d'autres problèmes qui surviendront un partout dans la maison. Votre maison pourrait bien ressembler à la célèbre tour penchée de Pise. Quant aux déchets de toutes sortes, ils peuvent contaminer votre sol tout en l'affaiblissant.

L'autre solution serait de construire sur une semelle flottante avec une armature d'acier à très large envergure. Vous devrez alors sacrifier le sous-sol de votre maison, élément souvent indispensable et apprécié pour son utilité.

☞ *Le remblai idéal est la combinaison de miné-raux et d'une très bonne terre. Ainsi, vous ne vous tromperez pas. Je vous suggère de faire inspecter un sol qui a subi du remplissage avant d'acheter.*

ZONE INONDABLE

Un terrain ne doit pas être obligatoirement situé près d'un cours d'eau pour être considéré à l'intérieur d'une zone inondable. La seule façon de vérifier si vous n'achetez pas un terrain situé dans une zone inondable est de vous rendre à l'Hôtel de Ville ou à la Municipalité régionale de comté (M.R.C.). Je ne crois pas que vous achèterez un terrain uniquement pour «ses beaux yeux». Un terrain  possède d'autres utilités que celles d'admirer la beauté des éléments qui le compose et de payer avec un gros sourire les taxes annuelles. Méfiez-vous de ces terrains qui sont souvent attrayants et alléchants et dont leurs propriétaires veulent se départir à tout prix. À tous ceux qui possèdent ce genre de terrain: vous voulez vraiment vous en débarrasser sans duper personne? Ne payez plus les taxes. La Ville, après deux ans, va vous le reprendre pour non-paiement de taxes. Elle va le mettre en vente ou le garder pour elle. Je vais vous raconter une petite histoire qui va certainement vous faire rire.

Un jour, mon associée et moi-même, nous sommes allées assister à des ventes par encan pour non-paiement de taxes, dans la région de Montébello. Comme à l'habitude, nous sommes arrivées tôt, afin de faire nos vérifications auprès de la Municipalité sur les lots qui nous intéressaient. Lors de notre recherche, nous avons découvert que l'un des lots mis en vente n'était pas un terrain, mais une rue laissée par un constructeur à la Municipalité pour non-paiement de taxes. Celui-ci ayant vendu toutes les maisons, ne voulait plus payer pour entretenir la rue du projet domiciliaire. Il avait essayé de céder la rue à la Municipalité, mais celle-ci refusa. Le seul choix qu'il lui restait était de cesser de payer les taxes. Donc, la Ville serait dans l'obligation de reprendre cette partie de lot (rue). Pas question pour la municipalité d'assumer l'entretien d'une rue privée. Donc, elle mit ce lot en vente. Ma copine et moi, nous nous sommes regardées d'un air interrogateur. Nous étions abasourdies et également très curieuses. Nous avons demandé à l'employé pourquoi la Ville met en vente une rue qui ne peut avoir aucune utilité pour un acheteur. Sa réponse fut «un lot est un lot». Que celui-ci soit une rue ou un terrain prêt à construire, si les taxes n'ont pas été payées, ce lot est à vendre. Il ajouta que la personne n'a «qu'à se renseigner avant d'acheter, tout comme vous venez de le faire». Ce qui veut dire: que si ce lot se vend, en plus de payer les taxes annuelles, l'acheteur devra payer l'entretien de cette rue pour les résidents du projet. C'est exact!

Nous avions hâte de nous rendre à l'endroit où avait lieu la vente et voir qui achèterait ce lot. Effectivement, plusieurs personnes ont misé sur ce lot. Lorsque la vente fut terminée, par curiosité, nous sommes allées voir l'acheteur pour lui demander s'il savait quel genre de terrain il avait acheté. Il nous répondit que non, en ajoutant «un terrain, c'est un terrain». Nous n'avons pas osé le lui dire. À vous de choisir: vous prenez une chance, tout comme l'a fait ce monsieur, ou vous faites une recherche convenable qui vous rassurera et protégera votre investissement. Ne jetez pas inutilement votre argent par les fenêtres. Soyez prudent! Aujourd'hui, on ne peut se fier à personne.

VOUS N'AVEZ PAS ACHETÉ LE BON LOT

Il arrive quelques fois que des erreurs se glissent, volontairement ou involontairement, lors d'un achat. Un propriétaire peut posséder plusieurs lots de terrains. Il vous fait voir un très beau terrain, sans vous spécifier qu'il en possède d'autres. C'est le coup de foudre! Vous faites une offre. Un vendeur qui est malhonnête peut écrire sur la promesse d'achat le numéro de lot d'un autre terrain qu'il possède et dont il veut absolument se départir. Il est possible que ce terrain soit dans un ravin ou marécageux. **Quelle preuve avez-vous que le terrain que vous avez vu correspond bien au lot écrit sur votre promesse d'achat?** Vous finalisez votre transaction chez le notaire et quand vient le temps de construire, vous apprenez en allant chercher votre permis de construction qu'il est impossible de construire. Que faites-vous? C'est votre parole contre celle du vendeur. Prendre action! Lorsqu'une personne est victime d'un acte de fraude, cela ne signifie pas qu'elle obtienne gain de cause. Que direz-vous au juge pour vous défendre? Que vous aviez confiance en cette personne ? Que celle-ci respirait l'honnêteté ? Que vous ne saviez pas qu'elle possédait d'autres terrains? Vous avez de fortes chances que le juge vous réponde que vous n'aviez qu'à vérifier avant d'acheter. Avoir le compte de taxes en votre possession au moment où vous faites votre promesse d'achat ne prouve pas que le numéro de lot correspond bien à celui que vous avez acheté. Si cet individu est assez rusé pour vous passer un autre terrain que celui qu'il vous a présenté, il n'est pas assez fou pour vous remettre un compte de taxes autre que celui du terrain qu'il essaie de vous passer. N'est-ce pas?!

Récemment, à l'émission de télévision «J.E.», on présentait un reportage sur le cas d'une dame ayant acheté une maison neuve d'un constructeur. Plusieurs mois après qu'elle ait emménagé dans sa nouvelle demeure, on lui apprit que sa maison avait été érigée sur un lot qui n'appartenait pas au constructeur. Dans cette histoire, le constructeur ne l'avait pas fait intentionnellement. Il s'était glissé une erreur dont personne n'a eu conscience. Même le notaire qui a légalisé la transaction entre la dame et le constructeur n'a rien vu. Si, je me souviens bien de l'histoire, ce terrain était comme aux limites du développement du constructeur. L'histoire s'est bien terminée. Le vrai propriétaire du terrain se trouvait être une très grosse firme. Celle-ci accepta de vendre le terrain. Par contre, je ne sais pas si la dame a pu récupérer l'argent qu'elle a utilisé pour se défendre.

Imaginez maintenant, si ce terrain avait appartenu à un filou. Ce dernier y aurait sûrement vu, là, une chance incroyable de faire de *s'enrichir sur le dos de cette brave dame et de ce constructeur. N'oubliez pas que si la maison est construite sur son terrain, il peut la faire démolir ou la faire déplacer, s'il le désire. Il peut même en profiter, pour demander un prix exagéré pour son terrain.*

Vous pensez peut-être que des événements aussi dramatiques que ceux-là n'arrivent pas souvent. Détrompez-vous! Allez vous promener au Palais de Justice et lisez les causes des différents litiges qui s'y trouvent. Vous m'en donnerez des nouvelles!

Il faut être attentif à tout et ne se fier à personne. Aucun individu n'est à l'abri de commettre une erreur. **Seules une recherche et une lecture intégrale de tous documents peuvent minimiser vos chances de vous faire avoir.**

LES INFRASTRUCTURES SANITAIRES

Lorsque vous achetez un terrain, dans une municipalité qui dessert les infrastructures sanitaires.

INFORMEZ-VOUS:

- De la proximité de celles-ci par rapport à votre terrain.

- Quels sont les coûts relatifs au raccordement?

- Le coût des infrastructures, si il y a lieu «sont-ils ajoutés à votre compte de taxes et échelonnés sur plusieurs années ou vous faut-il les payer immédiatement?»

Dans le cas où une Municipalité n'offrirait pas de tels services, il vous faudra prévoir l'installation d'un puits artésien, d'une fosse septique et d'un champ d'épuration.

Il est important de savoir que les règlements municipaux *concernant les superficies de terrains peuvent changer d'une Municipalité à une autre.* Donc, ne vous fiez pas à ce que peut vous dire votre entourage sur le sujet. Vous pourriez avoir une belle surprise. *C'est la topographie de la région qui détermine les normes exigées par les municipalités.*

TERRAINS MONTAGNEUX / EN PENTE

Je suggère à tous ceux qui souhaitent acquérir un terrain en montagne de vous procurer le livre «L'aménagement des terrains en pente», édité par les Publications du Québec.

Acheter un terrain en pente ou en montagne comporte certaines contraintes. Vous devez apprendre à lire un paysage. Cet exercice est amusant. Il vous permet de découvrir des éléments forts pertinents pour votre future construction.

La première chose à faire lorsque vous visitez des terrains en montagne, c'est d'observer la configuration de celle-ci. Par exemple, vous trouvez le terrain idéal, localisé au sommet de la montagne. Lentement et patiemment, prenez le temps de le marcher de fond en comble.

Cet exercice vous permet de vous familiariser avec les différentes consistances du sol: mou, solide, très rocheux. Tout en vous promenant, admirez le magnifique paysage. Un exercice qui vous procurera une source d'inspiration, tout en guidant votre choix sur le lieu où vous implanterez votre maison. Soudain, vous remarquez un dévalé important sur le bord d'une falaise. La vue s'y trouve spectaculaire. Fébrile et convaincu, vous vous dites: «C'est à cet endroit que je vais construire». Attention !

Les gens ont souvent tendance à ignorer les obstacles qui peuvent se présenter. Ces obstacles peuvent souvent barrer la route qui conduit à leurs rêves. Plus encore, ils peuvent même finir par oublier complètement le budget qu'ils s'étaient alloué, prétextant tout affronter au moment opportun. Une force athlétique pénètre soudain en eux. Ils se sentent prêts à soulever des montagnes. C'est qu'ils sont enveloppés d'une émotion intense! Ils ont trouvé ce qu'ils cherchaient. Alors, coûte que coûte, ils le veulent. Ils précipitent ainsi leur réflexion et leur décision. Malheur!

Construire en montagne occasionne des contraintes qui se traduisent souvent par des impacts financiers importants. Les gens l'oublient trop souvent. Ils se laissent guider par leurs émotions. C'est comme ça que la plupart des gens se mettent les pieds dans les plats.

AYEZ UN COFFRE BIEN REMPLI! CAR VOUS DEVREZ ANALYSER LES FRAIS ENCOURUS D'UNE CONSTRUCTION SUR UN TERRAIN EN PENTE.

Un terrain en pente représente des contraintes de nature faible, moyenne ou forte.

- Moins de 8 % = contraintes faibles.
- De 8 % à 30 % = contraintes moyennes.
- De 30 % et plus = contraintes fortes.

Une méconnaissance des particularités propres aux terrains en pente et un manque de sensibilité au milieu naturel font partie des éléments qui expliquent les problèmes rencontrés sur certains terrains:

- Une érosion des sols plus ou moins importante selon la pente, l'écoulement des eaux de pluie ou de fonte des neiges, et selon les caractéristiques du couvert végétal.

- L'instabilité plus grande du sol caractérisé par des possibilités d'effondrement, d'affaissement ou de glissement de terrain.

- Des effets combinés du gel et du dégel qui provoquent un déplacement des dépôts rocheux vers le bas.

Cela occasionne à l'acheteur un entretien et une surveillance constante qui peuvent entraîner des travaux de correction aux murs de soutènement affaissés et aux fondations fissurées. Ce qui peut impliquer des coûts élevés. D'où l'importance d'une analyse de sol.

DRAINAGE

Un terrain en pente nécessite un bon drainage afin d'éviter d'avoir à faire face aux problèmes ci-dessus mentionnés. De plus, il vous faut penser à des travaux plus ou moins importants de terrassement et de revêtement imperméable (toiture, pavage etc.) Une absence de planification dans ce domaine peut entraîner des problèmes:

- ***de ravinement du terrain:*** (c'est-à-dire, creuser des sillons dans le sol, afin de permettre l'écoulement des eaux de pluie et la fonte des neiges.)

- ***de glissement de terrain.***

- *de perturbation de la nappe phréatique.*

- *d'engorgement des exutoires par l'accumulation de débris et d'alluvions:* (c'est-à-dire, faire disparaître les excès de débris et de dépôts accumulés : cailloux, gravier, sable, boue.

- *de sous-sol inondé.*

- *de bassins et d'étangs qui débordent.*

- *d'accumulation d'eaux stagnantes* qui dégagent des mauvaises odeurs, attirent les insectes et les animaux indésirables et constituent une menace à la sécurité des jeunes enfants.

- *de contamination des eaux des lacs ou des cours d'eau situés en contrebas.*

- *de contamination de certaines sources d'eau potable.*

- *d'entretien du réseau de drainage lui-même.*

ANALYSE DU SOL

Les sols peuvent présenter différentes contraintes: légères, moyennes, importantes.

- **LA VÉGÉTATION:** celle-ci donne des renseignements sur la nature des sols, car chaque essence ne peut se développer que sur un sol de nature bien définie.

- **LA CARTE TOPOGRAPHIQUE:** la Municipalité régionale de comté (M.R.C.) ou l'Hôtel de Ville ainsi que le Ministère de l'Énergie et des Ressources possèdent des cartes écologiques de la région concernée. L'étude de ces cartes peut vous aider à faire un choix judicieux, minimisant ainsi le risque d'achat d'un terrain à fortes contraintes, tant au niveau des pentes qu'à celui des sols. Pour faire face à de telles contraintes, il vous faut avoir les moyens financiers. Les coûts relatifs à une telle construction sont onéreux.

Acheter un terrain en montagne sans connaître les contraintes le caractérisant est un achat risqué. Tout coûte plus cher et il faut tenir compte de tant d'éléments! Cependant, si vous en avez les moyens, ça vaut le coup!

Le fait de construire en hauteur peut provoquer un autre problème, celui du puits artésien. Plus le dévalé est important, plus vous risquez de creuser à une profondeur incroyable. Cela, sans savoir quelle quantité d'eau vous obtiendrez et quel en sera son débit et sa qualité. Lorsque le dévalé est important, l'eau se fait de plus en plus rare. Certains se retrouvent avec deux tasses d'eau comme débit. Dans ce cas, il ne vous reste plus qu'à vous contenter de cet inconvénient ou de creuser un autre puits en espérant que, cette fois-ci, vous trouverez une veine d'eau souterraine appréciable. Vous trouvez que j'exagère? Malheureusement, cela se produit assez souvent. De plus, l'eau qui provient de fissures profondes risque de contenir une charge minérale importante comme, par exemple, du ferromagnésium (problème occasionnant la dureté de l'eau).

Un jour, j'ai voulu acheter un terrain au sommet d'une montagne dans les Laurentides. Celui-ci possédait un panorama à en couper le souffle! Ce terrain était juxtaposé à celui d'une de nos grandes et célèbres artistes du Québec. Cette montagne était presque entièrement développée. Des résidences prestigieuses habitées par des gens bien nantis y étaient érigées. Tout en admirant ces splendeurs tout autour du terrain qui m'intéressait, une sensation bizarre m'enveloppa. Je n'arrivais pas à n'en déterminer la cause. Comme je suis à l'écoute de mes émois et que j'ai appris à prendre en considération mes appréhensions biscornues, je fis ma petite enquête. Je commençai donc à enquêter auprès des gens de la place pour ensuite me rendre à la Municipalité. Là, j'y ai découvert qu'il n'y avait que très peu d'eau sur cette montagne. N'ayant pas les moyens financiers de faire un mauvais investissement et ainsi de crever mon budget, je n'ai couru aucun risque. J'ai acheté sur la montagne voisine. La vue y était moins surprenante, par contre le débit d'eau était abondant.

LORSQUE VOUS DÉSIREZ CONSTRUIRE, IL EST IMPORTANT DE CHOISIR LE TERRAIN AVANT DE FAIRE DESSINER LES PLANS DE VOTRE MAISON.

C'est très simple. Pourtant, plusieurs personnes commettent cette erreur. Vous pourriez avoir le plus beau plan de maison, mais, une fois construite, celle-ci jure dans le décor! C'est tout simplement parce que l'architecte-paysagiste n'a pu établir les variables majeures qui influencent la qualité visuelle des paysages:

- *Types de vue, profondeur, largeur.*
- *Qualité et caractéristiques de percées visuelles.*
- *Trame d'organisation des éléments structurants*
- *Échelle et disposition de la végétation.*
- *Couleurs, alignement de la maison et de ses textures.*

RECHERCHE SUR LES TERRAINS

Une recherche appropriée, nécessaire à tout acheteur avisé, est très simple. Lorsque vous avez trouvé le terrain qui vous intéresse, exigez du vendeur qu'il vous remette :

- *une copie du compte de taxes de l'année en cours.*
- *une copie du plan d'arpentage du terrain.*

Un propriétaire-vendeur ne peut avoir en sa possession un certificat de localisation, puisqu'il n'y a aucun bâtiment sur le terrain. Par contre, il devrait détenir un plan d'arpentage qui délimite son terrain lorsque celui-ci est cadastré. Dans l'éventualité où le terrain n'aurait pas encore été arpenté, le propriétaire devrait au moins avoir en sa possession **un plan officiel de la matrice graphique du terrain émis par la Ville et le situant par un numéro d'immatriculation et un numéro de la partie de lot** (voir exemple: figures 1 et 2).

☛ **SUR LE COMPTE DE TAXES, VOUS TROUVEREZ LES INFORMATIONS SUIVANTES :**

- *Nom et adresse du ou des propriétaires.*
- *L'évaluation du terrain.*
- *La superficie du terrain.*
- *La paroisse, le comté, le rang (si il y a lieu) ainsi que le cadastre et le lot.*

Vous pourrez comparer ces informations avec ceux de l'Hôtel de Ville ou de la M.R.C. lors de votre recherche.

Il peut vous arriver que le bien que vous convoitez soit sollicité par d'autres acheteurs. Alors un désir ardent peut provoquer un empressement à vous faire agir. Si une telle situation devait survenir, faites votre promesse d'achat en y insérant la clause ci-dessous mentionnée.

Cette clause est importante pour vous. Elle vous protège, pendant le temps alloué pour vos recherches. Si vous ne l'inscrivez pas sur votre promesse d'achat, c'est à vos risques et périls!

Vous avez en main les informations préliminaires que vous avez demandées. N'oubliez pas de demander une preuve d'identité (*permis de conduire ou la carte d'assurance maladie*) de la personne qui est en face de vous. Les notaires le font bien, pourquoi pas vous! Cela peut importe la sensation de confiance qui peut s'installer entre vous et le vendeur. *«Les apparences sont souvent trompeuses»*. Il ne faut jamais oublier que vous ne connaissez et ne savez strictement rien de cette personne. **Lorsque vous avez comparé le nom et vérifié l'exactitude du numéro de lot sur le compte de taxes et sur la promesse d'achat, vous êtes enfin prêt à écrire la clause qui vous permettra de vérifier les dires du vendeur**

CLAUSE:

Cette promesse d'achat est conditionnelle à un délai de __X__ jours, à toutes vérifications pertinentes à un tel achat. Ce délai débutera à l'acceptation de cette promesse d'achat par le vendeur soit, le _____ du mois de _____(année). L'acheteur devra s'en déclarer satisfait dans le délai inscrit aux présentes. Dans l'éventualité d'une insatisfaction de la part de l'acheteur, de quelque nature que ce soit, l'acheteur devra alors aviser par écrit le vendeur de son intention de ne plus acheter. Dès lors, cette promesse d'achat deviendra nulle et non avenue et tout dépôt émis devra être remboursé à l'acheteur sans aucunes pénalités et autres frais pouvant être exigés par le vendeur. Sans recours de part et d'autre.

Je vous suggère de vous allouer un délai d'au moins quinze jours pour vos recherches. Cela vous permettra d'avoir suffisamment de temps pour effectuer vos recherches et de réfléchir à votre acquisition. Le temps alloué permet aux émotions de s'estomper petit à petit pour faire place à plus de lucidité.

Pour le dépôt, 5% ou moins, c'est bien suffisant. *Libellez votre chèque à votre nom et au nom du notaire en fidéicommis et remettez-le au vendeur.* Vous pouvez également le libeller au nom du vendeur et de votre notaire. Personnellement, je préfère la première formule. Car, tant que vous n'avez pas notarié, cet argent vous appartient. Lorsque le vendeur désire un dépôt plus élevé que celui que vous avez proposé, il est possible d'ajouter à votre offre d'achat qu'un autre dépôt au montant de $_____ sera remis au notaire après le délai accordé. C'est-à-dire lorsque la promesse d'achat deviendra ferme et irrévocable. Un vendeur qui est honnête comprendra très bien que vous n'achetez pas les yeux fermés et que vous désirez vous rassurer sur votre acquisition.

NE LIBELLEZ JAMAIS, AU GRAND JAMAIS, UN CHÈQUE UNIQUEMENT AU NOM DU VENDEUR. ENCORE MOINS, LUI VERSER EN ARGENT COMPTANT, VOTRE DÉPÔT.

POUR LES MOINS ÉMOTIFS, JE PRÉCONISE DAVANTAGE CETTE MÉTHODE: *faites la recherche en premier lieu et la promesse d'achat, par la suite.* **Il est possible qu'au cours de votre enquête, vous découvriez des éléments pouvant faciliter la baisse du prix du terrain.** Lorsque vous serez prêt à rédiger votre promesse d'achat, vous pourrez, si vous le souhaitez et cela même si vous avez fait votre recherche, ajouter la clause précédente. Je vous suggère, alors de diminuer le délai à sept jours. Cela vous donnera l'opportunité de réfléchir de nouveau à votre acquisition. Vous n'avez pas besoin de spécifier au vendeur que votre recherche se trouve déjà faite.

Dans le cas où vous auriez opté pour la première méthode: vous pouvez renégocier le prix après votre recherche lorsque vous découvrez des éléments importants qui justifient que le terrain n'a pas cette valeur marchande. Par contre, cela peut engendrer quelques frictions entre vous et le vendeur lors d'une renégociation.

Maintenant que la méthode que vous avez choisie vous convient, allez à l'Hôtel de Ville de la municipalité en question avec les copies des documents que le vendeur vous a remises. Dans les Municipalités de banlieue ou de campagne, les employés sont d'une gentillesse incroyable. Ils sont toujours prêts à répondre à toutes vos questions. N'oubliez pas de vous munir de papier et de crayon. C'est très utile pour prendre des notes.

☞ *DEMANDEZ* au préposé au rôle d'évaluation de vous imprimer le relevé concernant le terrain qui vous intéresse.

☞ **POUR CE FAIRE:**

- Donnez au préposé le nom du propriétaire, le numéro de lot ou partie de lot indiqué sur le compte de taxes que vous avez en votre possession.

- Comparez avec vos documents, les informations suivantes ; «le nom du propriétaire, le numéro du lot, la superficie ainsi que l'évaluation du terrain.»

- Vérifiez également si le compte de taxes est en retard de paiement.

☞ **QUESTIONS:**

- **Y a-t-il plus d'un propriétaire?** Si oui, toutes les personnes concernées doivent signer en votre présence sur la promesse d'achat et exigez de chacune d'elles une preuve d'identité.

- **Est-ce au nom d'une compagnie?** Si oui, obtenez le nom de la personne autorisée à transiger pour cette société et soyez présent lors de la signature. (Preuve d'identité).

- **Est-ce que d'autres personnes sont venues prendre des informations sur ce terrain récemment?**

- **Depuis combien de temps ce terrain est-il à vendre?**

- **Est-ce que d'autres terrains similaires ont été vendus depuis un ou deux ans?**

- **Savez-vous quel en était le prix demandé?**

- **Le prix vendu?** Faites sortir les informations relatives à ces terrains.

- **Le propriétaire de ce terrain a-t-il d'autres terrains dans la région?** Si oui, demandez où ils sont situés sur le plan d'urbanisation? **Sont-ils à proximité du terrain qui vous intéresse?** Faites photocopier tous les plans de ces terrains. **Les taxes sont-elles payées sur les autres terrains?**

- **Demandez** qu'on vous explique où se trouve le terrain sur le plan d'urbanisation de la Ville. Si vous n'êtes pas habilité à lire ces plans, alors demandez leur si le terrain est subdivisé et cadastré. Quelle est la meilleure façon de le repérer? Après votre recherche, retournez sur place afin de bien identifier le terrain et de vous assurer que c'est le bon que vous acheté.

- **Demandez** des points de repère pour situer le terrain sur place.

- **Demandez** à parler à la personne responsable du zonage.

- **Quel est le zonage du terrain? Le zonage relatif à ce terrain permet-il une construction? Y a-t-il des restrictions concernant le genre de propriété à construire (maison préusinée, maison mobile...) ainsi que sur le revêtement extérieur de la propriété?**

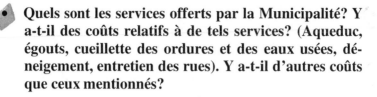

- **Quels sont les services offerts par la Municipalité? Y a-t-il des coûts relatifs à de tels services? (Aqueduc, égouts, cueillette des ordures et des eaux usées, déneigement, entretien des rues). Y a-t-il d'autres coûts que ceux mentionnés?**

- **La superficie du terrain qui vous intéresse est-elle suffisante pour le style de propriété que vous souhaitez construire?**

- **Quelles sont les procédures à prendre avec la Municipalité lorsque vous serez prêt à construire?**

- **Demandez à parler au responsable de l'urbanisme.**

- **Connaît-il les caractéristiques du sol pour le terrain qui vous intéresse? À sa connaissance, ce terrain a-t-il subi du remplissage?**

- **Y a-t-il des cours d'eau dans la région, qui autrefois furent détournés de leur courant naturel?** (Risque d'inondation).

- **Autrefois, y a-t-il eu des constructions existantes sur le terrain? Comme des moulins à scie, usines ou autres?**

- **Demandez** quelles sont les contraintes, les normes et les exigences de la Municipalité ainsi que les coûts à prévoir lors d'une construction, si votre terrain est en pente ou en montagne.

- **Demandez** quels sont les éléments à prévoir lors d'une telle construction.

- **Demandez** si la Municipalité possède une Carte topographique de l'endroit où se situe votre terrain.

- **Demandez** si le terrain est approprié à recevoir une fondation standard.

 Demandez s'il y a des droits de passage ou autres sur ce terrain.

- **Informez-vous** si le terrain présente certaines contraintes pouvant affecter l'installation d'une fosse septique, d'un champ d'épuration et d'un puits artésien.

- Lorsque le service d'aqueduc est inexistant, **informez-vous** sur la qualité et le débit d'eau dans le secteur qui vous intéresse. Si certains ont eu de la difficulté à trouver un bon débit d'eau. Profitez-en pour lui demander son avis sur le terrain en question.

- **Un test de percolation de sol est-il nécessaire?**

- **Informez-vous** de la proximité des écoles, des hôpitaux, des centres de loisirs et commerciaux, du poste de police. La Municipalité possède-t-elle une caserne de pompiers ou seulement des pompiers volontaires. Y a-t-il une borne-fontaine à proximité de votre terrain ? Non! Dans ce cas, il est possible que votre facture d'assurance augmente.

- **Demandez** si un inspecteur de la Ville peut se rendre avec vous pour examiner le terrain.

- **Demandez** quel est le Bureau de la publicité foncière qui dessert la Municipalité?

Lorsque vous achetez un terrain d'un constructeur qui développe une terre et qui construit, informez-vous auprès de la Municipalité:

- **Si celui-ci en est à sa première expérience dans la région.**
- **Y a-t-il eu des conflits entre les acheteurs et le constructeur?**
- **Les acheteurs semblent-ils satisfaits et heureux de leur achat?**
- **Ensuite, vérifier auprès des acheteurs.**

> ☛ *Le fait d'acheter un terrain ou une maison d'un constructeur n'élimine pas la recherche. Bien au contraire!* Suivez le même mode d'emploi que si vous achetiez d'un particulier.

Lorsque vous retournez examiner votre terrain, il est parfois difficile de le situer. Surtout lorsqu'il n'y a aucune maison à proximité (adresse civique). D'où l'importance d'avoir avec vous une copie de la matrice graphique de la Municipalité. Il arrive même qu'aucun terrain ne soit arpenté, ce qui augmente la difficulté, car vous n'avez pas de bornes pour vous repérer. Pour ceux qui ne savent pas ce qu'est une borne: il s'agit d'un

petit poteau qui habituellement est peinturé en rouge ou encore entouré d'un ruban rouge. **Les bornes servent à délimiter le terrain sur tous les côtés.** Ces bornes vous indiqueront où commence et où se termine le terrain. **Lorsque les points de repère sont loin du terrain (adresse civique, bornes, rue transversale), il ne vous reste qu'à compter les pieds de chacun des terrains en partant du point de repère le plus proche. Vous n'avez qu'à faire des pas de géant, ça équivaut à environ trois pieds.** Sur le plan officiel de la municipalité, le nombre de pieds linéaires de chaque terrain est indiqué.

Maintenant que vous possédez un nombre d'informations importantes, il ne vous reste que deux autres étapes à franchir.

Promenez-vous en automobile dans le secteur où vous désirez acheter et prenez en note tous les numéros de téléphone sur les affiches des terrains à vendre, qu'ils soient de vente privée ou par l'intermédiaire d'un courtier en immeuble. Ensuite, téléphonez et faites-vous parvenir ces informations: superficie, prix, évaluation, taxes. Ainsi, il vous sera possible d'évaluer la valeur de votre futur terrain. Comparez le prix des terrains vendus que la Municipalité vous a donnés avec ceux à vendre. Vous allez vous apercevoir qu'il y a toute une différence entre le prix demandé et celui que l'on peut obtenir.

Dans le cas où le terrain vous intéresserait encore, après toutes vos recherches, il est temps de vous rendre **au Bureau de la publicité des**

droits au département du registre foncier de la région. À cet endroit, vous aurez accès à plusieurs informations. Les employés vous indiqueront comment procéder. Il est même possible de photocopier des documents que vous aimeriez rapporter avec vous (pour les photocopies, ils se peut que vous ne les obteniez que deux jours plus tard s'ils ont trop de travail. Surtout pour la région de Montréal).

☞ VOUS DÉCOUVRIREZ :

 Combien de fois le terrain s'est vendu et à quel prix ?

 Le nombre d'années que le vendeur est propriétaire du terrain.

• A-t-il acheté en greffant une hypothèque ou une balance de vente à ce terrain? (Ce qui signifie qu'il y a une dette sur le terrain)

• Peut-être y a-t-il un avis de soixante jours d'enregistré. (Ce qui signifie qu'il n'a pas payé le créancier hypothécaire). Il est peut-être en difficulté financière.

• Il est également possible que le terrain ait été donné en garantie sur une autre propriété que possède le vendeur.

• Il vous sera également possible de lire tous les actes notariés relatifs à ce terrain jusqu'au premier acquéreur si vous le souhaitez. Ce n'est pas nécessaire de tout lire. Mais pour les passionnés de l'histoire, le fait de remonter dans le temps peut faire en sorte que la lecture soit enrichissante. Si les termes de pratique légale vous rebutent ou vous laissent perplexe, demandez au préposé du Bureau de la publicité des droits ou à un professionnel (notaire, avocat) de vous en expliquer le sens.

Maintenant, vous possédez tous les outils pour faire une bonne négociation et conclure votre transaction.

Lorsqu'un vendeur vient à peine de mettre sur le marché de la vente son terrain et que celui-ci reçoit une offre d'achat trop rapidement, il peut alors penser que le prix demandé n'est pas assez élevé. Il est même possible qu'il ne soit pas disposé à négocier et qu'il garde sa position sur son prix de départ. Dans certains cas, le vendeur va espérer que vous n'achetiez pas. Ainsi, il pourra augmenter son prix lorsqu'un prochain acheteur se présentera. La façon de penser de ce vendeur était vrai il n'y a pas si longtemps. Mais, aujourd'hui c'est une tout autre affaire. Par contre, un vendeur dont le terrain ou la propriété sont à vendre depuis longtemps sera plus apte à la négociation. La recherche que vous ferez vous permettra d'obtenir toutes ces informations. Prenez votre temps entre chacune des négociations. Le vendeur ne bougera pas son prix, s'il remarque votre anxiété et votre empressement. Une petite suggestion : n'ayez pas peur de parler aux voisins, ils peuvent constituer une bonne source d'informations.

Observez les figures suivantes représentant le plan d'un terrain cadastré et subdivisé, non cadastré et non subdivisé. La différence se situe dans les numéros qui sont inscrits sur ces plans. Dans la première figure, il s'agit d'un plan qui se réfère à la matrice graphique que vous pouvez obtenir à la Municipalité. Il n'y a pas de numéro de cadastre. Vous retrouvez seulement **un numéro de matricule qui est encerclé, la délimitation du terrain** (superficie, et les mesures linéaires) **ainsi que sa partie de lot.**

On ne peut pas construire sur une partie de lot, le terrain doit être absolument cadastré. De plus la Municipalité peut exiger une taxe pour fin de parc lorsque le terrain est cadastré. Il arrive souvent qu'il y ait divergence entre le nombre de pieds carrés inscrit sur la matrice graphique et ceux du plan d'arpentage. La différence peut être minime soit 100 ou 200 pieds carrés. Sur une grande superficie de terrain il vaut mieux ne pas contester, car il vous en coûterait 1,000 $ dollars et plus pour faire changer le cadastre officiel de la Ville, car celui-ci l'emporte par rapport au plan d'arpentage

En ce qui concerne un terrain cadastré, **la partie de lot sur la matrice graphique sera remplacée par un numéro distinct. Celui-ci sera suivi d'un tiret (-) plus un autre numéro. (Voir figures 1 et 2). J'ai gardé le même plan afin de vous montrer la différence et j'ai inventé un numéro de lot et de cadastre pour la deuxième figure.**

COMMENT ACHETER INTELLIGEMMENT...

TABLEAU 1

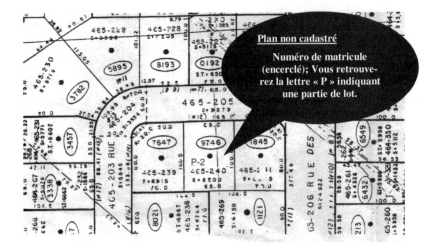

Plan non cadastré

Numéro de matricule (encerclé); Vous retrouverez la lettre « P » indiquant une partie de lot.

TABLEAU 2

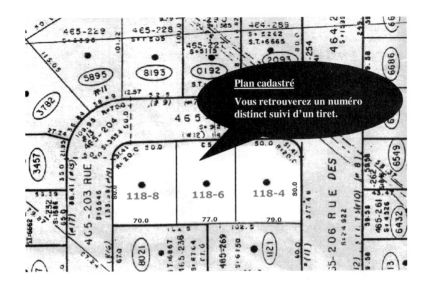

Plan cadastré

Vous retrouverez un numéro distinct suivi d'un tiret.

CARTE ÉCOLOGIQUE ET TOPOGRAPHIQUE DE ST-ANDRÉ-AVELIN

TABLEAU 3

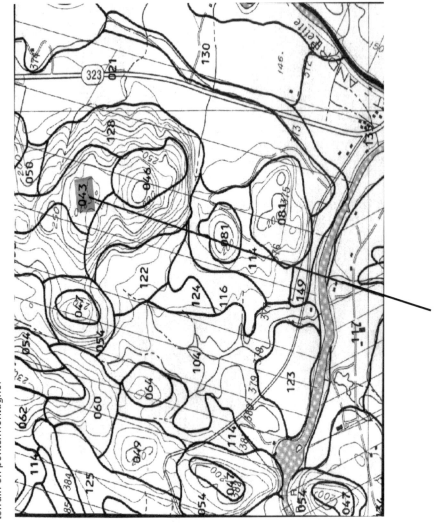

Voici maintenant à quoi ressemble une carte écologique (topographique) importante à l'achat d'un terrain en pente/montagne.

TABLEAU 4

LE FICHIER DESCRIPTIF

Région écologique	Unité cartographique			Types géomorphologiques			Recouvrement (%)		
	Numéro	Nom	Fréquence	TG1	TG2	TG3	P1	P2	P3
Basse Gatineau: 2A	021	3CF/2/a	7	3CF/2	3CF/1	3CM/2	60	20	20
	043	1AR/2/b	37	1AR/2	R/1,2	1AR/3	60	30	10
	104	5A/2,3/b	14	5A/2,3	5A/4,5		70	30	
	128	1AR/2/e	1	1AR/2	R1/1,2	8CR/2*	50	30	20
	135	3BF/4,5/A	4	3BF/4,5	3BF/3	3AS/4,5	60	30	10

LES DESCRIPTEURS (légende partielle)

LES DÉPÔTS DE SURFACE

1AR : dépôt glaciaire : till de fond indifférencié mince (>0,3m et <0,5m) sur le socle rocheux

3BF : dépôt fluviatile subactuel, sable fin, pierrosité <20%

3CF : dépôt de delta glacio-marin : sable très fin à moyen,pierrosité <20%

5A : dépôt marin : argile, pierrosité <20%

LE DRAINAGE DU SOL

1 : excessif (sol très sec)
2 : bon (sol sec)
3 : modéré (sol frais)
4 : imparfait (sol très frais)
5 : mauvais (sol humide)
6 : très mauvais (sol saturé)

LES PENTES

Pentes simples (surface régulière)	Pentes multiples (surface irrégulière)	Déclivité (%)
A- pente nulle	a- unité faiblement ondulée	de 0 à 5
B- pente faible	b- unité fortement ondulée	de 5 à 10
C- pente modérée	c- unité faiblement vallonnée	de 10 à 15
D- pente forte	d- unité fortement vallonnée	de 15 à 30
E- pente abrupte	e- unité fortement accidentée	de 30 à 60

Échelle d'origine 1 : 20 000

MENVIQ (Division de la cartographie écologique)

Quel que soit le bien immobilier que vous achetiez, vous devez le scruter à la loupe, lors de votre recherche et de l'inspection de la propriété.

Chapitre II

Les propriétés

<u>Recherche</u> :

* 4 ch. à c. (min)   (RDC + s-sol)   Cottage -non Bungalow
* 2 s. de bain +2salles d'eau   min
    (étage)
* s-sol fini
- lumineux
- jardin moyen à grand (min: 8000pi.ca.)
- calme
- près grand parc
- transports (près)
- Brique ou pierre
- grand Foyer. salon.
- terasse

Lorsque vous voulez acquérir une propriété existante, que ce soit une résidence unifamiliale, un condominium, un chalet, un duplex, triplex… ou encore un édifice à logements multiples, vous devez prendre en considération plusieurs éléments importants. Surtout lors de la visite.

Ce que recherche d'abord l'acheteur d'une propriété existante, ce sont les caractéristiques premières des substances utilitaires ainsi que la proportion acceptable de celles-ci. Pièces, revêtements, fenestration, aires de rangement, armoires, placards, foyer, sous-sol, atelier, garage, cour… .

Les caractéristiques en tous points conformes aux désirs et aux exigences de l'acheteur sont presque impossibles à trouver dans une propriété déjà construite. C'est un rêve! Dans la réalité, il y aura toujours des éléments manquants ou insatisfaisants. Tout peut être réalisable!

 C'est une question de moyens financiers. Si vous ne les avez pas, faites comme Benjamin Franklin. Il dressait deux listes lorsqu'il avait un choix important à faire; l'une pesant le pour, l'autre, le contre. Cette méthode est efficace, lorsqu'un individu a une décision importante à prendre. Donc, je vous suggère, de dresser deux listes: une qui concerne vos besoins et vos désirs, l'autre qui demande le «pourquoi» de cet achat». Primordial. Il est possible que vous trouviez ridicule cette façon de procéder, mais cela vous permettra de ne jamais perdre de vue les buts premiers de cette acquisition. Trop de gens se laissent influencer et se détournent facilement de ceux-ci, regrettant plus tard amèrement leur choix.

Voici un exemple de ce que j'avance. Vous désirez acquérir une propriété près de votre lieu de travail ou de celui de votre conjoint. Votre but est de diminuer au maximum vos coûts de transport (deux autos) et le temps perdu sur la route. Ainsi, vous augmentez le temps que vous souhaitez donner à votre petite famille et à vous-même. De plus, vous voulez que cette propriété soit à proximité de l'école de vos enfants, des transports en commun et des commerces. Vous commencez alors votre recherche dans un secteur que vous avez délimité. Vous feuilletez les journaux ou vous utilisez les services d'un agent immobilier. Après quelques visites infructueuses, vous commencez à songer à «sortir des sentiers battus». C'est presque inévitable. Au début, c'est par curiosité. Après un certain temps, vous oubliez vos buts et vous cherchez *__la maison.__*

Même l'agent immobilier, tôt ou tard , vous dira «j'ai ce qu'il vous faut! La maison idéale! Elle possède tout ce que vous désirez : trois grandes chambres à coucher, une immense cuisine, sous-sol fini, un grand terrain etc. Cette propriété est dans tel secteur. Croyez-moi, ça vaut le coup de la visiter! De toute façon, cela ne vous  engage à rien». Piqué par la curiosité et l'enthousiasme de l'agent, vous allez la visiter. Hourra! Le coup de foudre! Tout excité, vous faites une promesse d'achat. Cependant, la maison est en banlieue plutôt qu'en ville.

 Elle est très éloignée de votre point d'origine, n'est-ce pas? Conséquence: vous avez toujours besoin de deux voitures, encore moins de temps pour votre famille et pour vous-même (traverser les ponts), les enfants doivent prendre le bus pour se rendre à l'école et vous êtes loin des centres commerciaux et des transports en commun. Votre but initial était d'économiser et de vous rapprocher de votre lieu de travail. Maintenant, la situation fait en sorte que vous devez vous serrer la ceinture et probablement sacrifier quelques sorties au cinéma, au resto ou des loisirs en famille. Avec ou sans l'agent immobilier, il est fort probable que vous auriez «zieuté» et acheté ailleurs que dans la zone prescrite. C'est évident qu'une liste des critères physiques de la maison est importante, mais celle des objectifs l'est davantage. Soyez patient, vous trouverez! Vous respecterez ainsi votre choix préalablement judicieux et vous éviterez par la même occasion des remords subséquents. Parlez autour de vous de ce que vous recherchez. Il est possible qu'un ami d'un ami ou un collègue de bureau connaissent une personne qui possède une propriété pouvant vous convenir dans le secteur recherché. Plus encore, placez une petite annonce indiquant que vous recherchez tel genre de propriété dans tel secteur. Plutôt que de courir après la maison, laissez-la venir à vous.

Les gens sont souvent désillusionnés dans la réalisation de leurs rêves. Prenons le cas d'un couple avec enfants qui veut s'installer dans un petit coin tranquille à la campagne. Ces gens en rêvent depuis fort longtemps et, un beau jour, leurs finances le leur permettent. Ils se  réjouissent déjà à visualiser leurs enfants jouant en toute sécurité sur le grand terrain isolé plutôt que dans les rues dangereuses d'une grande ville. Ils se voient heureux d'avoir des voisins vivant à quelques centaines de pieds de leur petit nid d'amour. Ils savent pertinemment qu'un aller-retour quotidien en ville est long et épuisant. Ils sont quand même prêts à ce sacrifice afin d'obtenir un repos bien mérité après de longues heures de travail. Ils se voient sirotant leurs breuvages préférés sur la véranda, tout en observant les étoiles dans le ciel. Ils savourent la musique subtile du vent. Ce vent qui caresse au passage. Ils s'imprègnent du chant mélodieux des oiseaux et des criquets. C'est vraiment le  nirvâna! Un environnement et un mode de vie à faire rêver tous et chacun. L'idéal quoi!

VOICI LES POINTS IMPORTANTS NON VISUALISÉS PAR LE COUPLE.

À la campagne, il n'y a pas de transport en commun. Les enfants vont très rapidement se faire des amis à l'école et vouloir jouer avec eux. Des amis qui habitent loin de la demeure familiale. De plus, les centres de loisirs ne sont pas à proximité et nécessitent de longs trajets en automobile. Plus les enfants vieillissent, plus leurs exigences sont grandes et leurs sorties fréquentes. Le couple deviendra vite esclave de l'horaire chargé des enfants en plus de son propre horaire, ce qui brimera la sérénité à la quelle le couple aspirait. Qui plus est, le supermarché est loin et les dépanneurs n'ont pas «pignon sur rue». Fatigué par ces trajets continuels entre la ville et la campagne, le système nerveux en prend un coup. En période hivernale, c'est un cauchemar. Il leur faut prévoir plusieurs jours d'absence au travail.

Car, il est souvent impossible de rouler sur ces routes campagnardes sinueuses et dont les multiples côtes sont fréquemment glacées. Il arrive même qu'il soit impossible de sortir l'auto de l'entrée. Le système de déneigement n'est pas aussi rapide qu'en ville. Après quelques années de ce rythme de vie, le couple finit par vendre ce qu'il avait cru «son rêve». Celui-ci a compris qu'il est trop tôt pour profiter à temps plein des délices de la vie à la campagne. L'achat ou la location d'un chalet aurait été très certainement un choix plus judicieux.

Ces deux histoires peuvent vous sembler romancées, mais elles sont véridiques. Un grand nombre d'individus, de familles ont vécu de tels événements et regrettent leur choix. C'est pourquoi il est important de ne jamais perdre de vue vos objectifs avant d'acheter.

Mon expérience dans l'immobilier m'a démontré que la majorité des gens achètent sur *UNE ACTION ÉMOTIVE ET IMPULSIVE.* Souvent cela occasionne des mauvais choix. Un jour, une de mes clientes s'extasia devant une cuisine aménagée exactement comme celle de ses rêves. Elle y voyait là, un «signe». Elle acheta en oubliant complètement que le reste de la maison ne correspondait pas à ses besoins réels. Elle acheta la cuisine plutôt que la maison. Celle-ci faisait partie de sa liste mentale, des caractéristiques rêvées. Cette femme sacrifia

donc, sans s'en rendre compte, tous les autres critères ainsi que le but initial de son achat. Son obsession était la cuisine. Deux ou trois ans plus tard, une affiche «à vendre» trônait sur son parterre. Possible qu'elle ait pris  conscience qu'elle ne vivait pas que dans sa cuisine.

Trouver la maison parfaite, c'est quasiment impossible: à moins de la faire construire sur mesure et d'avoir en sa possession une petite fortune pour combler nos exigences. Il est certain qu'en cours de route, vous allez devoir sacrifier certains de vos desiderata.

Mais ne sacrifiez jamais vos objectifs au profit de vos états d'âme et d'un comportement impulsif et empressé. Vous risqueriez de le regretter et cela serait dommage.

COMMENT VISITER UNE PROPRIÉTÉ

L'acheteur d'aujourd'hui est maintenant plus informé. Les quotidiens, les hebdomadaires et les mensuels regorgent de ces articles qui le mettent en garde et lui permettent de prendre conscience des éventuelles possibilités de se faire avoir. Presque tous les acheteurs ayant fait l'acquisition de plus d'une maison démontrent plus de prudence et se renseignent davantage. Car, ils ont été eux-mêmes confrontés à différentes difficultés. Leur devise est maintenant *«MIEUX VAUT PRÉVENIR QUE GUÉRIR».* Toutes les fois qu'ils partent à la recherche d'une propriété, ils affinent leur enquête. Ils ont appris à poser les bonnes questions, à demander des preuves d'exécution de certains travaux. Ils ont aiguisé leur sens de l'observation, laissant au rancart tout ce qui a trait aux sentiments et à l'empressement. Cependant, très peu vont jusqu'au bout d'une recherche intégrale.

Lorsque vous avez trouvé la propriété idéale, vous devez la visiter au moins trois ou quatre fois avant d'acheter. Je vous suggère de le faire, une

fois le matin, une autre fois, dans l'après-midi. Dans les deux cas, il est préférable que ce soit par une belle journée ensoleillée. La troisième visite devra se faire en soirée. Ces visites vous permettront de bien vous imprégner de l'éclairage ambiant à différentes heures de la journée, tout en ayant une meilleure évaluation de la disposition des pièces communément utilisées par tous. Le fait de visiter plusieurs fois la propriété, à quelques journées ou semaines d'intervalles, vous permet de l'apprécier davantage ou de vous en désintéresser complètement. À chaque visite, vous découvrirez des éléments nouveaux. Certains seront appréciables tandis que d'autres seront accommodants ou inacceptables.

La première visite donne un aperçu général de la propriété et permet de constater la présence, ou non, de certaines des caractéristiques inscrites à votre liste. De retour à la maison, posez-vous les questions relatives aux objectifs de votre achat. Lisez la liste de «vos buts primordiaux», tel que mentionné précédemment. Les objectifs sont personnels à chacun. À vous de déterminer les vôtres.

COMMENT ACHETER INTELLIGEMMENT...

La deuxième visite permet d'approfondir l'observation. Sa durée devrait être d'une à deux heures. *Apportez avec vous un bloc-notes, un crayon et un mètre à ruban (tape à mesurer).* Faites une esquisse rapide du plan de la maison. Écrivez les dimensions de chaque pièce. Observez, surtout dans les chambres à coucher, l'espace disponible sur les murs pouvant permettre d'installer un bureau ou autre. Car, il arrive souvent qu'un mur intéressant soit obstrué par une fenêtre ou une ouverture de porte, laissant ainsi peu d'espace pour mettre en valeur un beau meuble. La plupart du temps, les gens ne s'aperçoivent de ces détails qu'une fois emménagés. Notez également les éléments qui attirent votre attention dans chacune des pièces. Il est facile d'oublier certains détails, lors du retour chez soi.

À votre deuxième visite, je vous suggère fortement de poser toutes vos questions après votre inspection intégrale des lieux. **Cet exercice a pour but de ne pas vous laisser distraire par le verbiage du propriétaire ou de l'agent immobilier et ainsi soustraire votre attention à l'égard d'éléments qui sont importants.** Ces gens utilisent souvent ce procédé comme subterfuge. Lorsque le vendeur entame un dialogue, il dirige l'acheteur vers des points culminants propres à faciliter sa vente. Exprimez gentiment votre désir de discuter agréablement avec lui de vos questions relatives à vos observations ; ce, après la visite.

OBSERVATIONS

Maintenant, examinez plafonds, murs, cadres de portes et fenêtres, planchers, placards un par un. Lorsque la pièce est trop sombre, demandez que l'on vous ouvre les rideaux, les stores, les lampes afin d'éclairer convenablement la pièce.

PLAFONDS, MURS, COINS

Il est important de noter, pendant votre examen, les taches jaunâtres, les coulis d'eau sale, les peintures écaillées. La présence de ceux-ci indique des anomalies plus ou moins graves, d'humidité et d'infiltration d'eau: problèmes qui sont en majeure partie occasionnés par une absence d'isolation ou par un toit qui coule.

☞ FENESTRATION

L'examen de chacune des fenêtres permet de déceler des problèmes de condensation, d'humidité et d'étanchéité de celles-ci. Il existe plusieurs catégories de fenêtres. Celles-ci possèdent des caractéristiques propres à chacune (bois, fibre de verre, aluminium, P.V.C. ou vinyle). Le châssis d'une fenêtre en bois qui  est noirci, écaillé, pourri, humide, laisse entrevoir certaines lacunes. Des vitres embuées annoncent également une mauvaise qualité de fenêtre ou un manque d'isolation. Une vitre thermos (double vitres avec espace d'air entre les deux) ne signifie aucunement qu'il n'y ait aucun problème de condensation et d'étanchéité. Une mauvaise fenestration occasionne une perte de chaleur incroyable. Par votre analyse, il vous sera possible d'identifier le degré d'urgence et les coûts relatifs aux changements de celles-ci. *Les cadrages des fenêtres et des portes sont-ils affaissés?* Cela peut dénoter un problème plus ou moins grave au niveau des fondations. Lorsque les vis traversent au complet le châssis des vitres thermos, cela dénote une mauvaise qualité du produit. Il faut faire attention, car une bonne qualité de fenêtre thermo, veut que les vis soient entre les espaces d'air, sans traverser le métal.

☞ PLANCHERS

Lorsqu'un plancher est recouvert de moquette, de céramique, de parquet ou autres... il est parfois difficile d'identifier la qualité des matériaux et de l'installation de ceux-ci sous ces revêtements. La structure d'un plancher est faite de béton ou de bois. Dans le cas d'une structure en bois, celle-ci est recouverte de contre-plaqué et, sur celui-ci, on installe le revêtement. Il arrive que le contre-plaqué soit recouvert de deux revêtements. (Une moquette qui recouvre un vieux plancher de bois). Lorsqu'il y a de la moquette, essayez de soulever un coin de celle-ci à différents endroits. Cela vous permettra de constater s'il y a de la pourriture, ou encore de vérifier la condition du premier revêtement (plancher de bois). Voici un moyen de détecter si un plancher présente des anomalies: un plancher qui semble rebondir ou qui craque lorsque vous marchez indique un problème qui peut venir de la structure du plancher ou encore d'un contre-plaqué qui est mal installé. Un problème de ce genre peut détériorer et casser vos autres recouvrements de plancher tels les lattes de bois, la céramique, le marbre etc. Il est également important d'observer le nivellement du plancher. Vous semble-t-il droit? Un truc qu'utilisent régulièrement les inspecteurs en bâtiment est de faire rouler une bille vers le centre du plancher. Roule-t-elle en ligne droite? Par contre, lorsqu'il y a du tapis, cette méthode n'est pas très efficace.

☞ LES ODEURS

Il se peut qu'en visitant, il vous parvienne une odeur désagréable et qui n'est pas une odeur de cuisson. Prenez-en note. Cette odeur peut provenir d'un problème d'humidité ou de pourriture.

☞ AIRE OUVERTE

Lorsque vous constatez que le propriétaire a éliminé certains murs dans le but d'avoir des pièces ouvertes, il est important de le noter. Demandez au propriétaire qui est la personne qui a fait les travaux et comment ces travaux ont été exécutés. Il est possible qu'il y ait eu jadis un mur porteur à cet endroit. À la fin de votre visite, après avoir posé toutes vos questions, demandez-lui si un plan a été conçu pour ces travaux de rénovation. Essayez de savoir de quoi était composé ce mur. Quels ont été les nouveaux matériaux utilisés? En quelle année eurent lieu les travaux?

N'oubliez jamais d'écrire tout ce qu'il vous dit et gardez une copie du plan ou du croquis avec vous (si plan, il y a). Le fait de démolir une cloison portante (*qui soutient la charge d'un plancher ou du toit*) peut avoir des conséquences désastreuses à court, moyen et long terme sur la structure de la maison, lorsque les travaux n'ont pas été réalisés correctement. La toiture ou le plancher peuvent s'affaisser. Plusieurs bricoleurs amateurs ont très peu de notions sur les précautions à prendre lors de l'exécution de travaux aussi importants. Ils démolissent et scient tout ce qu'ils trouvent sur leur passage, sans se soucier de soutenir adéquatement le plancher ou le toit, pendant la rénovation.

☞ PLOMBERIE

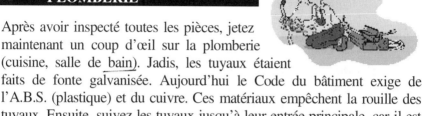

Après avoir inspecté toutes les pièces, jetez maintenant un coup d'œil sur la plomberie (cuisine, salle de bain). Jadis, les tuyaux étaient faits de fonte galvanisée. Aujourd'hui le Code du bâtiment exige de l'A.B.S. (plastique) et du cuivre. Ces matériaux empêchent la rouille des tuyaux. Ensuite, suivez les tuyaux jusqu'à leur entrée principale, car il est possible qu'il n'y ait eu qu'une petite partie de la plomberie qui ait été changée. Prévoyez, dans votre budget, les coûts nécessaires à une nouvelle plomberie, si celle-ci est de fonte. Faites faire au moins deux ou trois estimations par des entrepreneurs en plomberie. Il est également important de vérifier la pression d'eau de chacun des robinets, incluant celui de la douche et la chasse d'eau de la cuvette de toilette.

Lorsque vous n'êtes pas certain de vos observations, posez les questions suivantes. Questions que vous pourrez par la suite vérifier avec un inspecteur en bâtiment lors de l'inspection finale.

- **La plomberie a-t-elle été refaite?**
- **Quand?**
- **Par quelle firme?**
- **Avez-vous le contrat? Si oui, puis-je le voir?**
- **Y a-t-il une garantie ? Puis-je la voir?**
- **Le drain français a-t-il également été changé?**
- **En quelle année?**

☞ L'ÉLECTRICITÉ

Faites la même chose avec le panneau électrique. Si l'entrée électrique est munie de fusibles, cela indique que celle-ci est à refaire. Vérifiez la boîte électrique. Elle peut avoir une allure suspecte. Un panneau électrique qui contient des disjoncteurs devrait être conforme aux normes. Par contre, cela ne signifie pas que les vieux fils électriques aient été changés. Pour vous en assurer, dévisser le couvercle de métal qui recouvre les disjoncteurs et vérifier le branchement des fils. Du filage neuf, ça se remarque. Dans les propriétés, la norme est maintenant de 125 ampères et 120/240 Volts. Vous pouvez retrouver ces informations sur le panneau électrique.

☛ QUESTIONS:

- **Depuis quand l'entrée électrique a-t-elle été refaite?**
- **Qui est l'entrepreneur qui a en fait l'installation?**
- **Le filage a-t-il été changé lui aussi?**
- **Puis-je voir le contrat et la garantie?**

Il est possible que l'installation ait été faite par un ami qui possède des connaissances en ce domaine ou par un apprenti-électricien ne possédant pas ses cartes l'autorisant à pratiquer seul de tels travaux. À ce moment, il est préférable de faire effectuer une contre-expertise par un Maître-électricien.

☛ FOYER/POÊLE À COMBUSTION LENTE

Avoir un foyer ou un poêle à combustion lente constitue une fantaisie romantique appréciée de plusieurs. Moi, la première. Pour d'autres, ces appareils sont une source de chaleur économique. Par contre, ils sont souvent une source de problèmes pour l'acheteur, à cause du mauvais fonctionnement de l'appareil, et ces problèmes finissent parfois par devoir se régler  devant monsieur le Juge. Il peut alors arriver que des maisons s'enflamment ou que la fumée incommode et intoxique les gens. Tous ces problèmes sont souvent reliés à une mauvaise installation de l'appareil et de ses composants ou encore à un manque d'entretien, ce qui présente des risques pour votre santé et votre sécurité. Certains propriétaires, voulant économiser sur les coûts d'installation, préfèrent la faire eux-mêmes. Il est inimaginable le nombre de personnes ingénieuses qui aiment «patenter» des choses!

Ce schéma provient du «Guide du chauffage au bois résidentiel» réalisé en collaboration avec Ressources naturelles Canada et la S.C.H.L.

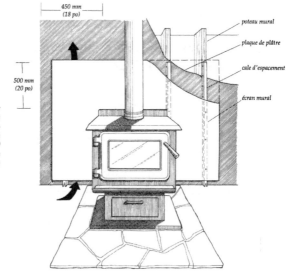

VUE EN COUPE D'UN ÉCRAN MURAL

En permettant à l'air de circuler en tre l'écran et la surface combustible, l'écran mural peut servir à réduire le dégagement minimal en toute sécurité. L'écran doit se prolonger d'au moins 500 mm (20 po) au-dessus de l'appareil et de 450 mm (18 po) au-delà de chacun des bords de l'appareil.

Édité par les Publications Éconergie

☞ **QUESTIONS**

- **Le caisson qui recouvre l'appareil a-t-il une distance réglementaire?**

- **Le revêtement est-il exagérément noirci?**

- **La cheminée a-t-elle la hauteur requise?**

- **Le matériel utilisé ainsi que le diamètre de la cheminée sont-ils en conformité avec la marque et le numéro de série de l'appareil? Tous sont autant d'éléments qui peuvent occasionner de graves problèmes.**

☞ Il est primordial de faire examiner la cheminée et l'appareil de chauffage par un ramoneur ou un inspecteur professionnel. Il s'assurera que les matériaux utilisés sont conformes et conviennent à la marque du foyer. Il vous remettra un rapport écrit certifiant que l'installation est selon les normes du bâtiment et que l'appareil est conforme et donne un rendement appréciable. Je vous suggère de remettre à votre assureur une copie de ce rapport. Cela vous évitera des désagréments avec votre compagnie d'assurance, en cas de feu.

Les normes acceptées par rapport aux surfaces combustibles (placo-plâtre, bois...) sont de 18" (45 cm) de chaque côté de l'appareil. Il est possible de réduire le dégagement minimal de 50%, le ramenant à 9" (25 cm) en ayant recours à ce que l'on appelle un écran apposé sur le tuyau ou la surface combustible.

☞ *QUESTIONS:*

- **Qui a installé le foyer ou le poêle à combustion lente?**

- **Avez-vous utilisé des matériaux compatibles avec la marque du foyer?** *(Lorsque le propriétaire a fait lui-même l'installation)*

- **Demandez à voir le plan de l'installation.** *(Celui-ci devrait contenir les dégagements autour de l'appareil et de la cheminée).*

- **Puis-je obtenir une preuve d'homologation de l'appareil et de ses composantes?**

☞ <u>**Même en ayant toutes ces informations, ne prenez aucune chance : faites inspecter votre foyer!**</u>

CHAUFFAGE

Il ne faut pas oublier le système de chauffage. Fonctionne-t-il à l'électricité, à l'huile, à l'air chaud, à l'huile/eau-chaude, au gaz ou fait-il appel à des systèmes tels la biénergie, la thermopompe, le radian ? Y a-t-il un système de ventilation, d'humidification, de climatisation? Posez beaucoup de questions et notez. Un spécialiste en ce domaine pourra mieux vous conseiller.

ISOLATION

Les maisons qui possèdent un toit à pignon sont munies d'un entre-toit (grenier). Demandez où se trouve la trappe qui mène à l'entre-toit. Je vous suggère de porter de vieux vêtements et de vous munir d'un masque de style chirurgical. Car vous devrez non seulement regarder par l'ouverture de la trappe (trop facile), vous devez aussi ramper dans l'entre-toit. Il s'agit de vérifier l'épaisseur de la laine minérale. Il ne faut pas vous fier uniquement à ce que vous observerez près de l'ouverture. Une maison qui a été isolée, il y a près de trente ans peut avoir une valeur thermique de 4 pouces et plus d'isolant, c'est encore acceptable. Moins de 4 pouces, cela ne vaut plus grand-chose. Aujourd'hui, c'est entre 10 et 12 pouces d'épaisseur que sont les normes. Le facteur R-35 ou R-40 est recommandé pour le toit, le facteur R-20 est recommandé pour les murs. Si cet exercice vous répugne, n'hésitez pas à demander de l'aide à un ami ou à un professionnel.

Autrefois, l'ouverture de l'entre-toit était placée dans les placards. Aujourd'hui, elle doit être visible et facilement accessible. Cela facilite le travail des pompiers en cas de feu. Pour un toit plat, il est maintenant possible d'isoler celui-ci lors de la réfection de la toiture. On a commencé à utiliser des isolants pour murs et plafonds entre les années 1950 et 1960. La plupart des vieilles maisons n'ont aucune isolation, exception faite pour les propriétés qui ont été entièrement rénovées.

SOUS-SOL

Visitons maintenant le sous-sol ou la cave de service. Il arrive que les vieilles maisons n'aient qu'une cave de service en terre. Il est important d'y descendre et d'examiner la solidité et la condition des poutres et solives de la fondation.

☛ *QUESTIONS/OBSERVATIONS: cave de service en terre*

- **Les poutres, les solives sont-elles affaissées ou cassées par endroit?**

- **Sont-elles rongées par des termites?** *(Insecte qui vit en société et ronge les pièces de bois par l'intérieur). Cela peut affaiblir considérablement la structure de la bâtisse et provoquer l'affaissement de la maison. Il est important de faire examiner de près ce genre de cave par des spécialistes.*

- **Il est bon de chauffer une cave en terre. Cela permet d'enlever l'humidité.**

Lorsque vous examinez un sous-sol en béton et que seul l'isolant est installé, vous devez chercher à déceler les fissures et les infiltrations d'eau sur les murs, près des fenêtres ainsi que sur le plancher. La dénivellation du plancher est un bon indice de détection indiquant que les caractéristiques du sol sont faibles et peuvent occasionner des problèmes de fondation.

Lorsque vous êtes en présence d'un sous-sol entièrement complété, redoublez de vigilance. Des coulis d'eau et des traces d'humidité, un plancher ayant une légère pente sont autant d'indices à surveiller. L'examen de la fondation à l'extérieur de la maison vous aidera à compléter votre analyse. Les poutres et les solives porteuses soutenant la charge du plancher du rez-de-chaussée sont souvent invisibles, étant dissimulées sous le placoplâtre (gyproc). Il est donc difficile d'y détecter les défauts. Un sous-sol aménagé de pièces habitables comme une chambre à coucher, une salle de jeu... et dont la hauteur maximale est moins de 8 pieds seulement, doit attirer votre attention. Soyez vigilant à retracer un mur érigé au-dessous d'une poutre de soutien surtout si dans ce mur se trouve une ouverture de porte. Pourquoi? C'est très simple: une porte de hauteur standard ne peut être installée au-dessous d'une poutre parce que l'ouverture pratiquée dans le mur nécessite 8 pieds de clairance pour qu'on puisse y installer un cadrage de porte. Comme le sous-sol en question n'a que 8 pieds de haut, si vous enlevez l'épaisseur de la poutre, vous n'avez plus vos huit pieds de clairance. Donc, la porte et son cadrage ne s'intègrent pas au-dessous d'une poutre. À moins que le propriétaire n'utilise le système « - D - pour débrouillard» et gruge dans la poutre afin d'y faire entrer le cadrage.

Comme la poutre et le mur sont recouverts de placoplâtre, il est difficile de détecter ce genre d'anomalie qui, tôt ou tard, affectera, la structure de votre plancher à l'étage supérieur. Après quelques années, le plancher commencera à s'affaisser par endroits. Je ne crois pas que vous aimeriez que les planchers de votre salon, cuisine et chambres deviennent un endroit pour faire du patin à roulettes.

La personne qui a exécuté ce travail n'est pas un escroc. Il s'agit uniquement d'un bricoleur amateur qui ne connaît rien aux normes de la construction et qui utilise le système «D» lorsqu'il se retrouve devant un obstacle à franchir. Cet individu est totalement ignorant des conséquences à longue échéance.

Malheureusement, cela peut être néfaste pour la propriété et pour vous qui êtes le nouvel acquéreur. Vous entreprendrez des procédures judiciaires pour dénoncer ces vices cachés. Il vous en coûtera des frais qui sont onéreux. Même si vous obtenez un montant d'argent en dommages et intérêts, personne ne sort vraiment gagnant d'une guerre!

Il est également important, lorsque vous visitez un sous-sol, qu'il s'agisse d'une propriété existante ou d'une construction neuve, de surveillez où s'arrêtent les panneaux d'isolation. Ceux-ci devraient se terminer à environ 10 pouces du sol. Il est important que la chaleur qui provient de la maison puisse monter sur le mur de fondation, ce qui l'empêchera de geler l'hiver et de la faire craquer. À l'inverse, trop d'isolation peut faire en sorte que l'humidité produite abîme la fondation. Vous pourriez vous retrouver avec des portes et des fenêtres qui ferment mal partout dans la maison, en plus des dénivellations et autres problèmes que cela pourrait occasionner. Autre point important : le gyproc dans un sous-sol devrait se terminer à environ ¼ de pouce du sol afin que l'air chaud et froid circulent bien. Un bon moyen de détecter ces défauts lorsque le sous-sol est complètement terminé consiste à observer si les têtes de clous du gyproc près du plancher sont rouillés (infiltration d'eau)

☛ ## L'EXTÉRIEUR DE LA PROPRIÉTÉ

FONDATION

Lorsque vous en avez terminé avec l'intérieur, faites de même avec l'extérieur de la propriété. Il est à déconseiller d'acheter lorsqu'il est impossible de voir le mur de soutènement dans sa totalité (la partie hors du sol). L'hiver, la neige peut en recouvrir une partie. Il vous est alors possible de passer à côté d'une fissure importante. Il en est de même pour la toiture.

Vous devez prendre votre temps et faire le tour de la propriété plusieurs fois. L'erreur la plus évidente pour un néophyte est de regarder d'un seul coup d'œil l'ensemble de chaque mur. Observez élément par élément, une étape à la fois. Vous commencez par la fondation? Alors, faites le tour en ne regardant que la fondation et les ouvertures qui s'y trouvent. Notez toutes les fissures, les rafistolages grossiers sur le ciment, la condition du mur autour de la porte et des fenêtres du sous-sol. Il est possible que le propriétaire ait percé un trou dans la fondation ou dans le mur de brique afin d'y installer un appareil de climatisation mural.

MURS/REVÊTEMENTS

Passons maintenant aux murs extérieurs et à leur revêtement (brique, lattes de bois, lattes d'aluminium, lattes de vinyle, d'agrégat etc.).

L'observation la plus importante, c'est la possibilité d'un ballonnement sur le mur. Cet *«œil de bœuf»* tel que communément appelé dans le jargon de l'immobilier, peut se situer à n'importe quelle hauteur sur un mur, peu importe le nombre d'étages de la propriété. Cela implique un défaut de structure. Il est plus facile de détecter ce genre d'anomalie lorsque vous êtes placez sous un certain angle.

Maintenant, au tour de la brique:

- **Est-elle effritée?**
- **Les joints sont-ils ajourés?**
- **A-t-elle été remplacée à plusieurs endroits?**

Car, même des briques qui sont identiques auront une nuance dans leur couleur.

Faites de même pour les autres revêtements. Si une ouverture a été faite sur un mur n'ayant ni porte ni fenêtre (exemple: pour un climatiseur), votre municipalité peut considérer cette ouverture comme une fenêtre jugée «à vues illégales» parce que sa portée de vue est trop rapprochée du bâtiment voisin. Cela, même si celle-ci n'est qu'un emplacement pour un climatiseur. Un inspecteur de votre Municipalité ou un voisin mal intentionné peuvent vous obliger à refermer cette ouverture. C'est «vues illégales» sont souvent sur le côté de la maison. Un patio peut également devenir illégal, lorsque celui-ci a été agrandi et que cet agrandissement ne respecte pas les distances requises par la Municipalité avec le terrain du voisin. Un bon moyen de vérifier si cette ouverture ou cet agrandissement sont approuvés légalement c'est par le certificat de localisation. Toutes modifications et ouvertures doivent apparaître sur celui-ci avec le numéro de l'enregistrement du droit de vue. Les coûts de fermeture d'une telle ouverture et la démolition d'un patio ou autres peuvent être assez dispendieux. Vous pouvez avoir le même problème avec une piscine. La corniche est également très importante, la détérioration de celle-ci peut occasionner des infiltrations d'eau. Portez également une attention au balcon, patio, ils sont peut-être en mauvaise condition et peuvent avoir des vues illégales non enregistrées. La clôture, la haie, à qui appartiennent-elles?

Concernant la brique, vous devez inspecter la première rangée de briques. Celle-ci devrait avoir une ouverture que l'on appelle «chantepleure». Cette ouverture doit être à environ toutes les quatre briques. Cela permet à la rosée (humidité à l'intérieur du mur) de s'écouler par ces ouvertures. Dans le cas contraire, vous pourriez vous retrouver avec des infiltrations d'eau. Certains entrepreneurs en maçonnerie ne font pas les chantepleures.

RAJOUTS

Il peut arriver, dans certains cas, que des rajouts aient été faits sans permis et n'apparaissent pas sur le certificat de localisation : portes solarium, terrasse, véranda, fenêtres, ouverture pour climatiseur etc. Exigez de voir les plans d'exécution de ces travaux ainsi que la demande de permis. Ensuite, comparez avec le certificat de localisation. J'ai moi-même vécu une mauvaise expérience avec un rajout pour un solarium fait par un ancien propriétaire de la maison, dix ans plus tôt.

GOUTTIÈRE

La gouttière passe souvent inaperçue par les acheteurs. Pourtant, celle-ci est d'une grande utilité. Une gouttière mal installée et n'ayant pas le degré de pente requis peut entraîner une infiltration d'eau.

TOITURE

Concernant un toit en pente, il existe différents matériaux: le bardeau d'asphalte pour pente normale, le bardeau de bois, le bardeau de sciage, le bardeau de fente; la tuile d'argile, la tuile de béton, la tuile d'ardoise, la tuile de fibrociment, la tuile en fibres de verre, la tuile de métal; le bardeau de fibres de bois agglomérées; les tôles ondulées et nervurées posées à recouvrement; des panneaux de fibrociment, des panneaux de polyester renforcés de fibres de verre. Chacun d'eux possèdent ses caractéristiques propres en matière d'étanchéité, de durabilité, d'esthétique, de poids, de résistance au feu et d'acoustique. Il est important d'observer si une partie du toit s'est affaissée et de vérifier la condition du matériel installé.

Y a-t-il une turbine ou autre appareil sur le toit permettant de ventiler l'entre-toit?

Un toit plat se compose de membranes de goudron ou d'asphalte (bitume) habituellement posées en système multicouches. Ces couvertures sont faites de plusieurs feuilles de feutre, de fibre de verre ou d'amiante bitumées et liées entre elles par des couches de bitume (goudron ou asphalte). Elles sont ensuite protégées par du gravier, des dalles ou un papier asphalté muni d'un recouvrement de grains minéraux. Je vous suggère de monter sur la toiture, il vous sera possible de différencier les endroits où le gravier manque ; celui-ci étant transporté par le vent, la pluie, la neige. Ainsi, vous vous rendrez compte par vous-même de la condition de la toiture.

- **Quand a-t-elle été vérifiée ou refaite?**
- **Quelle est l'entreprise qui a exécuté les travaux?**
- **Demandez à voir le contrat et la garantie.**

PISCINE

Lorsque qu'une propriété, possède une piscine hors terre ou creusée, demandez qu'on vous remette par écrit, la marche à suivre lors de l'ouverture et la fermeture de celle-ci. Faites écrire sur votre promesse d'achat que le moteur de la piscine est fonctionnel, si vous achetez au moment où celle-ci est fermée pour la saison hivernale.

Informez-vous auprès des voisins à savoir si l'eau de la piscine s'égoutte sur leur terrain. J'ai une amie qui en ce moment a ce problème. Son terrain est continuellement mouillé. Elle a pris une action contre son voisin.

- **La piscine et le moteur, datent de quelle année?**
- **La toile de la piscine hors-terre est-elle neuve?**
- **De quelle année date-t-elle?** *(Vous devrez peut-être prévoir une nouvelle toile dans votre budget)*

Informez-vous auprès de la Municipalité, s'il n'y a pas de servitudes souterraines (exemple : fils électriques d'Hydro-Québec pour les nouveaux développements, des tuyaux de la Ville, etc.) qui passent dans le sous-sol du terrain et cela, avant d'acheter une propriété avec piscine ou encore, si vous prévoyez en faire installer une. Vous pourriez avoir de gros problèmes. Il y a des normes à respecter sur les distances entre les servitudes souterraines et l'emplacement de la piscine.

TROISIÈME VISITE

Vous en avez maintenant terminé avec votre deuxième visite. Donc, il s'agit, une fois de retour à la maison et à tête reposée, de compiler vos notes, les réponses à vos questions, les copies des documents que vous avez obtenues. Ensuite, déterminez quels sont les travaux qui demandent à être faits rapidement et ceux qui peuvent être faits à moyen et long termes. Évaluez un coût approximatif sur chacun des travaux.

Cet exercice vous guidera sur votre décision d'acheter, ou non, cette propriété. Une propriété dont les éléments majeurs ont en quasi-totalité été renouvelés par le vendeur (électricité, plomberie, système de chauffage, fenestration, toiture, cuisine, salle de bain etc.) est un avantage pour vous. Il ne vous restera qu'à vérifier les contrats et les garanties que possède le vendeur.

La troisième visite, qui devra se faire dans la soirée, a pour but d'apprécier davantage la maison sous un éclairage et un contexte différent. La tranquillité du soir vous permettra de déceler peut-être des bruits incongrus qui, de jour, seraient inaudibles. De plus, une révision de vos notes n'est pas à dédaigner.

Une fois la troisième visite complétée, si la maison vous procure un emballement tout comme au premier jour, alors il est temps de faire votre promesse d'achat. Il vous faudra d'abord passer par l'Hôtel de Ville, le Bureau de la publicité foncière et le Bureau des permis *(qui est aussi celui des avis de non-conformité)*. Dans ces endroits, tous les renseignements supplémentaires que vous découvrirez lors de votre recherche peuvent vous faciliter la tâche lors de votre négociation. Par contre, n'oubliez surtout pas d'ajouter à votre offre d'achat la clause nécessaire à votre protection lors d'une inspection réalisée par un professionnel. Cette inspection peut mettre à jour d'autres éléments importuns qui vous auraient échappé.

Toutefois, cela ne sert à rien de faire une bonne recherche à tous ces endroits si vous n'avez pas encore visité, analysé la propriété qui vous intéresse. De plus, vous devez avoir la certitude que vous désirez acquérir cette propriété. Je vous suggère de ne pas faire votre promesse d'achat avant d'en être rendu à l'étape de la vérification par un professionnel. Autrement, cela constituerait une perte de temps en négociations de toutes sortes pour aboutir probablement dans le néant quelque temps plus tard. Lorsque vous êtes rendu à cette étape, c'est du sérieux et votre temps, c'est précieux, tout comme celui de l'agent immobilier et celui du vendeur. Avec une offre d'achat acceptée, le vendeur ne s'opposera pas à ce que vous le dérangiez de nouveau pour l'inspection finale.

RECHERCHE

La première chose à faire est de prendre en note l'adresse de certaines propriétés ayant été récemment vendues dans le secteur et qui sont similaires à celle qui vous intéresse. En vous promenant dans les rues avoisinantes, vous trouverez certainement des propriétés dont la pancarte «à vendre» est recouverte d'un autocollant mentionnant «vendu». Prenez  également en note celles qui sont à vendre. Dans le cas contraire, faites appel à votre agent immobilier qui se fera un plaisir de consulter avec vous la banque de données relatives aux maisons vendues qu'il possède. Ainsi, vous pourrez «piger» quelques adresses. Ne vous fiez pas qu'au prix vendu. Il se peut qu'une maison similaire se soit vendue moins cher ou plus cher que celle qui vous intéresse malgré la similitude. Ce n'est qu'au Bureau de la publicité foncière que vous pourrez constater «pourquoi» cela s'est produit. Moins cher, peut vouloir dire que le propriétaire-vendeur a eu de graves difficultés financières ou autres.

Vous pourrez détecter ce genre d'information à cet endroit. Plus cher, parce que certaines conditions peuvent avoir été ajoutées à la promesse d'achat ou que cette maison possède de nombreux suppléments que ne possède pas la vôtre.

Avec toutes ces informations, passez en premier lieu à l'Hôtel de Ville de votre municipalité avec l'adresse des propriétés que vous aimeriez vérifier et dirigez-vous vers le département appelé «rôle d'évaluation». Ne vous en faites pas si vous ne connaissez pas le processus à suivre, il y a toujours une personne sur place pour vous aider. À cet endroit, vous retrouvez plusieurs informations telles: nom et adresse du propriétaire, l'année de l'achat, paroisse, cadastre, lot. Faites de même avec les autres comparables (maisons vendues) dont vous possédez les coordonnées. Vous aurez besoin de ces informations pour le Bureau de la publicité des droits (Bureau d'enregistrement). Ensuite, vous vous rendez au comptoir des taxes pour faire sortir le relevé de taxes de la maison qui vous concerne. Habituellement, le comptoir des taxes est situé juste à côté de celui du rôle d'évaluation. Cette information sur les taxes vous permettra d'en savoir

plus long. Des taxes impayées depuis près de deux ans, c'est une chose très courante de nos jours. Cela signifie que le propriétaire recevra bientôt un avis de vente pour taxes, si celles-ci ne sont toujours pas payées. Il est possible que le vendeur ait des ennuis financiers et que la vente rapide de sa propriété lui permette de régler ses problèmes. Ces informations sont un atout important qui permettent au vendeur d'être plus flexible lors de la négociation. Tout de même, n'exagérez pas trop dans la baisse du prix. Ne faites pas comme ces mafiosi de la spéculation qui profitent du malheur des autres et égorgent leurs victimes.

Ensuite, dirigez-vous vers le Bureau de la publicité des droits au département du registre foncier qui se trouve, pour la région de Montréal: au Palais de Justice, (la bâtisse accolée à celle de l'Hôtel de ville). Pour les autres régions, informez-vous auprès de la Municipalité concernée, à savoir quel est le Bureau de la publicité foncière qui dessert cette municipalité. À cet endroit, les coûts sont environ cinq à dix dollars, mais ça en vaut le coup. Avec les informations prises au Département du rôle d'évaluation, vous n'aurez qu'à entrer les données dans un des multiples ordinateurs disponibles. Dans le cas où vous ne seriez pas familier avec ces machines, ne paniquez pas! Une personne sur place le fera pour vous. Le relevé qui s'imprimera, en appuyant sur le bouton correspondant, vous donnera des informations pertinentes comme les avis de soixante jours et les hypothèques légales (privilèges) enregistrés sur la maison. Vous y découvrirez également le nombre de fois que la propriété a été vendue au cours des dernières années.

Une propriété qui s'est vendue plusieurs fois dans un laps de temps assez court devrait vous mettre la puce à l'oreille, aiguiser davantage votre curiosité et vous inciter à pousser plus loin votre recherche. Il est possible que cette propriété ait un problème important et que le nouvel acquéreur le découvre uniquement au moment où il l'habite. Il fera en sorte de la revendre rapidement. Maintenant, faites de même avec les comparables que vous avez en votre possession. Sur le rapport imprimé il y a, à côté de chacune des ventes, un numéro qui correspond au numéro d'enregistrement de l'acte de vente et d'hypothèque de la propriété. Cet acte est enregistré par le professionnel. Il s'agit maintenant de vous rendre dans les rangées numérotées à cet effet. Sur les étagères, les registres fonciers sont également numérotés.
Vous prenez le livre officiel qui correspond à votre numéro et vous pouvez lire tout le contrat d'achat ou de prêts hypothécaires de votre propriétaire-vendeur ainsi que ceux de tous les autres propriétaires avant lui.

À chaque document antérieur provenant d'une vente, les bornes du terrain y sont mentionnées. Vous devez comparer celles-ci avec votre certificat de localisation Au cours du temps, cette propriété a certainement eu plusieurs certificats de localisation qui ont été modifiés en cours de route ou refaits complètement. Des erreurs importantes peuvent alors s'y être glissées et remonter à la surface plusieurs années plus tard. Assurez-vous que votre certificat de localisation correspond bien au plan de cadastre déposé à l'Hôtel de Ville ou au M.R.C. Il arrive que certains Bureaux de la Publicité des droits (en région) ne soient pas informatisés. Dans ce cas, vous devez vérifier dans le Registre des droits réels d'exploitation de l'état.

Personne n'est parfait et l'erreur est humaine. Donc, deux têtes valent mieux qu'une. Je vous suggère de faire photocopier les pages qui traitent des bornes du terrain de toutes les ventes qui concernent la propriété qui vous intéresse. Écrivez sur la photocopie le numéro du contrat et l'année de la transaction afin de pouvoir vous repérer lors de votre retour à la maison (par contre, il se peut qu'il y ait un délai de 1 à 2 jours pour avoir les copies). Ainsi, vous pourrez comparer celles-ci avec la copie du certificat de localisation que vous possédez et qui est censé être à jour. Sur place, il est possible de faire photocopier les pages qui vous intéressent.

Il se peut qu'en lisant les actes notariés antérieurs vous découvriez qu'il y a des signatures manquantes, des servitudes non enregistrées (des droits de passage, vues illégales etc.). C'est amusant à lire ! Tout ce qui peut vous sembler suspect et dont vous ne comprenez pas le sens, prenez-le en note ou faites-le photocopier. Vous pourrez élucider ces observations auprès de votre conseiller juridique (notaire, avocat).

Vous avez terminé à cet endroit, maintenant rendez-vous au Département des permis. Pour la région de Montréal, il se trouve dans une autre bâtisse. **À cet endroit, faites-vous certifier par écrit qu'il n'y a eu aucun avis, de non-conformité, greffé à cette propriété.** Profitez-en, pour demander si des permis de rénovation ou autres, ont été émis concernant cette maison.

Vous avez terminé vos recherches. Vous avez négocié votre prix en vous basant sur les informations recueillies. Vous avez ajouté la clause qui permet de pouvoir vous désister ou renégocier après l'inspection de la maison par un expert. Surtout lorsque celui-ci découvre des anomalies importantes pouvant vous occasionner de graves et coûteux problèmes de réfection. Certains de ces problèmes peuvent vous avoir échappé au cours de votre visite. Vous êtes satisfait de vos recherches et de l'inspection. Alors vous voilà prêt à acheter.

CLAUSE

Cette promesse d'achat est conditionnelle, à compter de la date des présentes, soit le _____jour, du mois de _____,de l'année_____ ; à un délai de quinze jours concernant la satisfaction de l'acheteur à toutes vérifications et inspections relatives à cette propriété ainsi qu'à l'obtention d'une hypothèque. Dans le cas contraire, l'acheteur devra aviser le vendeur par écrit de son intention de mettre fin à la transaction; et ce, en tout temps au cours du délai prévu aux présentes, le tout sans recours de part et d'autre. L'acheteur pourra se désister et renoncer à cette promesse d'achat sans aucune pénalité ou autres frais pouvant être exigés par le vendeur. La promesse d'achat deviendra nulle et non avenue et tout dépôt devra être immédiatement remboursé à l'acheteur. Après ce délai, l'acheteur qui se déclare satisfait devra par écrit mettre sa promesse d'achat ferme et irrévocable.

LE CERTIFICAT DE LOCALISATION:

Un document d'une grande importance. Il permet d'identifier les illégalités pouvant exister sur la propriété. Il devra être assez récent. Tous les ajouts et modifications apportés à la propriété par le propriétaire devront apparaître sur ce document (ouvertures de portes, fenêtres et appareils de climatisation, balcons, terrasse, véranda, clôture, haie, piscine, cabanon etc.) Avec ce document, votre conseiller juridique mandaté pour conclure la transaction pourra déceler les vues illégales, les empiétements, les droits de passages etc.

Pour les acheteurs qui veulent acquérir un condominium existant ou une propriété à revenus, voir le chapitre correspondant où d'autres recherches s'ajoutent à celles-ci.

UN PETIT MOT POUR L'ACHETEUR

Je tiens à vous dire que mon but n'est pas de vous effrayer ni de vous décourager. Au contraire! L'achat d'une propriété reste et restera toujours un excellent placement. Il faut simplement ne pas prendre à la légère un achat aussi important. Après tout, c'est avec votre argent que vous l'achetez, <u>vous devez le protéger</u>. Il faut prendre en considération que c'est <u>VOUS</u> et les vôtres qui allez vivre dans cette maison, non le vendeur ou l'agent immobilier. Ça aussi c'est important.

Trop de gens mal intentionnés tirent profit de la naïveté, de la confiance et de l'inexpérience des autres. C'est très facile d'attirer la confiance des gens: un beau sourire, un visage angélique, une certaine douceur dans la voix, un air timide et vous vous dites: «Bah, cette personne respire l'honnêteté»! Il ne faut jamais se fier aux apparences. Elles sont trop souvent trompeuses. Personne ne peut prétendre connaître une autre personne en quelques minutes seulement. Il arrive que l'on côtoie ou que l'on vive avec une personne pendant des années sans tout connaître d'elle. Imaginez alors, un parfait étranger! Mon principe est «qu'il faut se garder une certaine réserve sur la confiance que l'on donne aux gens». Un propriétaire n'ayant rien, à se reprocher ne s'offusquera pas de vos précautions à vouloir vérifier ses dires. Il sera même prêt à vous accommoder en vous donnant tout ce qu'il possède comme documents, contrats, garanties, plans, permis, etc. Gardez à l'esprit que l'individu qui vous vend sa propriété a pu également être lésé par un autre vendeur. N'ayant peut-être pas les finances ou le courage nécessaire pour affronter ses erreurs, il préférera plus tôt transférer son problème à quelqu'un d'autre. Certains sont ainsi faits.

AUJOURD'HUI VOUS ÊTES UN ACHETEUR. DEMAIN, VOUS SEREZ PROBABLEMENT UN VENDEUR.

Ce sera probablement votre tour de devenir la proie, d'acheteurs abusifs ou de spéculateurs véreux qui vous talonneront et essaieront de vous exploiter. Ceux-ci vous feront croire que votre propriété ne vaut pas le prix que vous en demandez. Ils vous feront des offres ridicules et profiteront de vos faiblesses pour vous faire céder. Ayant obtenu un prix très bas, certains se retourneront et essayeront de revendre avec profit. Très souvent, ils ont déjà dans leur banque de données un réel acheteur qui recherche une propriété comme la vôtre. Il y a des gens qui ne font que ça comme travail. Même certains agents d'immeubles peuvent être de connivence avec ces spéculateurs. Plusieurs agents d'immeuble travaillent régulièrement avec ceux-ci, chacun d'eux y trouvant son compte. Ils sont en mesure d'identifier rapidement la valeur d'une propriété et le profit qu'ils peuvent en tirer. Lorsque certains agents s'aperçoivent que le vendeur est facilement influençable et manœuvrable, ils font faire immédiatement une offre d'achat par un spéculateur.

Il arrive également que ce soit les acheteurs qui abusent de la situation. Un propriétaire honnête qui mentionne verbalement certains défauts de sa propriété à l'acheteur peut se mettre les pieds dans les plats, si les dits défauts ne sont pas mentionnés par écrit et signés des initiales de l'acheteur sur la promesse d'achat. L'acheteur a la possibilité de revenir contre le vendeur et cela même si celui-ci a baissé le prix de sa propriété, en compensation des travaux à exécuter. Car rien de tout cela n'est mentionné sur la promesse d'achat. Donc, avis aux propriétaires! Il est important d'inscrire les défauts de la propriété sur l'offre d'achat et de faire signer l'acheteur de ses initiales. Vous vous éviterez ainsi les frais et les honoraires d'un avocat pour vous défendre contre ces gens de mauvaise foi.

Tout se vend, même une propriété à problèmes. Il vaut mieux en baisser le prix et de perdre un peu d'argent que de vous retrouver en en compagnie d'avocats à faire des *«parle-mente-rit»* qui n'en finissent plus! Certains avocats peuvent étirer le temps, parfois même pendant des années! Quelques fois, j'ai l'impression qu'un taximètre est accroché au récepteur de leur téléphone et que le compteur déclenche au moment même où vous commencez à composer leur numéro. Quand on pense que ça prend plusieurs discussions entre l'avocat de la partie adverse, et six mois d'attente, uniquement pour avoir un oui ou un non, c'est quelque chose. Qui paye la facture? VOUS! Ce sont souvent eux, les seuls gagnants au bout du compte.

Lorsque qu'il vous est impossible affronter les coûts des vices cachés ou des problèmes majeurs, dites-vous que l'acheteur, lui, a peut-être les moyens de les assumer, surtout si votre maison est vraiment celle qu'il désire, à condition qu'il sache ce à quoi il doit s'attendre.

S'il vous a été impossible de prendre action contre celui qui vous a roulé, tant pis! Il vaut mieux trouver une solution honnête pour vous débarrasser de votre problème. **Vous croyez peut-être, à votre tour, pouvoir trouver «un poisson» qui fera la même chose que vous lorsqu'il découvrira «le pot aux roses». Détrompez-vous!** Il peut très bien vous actionner. Il vaut donc mieux que vous assumiez vos erreurs et une perte d'argent que d'essayer de ROULER quelqu'un d'autre.

Je comprends votre colère et votre frustration de vous être fait AVOIR. Souvent l'esprit de vengeance nous hante dans de pareils moments, nous nous préparons à l'attaque pour en faire payer la facture à quelqu'un d'autre, peu importe à qui. À quoi cela sert de faire ça? Le mal est fait. Je sais que vous avez travaillé fort pour gagner cet argent et que vous ne voulez pas le perdre. Mais lorsqu'on y pense bien., qu'est-ce que l'argent? Quand la vie familiale et monétaire de toute une famille est dramatiquement chambardée pour des années et des années à venir à cause d'un acte fait consciemment. Les gens ne pensent pas qu'ils lèsent, non seulement une personne, mais tout un groupe de personnes. De l'argent, ce n'est que du papier qui s'envole. C'est comme un «*chum*» ou une blonde qui disparaissent avec notre meilleur ami(e). **Ça fait mal, mais ça se remplace!** Croyez-moi, je sais de quoi je parle en disant cela, ayant perdu un montant s'élevant dans les six chiffres. Cela m'est arrivé pendant la récession. Un contracteur n'a pas voulu me payer mon dû. Étant donné que je n'étais payée qu'une fois ou deux par année, tous mes «avoirs» y sont passés. N'oubliez pas que nous sommes à l'école de la vie. Nos erreurs sont des leçons à comprendre! Il s'agit de leçons qui nous permettent d'évoluer. Il ne faut pas en avoir honte.

FAIT VÉCU

Voici une preuve de ce que j'avance. Je vais vous relater la vente d'une de mes propriétés située sur le Plateau Mont-Royal. C'est le seul endroit où je n'ai pas déménagé avant cinq ans.

Lorsque je visitai cette propriété la première fois, ce fut le coup de foudre.  Une maison de deux étages qui possédait un sous-sol de plus de huit pieds de haut. Ce duplex avait été converti en cottage de style «loft» (aires ouvertes). L'intérieur avait été rénové artisanalement et ressemblait à un chalet rustique. Une petite maison de campagne en plein centre ville ! De grosses poutres de bois, provenant certainement de vieilles granges, servaient de support à la moitié du plancher qui restait de l'étage supérieur. Quel toit cathédrale ! Les murs mitoyens furent mis à nu, laissant voir, les vieilles briques usées par le temps. Une fausse fenêtre dans la salle à manger donnait sur un solarium vitré de haut en bas. Celui-ci, étant un ajout fait à la maison par un des anciens propriétaires. La cheminée du foyer n'en finissait plus de monter ! Elle avait quand même deux étages à franchir avec ce toit cathédrale! C'était impressionnant. Cette propriété avait plus de cent ans et je l'aimais. J'avais l'impression qu'elle était vivante et qu'elle avait tant d'histoires à me raconter. Elle semblait avoir une âme et les vibrations y étaient bonnes. Elle comblait mes besoins en tout point. Je voulais une place pour peindre et ce, dans un décor chaleureux. Elle l'avait! En inspectant la maison, je n'avais nul besoin d'un expert pour me rendre compte que les travaux avaient été exécutés par des bricoleurs amateurs et que le système "D" avait été utilisé plusieurs fois. Un néophyte en la matière aurait pu s'en apercevoir. Tout était tellement rustique et artisanal. Le plancher du rez-de-chaussée était tout croche. Cela est normal sur le Plateau, car les maisons travaillent à cause du sol glaiseux. De plus, il ne faut pas oublier que la maison était très âgée. La porte d'entrée en bois, mal ajustée, laissait passer l'air. Aucune isolation dans toute la maison. Les énormes poutres au plafond du solarium démontraient la présence d'infiltration d'eau qui provenait des joints entre les vitres et les poutres qui lui servaient de toiture. Le plancher du sous-sol était recouvert de lattes de bois d'au moins 4 pouces de largeur et l'espace entre les planches était d'environ ¼ pouce. Il y avait deux entrées électriques. Le balcon était à refaire et les fenêtres à changer, mais le plus inusité se trouvait dans la cour. Les anciens propriétaires y avaient installé une piscine creusée qui s'étalait jusqu'au fond de la cour du voisin. Loin de moi l'idée de partager une piscine avec un voisin! Donc, je dus acheter les deux propriétés. Celle d'à-côté, je l'ai achetée avec une amie dans le but de la revendre après l'avoir rénovée. La dénivellation du plancher de cette maison était supérieure à la mienne. Il décalait de quatre à cinq pouces dans la partie avant du rez-de-chaussée. Comme le mari de mon associée est ingénieur et qu'il s'y connaissait dans ce genre de travaux, nous avons redressé le plancher de celle-ci, changé la brique extérieure ainsi que les fenêtres et les portes des deux maisons. Nous avons également rempli la piscine de terre pour en faire un stationnement; sauf sur mon côté de cour, où j'ai fait installer un «spa.» en fibres de verre dans le trou de l'ancienne piscine. Ensuite, nous avons séparé les deux terrains par une clôture. Nous avons revendu l'autre propriété avec un très bon profit.

Avant d'acheter, nous avions quand même fait notre recherche. Au Bureau de la publicité foncière, nous avions remarqué que les deux maisons avaient été vendues plusieurs fois depuis quelques années et que leur prix baissait chaque fois. Nous nous demandions pourquoi. Ne  voulant courir aucun risque, nous les avons fait inspecter par un professionnel. Trop de choses étaient bizarres. Entre autres, les poutres de soutien avaient été enlevées et réinstallées ailleurs. L'inspecteur me rassura, m'expliquant que le travail avait été bien fait. Ensuite, ce fut l'examen de l'ajout des solariums et de l'eau qui s'infiltrait. Pendant l'inspection, on découvrit également qu'une partie de l'installation électrique de la piscine était dans l'autre maison et l'autre partie, dans la mienne. Nous avons corrigé ce défaut.

J'étais consciente des défauts de la maison ainsi que des coûts que je devais injecter pour rénover ce petit bijou. Une fois aménagée, j'y ai vécu heureuse, malgré les petits inconvénients qui se sont produits par la suite. J'ai eu un court-circuit électrique, la toiture du solarium continua à couler, même après avoir refait les joints.

Le pire était à venir. Les propriétaires qui m'avaient vendu la maison n'étaient pas ceux qui avaient fait les travaux. Tous les précédents propriétaires avaient reçu des avis de non-conformité de la Ville pour l'ajout des solariums. Ils paniquèrent et voulurent se débarrasser des deux propriétés. Voilà la raison pour laquelle, depuis dix ans, les deux maisons se vendaient si souvent. C'est ainsi que je me suis retrouvée avec le problème sur les bras, seule contre les inspecteurs de la Ville. Évidemment, les anciens propriétaires ne m'avaient pas mise au courant de ce fait important. Lors de mes recherches, je n'avais rien trouvé au Bureau de la publicité des droits qui mentionnait ce détail. J'ai reçu un avis de la Ville plus d'un an après avoir acheté. Mon voisin également. La Ville nous enjoignait d'arrêter immédiatement les tra-

vaux en cours. Le plus drôle, c'est qu'il n'y en avait aucun. Je m'informai auprès de la Ville afin de savoir de quels travaux il s'agissait. L'inspecteur m'expliqua l'histoire. Cela traînait depuis dix ans. La lettre mentionnait que nous avions trois mois pour rendre le solarium conforme aux exigences de la Municipalité. Immédiatement, mon voisin voulut prendre une action contre moi pour vice caché. Je l'ai rassuré en lui disant que j'étais dans la même situation que lui et que je m'en occuperais.

Après réflexion, je suis allée consulter ma voisine de droite. Elle était propriétaire de sa maison depuis près de huit ans. Tout comme nous, sa maison possédait également un solarium. Donc, il y avait des chances pour qu'elle ait le même problème que nous. Elle me raconta qu'effectivement, après avoir acheté sa maison, elle avait reçu une lettre de la Ville, tout comme nous. Elle entama des procédures judiciaires avec la Municipalité et elle gagna sa cause. À l'époque où les solariums furent construits, la Ville avait obtenu un jugement en sa faveur contre les propriétaires qui avaient exécuté les travaux. La Ville n'a rien fait à la suite de ce jugement pour arrêter les

travaux, alors qu'elle tenait les coupables. Elle les a laissés terminer les travaux. Il faut pardonner, ce sont des fonctionnaires qui y travaillent et ils sont très occupés. Il ne faut pas trop les presser, même avec un jugement de la Cour en mains. Ces propriétaires en défaut se dépêchèrent de terminer les travaux et de revendre les propriétés pour ensuite disparaître du décor. Depuis ce temps, la Ville cherche un autre coupable.

Ma voisine me donna son numéro de jugement dans le but de m'aider dans mes débats avec les inspecteurs. Bien entendu, je l'ai montré à mon voisin pour le rassurer. Celui-ci, toujours en panique, continua la négociation avec l'inspecteur, cela sans m'en informer. Il ne voulait pas de problème. Je me suis rendue au Bureau des permis et je fis sortir les dossiers sans lui parler du cas de ma voisine de droite. Je préférais garder cette information comme porte de sortie pour un règlement final. En discutant avec l'inspecteur, il m'apprit que les avis de non-conformité n'étaient jamais signalés au Bureau de la publicité des droits. L'acheteur doit s'informer lui-même au Bureau des permis. J'appris également que le notaire ne fait jamais cette recherche, car il fait signer le vendeur comme quoi celui-ci n'a jamais reçu un tel avis! Conséquence : si le vendeur a menti, vous devrez entreprendre une action contre lui. Des frais auraient pu être évités si cette recherche avait été faite. Ça ne prend que dix minutes à vérifier, je ne comprends pas pourquoi les notaires ne le font pas !

Continuant à discuter avec l'inspecteur, je lui ai demandé:«pourquoi l'avis mentionne que je dois exécuter des travaux alors qu'il sait pertinemment que ceux-ci ont été faits, il y a près de dix ans?» Nerveux, il me répondit qu'il n'y avait qu'une seule formulation de lettre pour les avis de non-conformité, cela peu importe le cas. Voulant changer de sujet, il essaya de m'amadouer en m'expliquant qu'il ne voulait pas démolir le solarium. Il souhaitait seulement l'examiner et me mentionner les corrections à y apporter. Comme je suis très curieuse, j'ai joué le jeu avec lui jusqu'au bout. Le rendez-vous fut pris pour le lendemain matin, chez moi. Après avoir tout examiné, il me donna la liste des travaux à faire: le revêtement extérieur n'était pas conforme (vinyle), il manquait six pouces dans la largeur du solarium, et ainsi suite. Bref, cette facture aurait pu me coûter près de quinze mille dollars. Le comble de tout, c'est qu'il voulait que je paye également le coût du permis qui n'avait jamais été demandé! Je me suis mise à rire et lui ai dit de sortir de chez moi que nous irions en Cour, si cela était nécessaire! J'ai cru lui faire peur. Mais quelques mois plus tard, il me retourna la même lettre. Cela n'avait aucun sens! Fâchée, je retournai voir ce monsieur. Cette fois-ci, je lui demandai de me sortir les trois dossiers (le mien ainsi que celui de mes deux voisins). À cette demande, il commença par «patiner» avant de me dire que le dossier de ma voisine était classé à la voûte. Je lui demandai pourquoi le dossier de ma voisine était classé puisqu'elle devait avoir les mêmes problèmes que nous ? Il me répondit qu'elle avait exécuté les travaux de réfection, il y avait fort longtemps. Ce mensonge m'exaspéra. Alors, je lui donnai le numéro de jugement de ma voisine tout en mentionnant qu'elle avait eu gain de cause contre la Ville. En colère, je lui dis également de ne plus nous envoyer aucune lettre concernant cette affaire. Sauf une, certifiant que la municipalité a classé définitivement les deux dossiers restants. De plus, cette lettre, je la voulais très rapidement, sinon j'allais prendre une action contre la Ville pour harcèlement. Quelque temps plus tard, nous avons reçu cette fameuse lettre attestant que les dossiers étaient classés à jamais !

La leçon que j'en ai retirée est que maintenant, lors de mes recherches, je me rends également au département des permis afin de vérifier s'il n'y a pas d'avis de non-conformité ou d'omission de permis qui y traînent quelque part. Je demande à l'inspecteur de tout me confirmer par écrit.

Lorsque j'ai vendu la propriété, cinq ans plus tard, j'ai mentionné sur l'offre que le toit du solarium coulait, que la toiture serait bientôt à refaire, que l'air entrait par la porte, que le plancher avait une dénivellation, que le moteur de la piscine datait de cinq ans et que je n'en donnais aucune garantie. J'ai ouvert la piscine et fait fonctionner les jets du tourbillon pour démontrer que tout était fonctionnel, même s'il était trop tôt pour la saison. Ensuite, j'ai demandé à l'acheteur de signer de ses initiales chacun des éléments écrits. N'oubliez jamais que ce n'est que de la mécanique et que tout peut lâcher du jour au lendemain. J'ai réalisé un peu moins de profit, mais je me suis évitée des procédures judiciaires.

Voici d'autres faits vécus. Ces histoires sont courtes, mais elles vous permettront de comprendre aisément les pièges s'y rattachant.

Une de mes amies acheta un duplex dont les travaux du sous-sol avaient été réalisés par l'ancien propriétaire. Il fit plusieurs divisions, dont deux chambres à coucher. Il aligna son mur de division au-dessous d'une poutre de charge. L'avantage d'un tel procédé, c'est qu'il permet de cacher la poutre lors de l'installation du placoplâtre (gyproc). Évidemment, lorsque le temps est venu d'installer son encadrement de porte, il dut faire face à un problème auquel il n'avait pas pensé. Il n'y avait pas les fameux huit pieds de clairance au-dessous de la poutre. Cet homme ingénieux contourna le problème en creusant dans celle-ci. Conséquence: après quelques années, le plancher commença à s'affaisser. Après tout ce temps, impossible de retracer l'ancien propriétaire. Mon amie paya la coûteuse facture des réparations.

Un des problèmes les plus courants, lors de l'achat d'une propriété, survient lorsqu'il y a un foyer et que l'installation a été faite par des bricoleurs. Près d'une dizaine de personnes de mon entourage sont actuellement en litige à cause d'un foyer ou d'un poêle à combustion lente dont le manque de rendement est attribué à une mauvaise installation ou à des matériaux non conformes. Ces problèmes peuvent affecter votre santé. Ne courez aucun risque. Faites examiner les appareils.

C'est surtout lorsqu'il s'agit de vieilles propriétés que vous retrouverez le plus grand nombre de rénovations faites par tous et chacun, celles-ci,  étant échelonnées sur des années précédentes. Les goûts des différents propriétaires qui ont mis la main à la pâte peuvent faire en sorte que le nouvel acquéreur d'une maison se retrouve avec des problèmes provenant des multiples démolitions et reconstructions de certaines pièces. Avec votre recherche au Bureau de la publicité foncière, vous saurez le nombre de fois que la maison a été vendue. Plus une propriété a été vendue, plus vous augmentez les possibilités de problèmes éventuels. Les goûts de l'un ne sont pas nécessairement les goûts de l'autre. Certains aiment les aires ouvertes. C'est la tendance actuelle et plusieurs emboîtent le pas. Par contre, ce que l'un a ouvert, l'autre l'a peut-être refermé. Qui sait? D'où l'importance de poser beaucoup de questions lorsque des murs ont été enlevés. De plus, les gens ne sont pas toujours prudents lorsqu'ils font eux-mêmes ce genre de travaux, et malheureusement, afin d'économiser des coûts supplémentaires, ils sautent des étapes. Il ne faut jamais oublier l'importance des murs porteurs. Ce sont eux qui soutiennent la maison du plancher jusqu'au toit. L'erreur n'est pas de les enlever. Elle se situe plutôt dans la négligence et l'empressement à exécuter ces travaux sans trop connaître la façon de procéder. Une autre erreur, c'est d'essayer de minimiser au maximum les coûts de tels travaux. Pourquoi prendre des échafaudages ou autres? Certains préfèrent souvent se débrouiller avec ce qu'ils ont sous la main.

Voici l'histoire d'un monsieur qui aimait bricoler. Un jour, il décida de donner plus de luminosité à sa pièce préférée. Il décida d'ouvrir un mur et de remplacer celui-ci par une bibliothèque murale, afin d'avoir accès à celle-ci par deux pièces différentes. Pauvre monsieur! Il ne savait pas que ce mur supportait une partie de son toit. Celui-ci commença à creuser en son centre. Ce monsieur connaissait bien la menuiserie. Il termina la bibliothèque assez rapidement, ce qui permit de stabiliser la toiture. Cependant, le dommage occasionné à son toit constituera très certainement un handicap majeur lorsque cet homme voudra revendre sa maison.

 Un jeune couple acheta un vieux triplex dans l'est de la ville. Ces gens ne voulaient pas payer trop cher, alors ils optèrent pour une propriété qu'ils pourraient rénover au fur et à mesure qu'un locataire quitterait un des logements. Le prix était raisonnable. Ces gens auraient pu obtenir un meilleur prix, s'ils avaient inspecté l'extérieur de la propriété. Le mur de briques du troisième étage donnant sur une ruelle ne tenait que par un fil. Un an plus tard, il s'effondra. Heureusement, personne ne fut blessé. Imaginez les conséquences si des enfants avaient joué à cet endroit au moment où s'est produit l'incident. Ce sont des événements qui se produisent parfois. C'est malheureux. Un individu qui est propriétaire d'une maison devrait l'entretenir correctement. La plupart du temps, les propriétaires de maisons ne respectent, ni

leur bien, ni l'argent de leur investissement. La preuve est là! Regardez autour de vous et vous verrez qu'il en existe plus d'une qui soit négligée, mal entretenue, délabrée ou laissée à l'abandon. Quel dommage! Quoi qu'il en soit, le couple eut des dépenses imprévues et coûteuses qui retardèrent de plusieurs années la restauration des logements.

Cette fois, il s'agit d'un jeune couple ayant acheté une maison pendant la période hivernale. Lorsque le printemps arriva, l'eau pénétra abondamment dans le sous-sol. La cause? Un grave problème de

fondation. Pourtant, la maison n'avait que cinq ans. Dans le cas présent, le problème eut été facilement détectable s'il n'y avait pas eu toute cette neige qui recouvrait une bonne partie de la fondation. L'acheteur a pu retrouver le vendeur. Il a pris une action en justice contre lui. Ce litige dure déjà depuis deux ans et ce n'est pas encore terminé. L'acheteur aura-t-il gain cause? C'est à suivre! Le défaut sera-t-il considéré par le juge comme vice caché? Nul ne saurait le dire à cette étape-ci. Il ne faut pas oublier qu'un vice caché, c'est caché! Dans cette histoire, il était possible de détecter le problème.

Certains éléments comme la plomberie, l'électricité, les salles de bains, toiture, fenêtres, armoires de cuisine ont tous besoins, tôt ou tard, de re-

faire peau neuve. Cela fait partie de l'entretien d'une maison. Cependant, il est bon de connaître ces détails avant d'acheter, car vous ne les avez peut-être pas prévus dans votre budget. Certaines personnes croient fermement pouvoir exécuter certains travaux, au moment même, où ils le décideront, sans tenir compte que un de ces éléments peut lâcher en cours de route. Ils peuvent alors se retrouver avec de gros ennuis, surtout s'ils s'attendaient d'amasser la somme d'argent nécessaire pour faire la réparation.

L'histoire la plus impressionnante de ma carrière est celle de ce magnifique et très vieux quadruplex situé sur la rue Notre-Dame, près de la rue Viau. Cette histoire remonte à mes débuts dans l'immobilier. Je crois que je ne l'oublierai jamais. Sur le parterre, devant la propriété, poussait majestueusement un arbre gigantesque. Cet illustre végétal devait bien avoir cent ans. Sa santé était à son apogée, cela malgré son âge. En fait, ses racines herculéennes percèrent les entrailles du plancher en béton du sous-sol de cette maison! Elles exhibaient de proéminents tentacules sur presque toute la surface du plancher. Ces tentacules entremêlés atteignaient jusqu'à deux pieds de hauteur. Je n'avais jamais rien vu de tel! On se serait cru dans un film d'épouvante ! Les propriétaires découragés essayèrent désespérément de vendre. En vain! Finalement, ils furent «sauvés» par l'expropriation massive des maisons de ce quadrilatère sur lequel on prévoyait construire le prolongement de l'autoroute Ville-Marie. Toutes ces demeures furent démolies et cet arbre abattu. Les arbres, c'est beau, c'est merveilleux. Trop près d'une maison, ça peut devenir catastrophique !

RÉCAPITULATION DES ÉLÉMENTS IMPORTANTS À VÉRIFIER LORS D'UNE VISITE

☞ À L'EXTÉRIEUR:

- Fondation (*fissures, rafistolage, cadre de portes et fenêtres affaissés, ouverture non autorisée*).
- Revêtement extérieur. Mur de briques (*joints, étanchéité*).
- Revêtement autre que la brique (*condition de celui-ci*).
- Uniformité des murs (*ballonnement ou œil-de-bœuf*).
- Corniche (*sa condition, infiltration d'eau*).
- Gouttière (*degré de la pente*).
- Turbine ou autre appareil (*ventilation de l'entre toit*).
- Fenêtres et portes extérieures (*affaissement, pourriture, qualité de celles-ci*).
- Clôture, haie (*à qui appartiennent-elles?*).
- Piscine, cabanon et autres (*voir le certificat de localisation*).

☞ À L'INTÉRIEUR:

- Faites un croquis de la maison. Inscrivez les dimensions des pièces.
- Notez vos observations et détails pertinents pour chacune des pièces.
- Vérifiez les traces d'eau sale ou jaunâtre, peinture écaillée (*murs, plafonds*).

- Aires de rangement *(garde-robes, placards, garde-manger ; longueur, largeur, profondeur)*.
- Cuisine *(rangement, modernisation, éclairage naturel et artificiel)*.
- Hotte de poêle *(au charbon, turbine ou autre ? Y a-t-il une sortie extérieure ?)*.
- Plomberie. Cuivre et A.B.S.? Suivre les tuyaux jusqu'à l'entrée d'eau principale *(drain français)*.
- Salle de bain. *(plomberie, pression d'eau)* Ventilation. *(Vérifiez s'il y a pourriture autour du bain, de la fenêtre)*. La cuvette suinte-t-elle?
- Électricité : 120/240 volts? 125 à 220 ampères? Filage neuf?
- Entre-toit *(isolation, épaisseur de la laine et son facteur « R », ventilation)* - pour toits en pente seulement.
- Pièces ouvertes *(murs porteurs)*.
- Foyer et poêle à combustion lente *(faire inspecter)*.
- Plancher de bois *(sa condition, craquements, rebondissement, pourriture, détérioration)*. Bois dur ou bois mou ?
- Moquette *(installation sur un plancher de bois ou contre-plaqué)*. Rebondissement, craquement.
- Plancher de céramique ou autres *(L'installation est-elle sur le béton ou contre-plaqué?)*
- Fenêtres *(bois, vinyle, aluminium...)* humidité, condensation, pourriture, étanchéité.
- Vitres *(simples ou doubles)* thermiques ou autres ?
- Sous-sol, fini ou non fini ? *(Isolation, humidité, infiltration d'eau, plomberie, fissures, dénivellation du plancher)*.
- Élévation d'un mur sous une poutre de charge.
- Peinture écaillée, fenêtres *(moisissures, humidité, infiltration d'eau, étanchéité)*.
- Cave de service en terre *(termites, poutres et solives rongées, affaissées, brisées)* Est-elle chauffée?
- Système de chauffage *(électricité, huile, huile/air chaud, huile/eau chaude, biénergie, gaz, radian...)* Y a-t-il des appareils de thermopompe, air climatisé central ou mural, d'humidificateur... ?

Vos observations doivent porter sur ces éléments essentiels. Ce n'est qu'après avoir fait l'étude de la maison que la série de questions relatives à chacun des points mentionnés devra intervenir. Je parle par

expérience. Plus des trois quarts des gens ne regardent pas la moitié des éléments énumérés dans ce chapitre et ne prennent pas de notes. De plus, 99% des gens posent leurs questions en même temps qu'ils visitent la propriété, ce qui a pour effet de faire passer outre, et même d'oublier, des éléments importants. L'acheteur est souvent distrait par le vendeur qui aimerait bien qu'il ne porte pas attention à telle et telle chose. Donc, soyez prudents.

Chapitre III

Les chalets

Pour la recherche et l'examen d'une propriété à la campagne, référez-vous à la section sur les terrains et les propriétés.

Une personne désire acquérir un chalet ou une propriété à la campagne, sur un terrain greffé d'un droit acquis (construction datant d'avant la nouvelle réglementation municipale). Ceci veut dire que la superficie du terrain n'est plus conforme aux normes et exigences d'aujourd'hui. Cette propriété est donc assujettie à certaines contraintes. Ainsi, dans bien des cas, la Municipalité peut refuser de délivrer les permis lors d'un éventuel projet d'agrandissement de la propriété. Mieux vaut prévoir vos intentions avant d'acheter ce petit bijou attrayant par son prix, mais limité dans sa perspective d'espace. Votre marge de manœuvre est presque inexistante.

Soyez donc prêt à accepter, et pour longtemps, les dimensions de cette propriété! Vous devrez les accepter telles qu'elles sont, sans espoir de pouvoir un jour les modifier. Vous vous éviterez ainsi une déception amère. Sauf, si vous pouviez acheter un terrain vacant, connexe à votre propriété, afin d'augmenter la superficie de celui-ci. Avant d'acheter un chalet, vous devez vous informer auprès de la Municipalité, s'il vous est possible ou, non, d'en prolonger la surface ou d'y construire un rajout quelconque.

Récemment, une personne acheta un terrain sur le bord d'un magnifique lac dans les Laurentides. Celle-ci paya 150,000.$ pour ce terrain d'environ 12,000 pieds carrés. Sur ce terrain, il y avait une vieille bicoque qui tombait en ruine. Les Municipalités sont très sévères concernant les normes de construction sur un terrain situé sur un bord de l'eau. Avec 12,000 pieds carrés de superficie, on ne peut pas construire très grand. Cette personne a payé un prix exorbitant sans s'informer si elle pouvait construire le chalet luxueux dont elle avait déjà fait faire le plan. Ça, c'est ce que j'appelle être naïf et imprudent. Ce n'est pas au vendeur de lui dire ce qu'il peut faire de son terrain. C'est la responsabilité de l'acheteur de s'informer.

Par ailleurs, il est important de faire inspecter le puits artésien, la fosse septique et le champ d'épuration, les pompes submersibles, le débit, la pression et la qualité de l'eau, la canalisation du terrain, la pente de celui-ci, les caractéristiques du sol ainsi que l'érosion de celui-ci.

Qui est responsable de l'entretien de la rue? Il arrive souvent que le propriétaire soit responsable de l'entretient de celle-ci. C'est une erreur de penser que toutes les rues appartiennent à la Municipalité et qu'elles sont desservies par elle. Cette information est d'une grande importance, car les coûts relatifs à un tel entretien sont dispendieux.

Dans certaines régions de campagne, plusieurs propriétés sont érigées sur pilotis de bois, caractéristique d'un sol faible. Achat risqué! La prudence est de rigueur. Plusieurs constructions sont érigées sur pieux d'acier. Leur qualité et les normes de sécurité sont supérieures à celles des maisons montées sur pieux de bois.

Il est intéressant de connaître l'histoire des cours d'eau de la région. Plusieurs d'entre eux peuvent avoir été détournés de leur courant 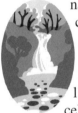 naturel par des barrages ou autres travaux. Avec les catastrophes écologiques qui arrivent régulièrement, et de plus en plus fréquemment en cette fin de siècle, il faut être prudent. L'homme commence à goûter à l'intelligence et à la force de la nature qui, un jour ou l'autre, tend à revenir à sa source première. Tout comme cela est arrivé au Saguenay et dans la région du Richelieu et à bien d'autres endroits, de par le monde, où la main de l'homme est allée contre la nature. Informez-vous auprès de l'urbaniste de la municipalité. Il saura vous dire ce qu'il en est au sujet des cours d'eau.

UNE PETITE HISTOIRE

Voici l'histoire d'un copain qui acheta, en 97, une bicoque pas chère qu'il voulait transformer en résidence principale coquette et chaleureuse. Il avait déjà acheté lorsqu'il me parla de sa maison. Il n'avait effectué aucune recherche au préalable, se fiant à l'agent d'immeuble qui négociait la transaction.

VOICI CE À QUOI IL DUT FAIRE FACE.

Il commença les travaux de rénovation avec un ami expert en ce domaine. La maison était minuscule donc, pas besoin de faire de plan.

Ils travaillèrent ainsi, à tâtons. Avec un budget d'environ quinze mille dollars, ils croyaient pouvoir y arriver. Afin d'économiser sur la main-d'œuvre, ils exécutèrent eux-mêmes les travaux de réfection.

Pendant la rénovation, il arriva toutes sortes de petits imprévus. L'eau manqua dans le puits. Après l'inspection de celui-ci par un professionnel, ils furent informés que les veines du puits s'étaient refermées. L'agent d'immeuble avait oublié d'informer mon copain que la maison n'était plus habitée depuis des années. Donc, le puits n'a pas été utilisé depuis ce temps. C'est la raison pour laquelle les veines se sont refermées. C'est comme une personne qui se fait percer les oreilles, si elle n'utilise pas de boucles d'oreilles pour oreilles percées, le trou va se refermer. Il fallut  hydrofuger le puits. C'est-à-dire faire sauter les veines par pression en y versant plus de 1,200 gallons d'eau. Ce qui lui coûta 1,700.00 $ dollars, pour quatre à cinq heures de travail. Les rénovations à l'intérieur de la maison allaient bon train. À l'automne, le toit se mit à couler abondamment. Mon ami venait tout juste de finir de peinturer le nouveau placoplâtre (gyproc). Un autre 1,500.$ dollars pour refaire la toiture. Il ne savait pas que la toiture était à refaire et, évidemment, ce montant n'était pas prévu dans son budget. De plus, ils ont dû recommencer certains travaux intérieurs. **On doit toujours commencer par examiner la toiture avant d'entreprendre des travaux importants à l'intérieur**.

Lorsque vint le temps de faire vider la fosse septique, on lui dit que son baril d'acier ne contenait que 60 gallons, capacité trop petite pour deux personnes. De plus, il n'était plus utilisable, étant trop usé et non conforme aux normes municipales. En changeant sa fosse septique, il dut également refaire son champ d'épuration. Comme il voulait économiser sur les coûts du champ d'épuration, un ami lui suggéra de patenter une installation assez inusitée. Aucune Municipalité n'accepterait une telle installation. Il sortit un tuyau qui se déverse tout bonnement, comme ça, sur le terrain. Il ne faut pas oublier que la propriété est presque en plein bois. Un jour où l'autre, quelqu'un s'en rendra compte et mon ami risque de payer cher la facture. Après les travaux, ils s'aperçurent qu'ils avaient oublié d'installer une sortie d'air pour la plomberie.

Habituellement, celle-ci se fait par l'intérieur de la maison et sort sur le toit. Ne voulant pas défaire les travaux intérieurs, ils l'installèrent par l'extérieur.

Lorsque l'hiver arriva, il apprit qu'il était responsable de l'entretien de sa rue. Au mois de février, il se retrouva avec une inondation dans la maison. Celle-ci n'était pas isolée et les tuyaux, non plus. Cette année, il prévoit refaire le balcon qui est pourri. Il fait également partie de ceux dont une poutre a été grugée afin d'y installer une porte. Celle-ci se trouve à être dans sa cave en terre et touche directement les fondations! Ceci est le travail d'un ancien propriétaire qui voulait accéder à sa cave par l'extérieur plutôt que par une trappe intérieure, située dans le plancher.

Je crois que mon copain va se souvenir longtemps de sa première rénovation. Je ne crois pas qu'il commettra deux fois la même erreur. D'ailleurs, il a été mon premier client. Il a acheté ce livre avant même qu'il ne soit terminé. Les quinze mille dollars prévus pour la rénovation lui reviennent à plus de vingt-cinq mille dollars, et il n'a pas encore terminé! Mon copain a probablement acheté trop vite. Son calcul n'était pas aussi avantageux qu'il l'espérait. Une recherche plus approfondie ainsi qu'un examen minutieux de la propriété lui auraient probablement fait changer son fusil d'épaule. Il a peut-être été motivé par son obsession à obtenir un prix très bas, ou par le manque de patience à consacrer le temps nécessaire à fouiller et à débroussailler cette région qu'il aimait. Il aurait  certainement trouvé une maison mieux entretenue que celle qu'il a achetée. Le prix aurait été probablement plus élevé. Mais si on calcule le prix d'achat et qu'on additionne tous les coûts occasionnés par ces rénovations et ces imprévus, qui lui causèrent plusieurs maux de tête, le coup en aurait peut-être valu la chandelle. Le prix des maisons dans cette région est abordable. Ne vous en faites pas pour lui, car maintenant il est très heureux dans sa belle petite chaumière.

Une fois encore, l'impulsivité, l'émotion, l'empressement ont joué un très grand rôle dans le choix de cet homme.

Méfiez-vous lorsque vous lisez des annonces du genre « à vendre, cause: départ, maladie, divorce, transfert.» Méfiez-vous davantage si vous lisez *«AUCUNE OFFRE RAISONNABLE NE SERA REFUSÉE».* Cela peut être vrai dans certains cas. Mais, c'est souvent une forme de publicité utilisée afin d'attirer le plus d'acheteurs possible. Je vous suggère de rester vigilant et de faire vos recherches et vérifications comme il se doit.

Je tiens à vous souligner un autre point pour les propriétés infectées de vermines et, quoi que vous puissiez faire, vous n'arrivez pas à vous en débarrasser. Le problème peut être votre isolant. Je vous ai déjà spécifié que l'isolation a débuté dans les années 50-60. À cette époque, les panneaux d'isolation étaient blancs. De plus, ils n'étaient pas enveloppés dans du plastique. Cela attire la vermine. Ces bestioles aiment dévorer ce genre de matériaux. Ce type d'isolation est un repas très nourrissant et délicieux pour la vermine. Il se peut que vous venez de découvrir la raison pour laquelle vous n'arrivez pas à vous en débarrasser. C'est un très gros problème et cela occasionne du tort à votre propriété. La solution est de remplacer cette isolation non enveloppée dans du plastique par une isolation adéquate aux normes d'aujourd'hui; soit les panneaux d'isolation bleus ou roses et enveloppés dans du plastique. La vermine s'étouffera en essayant de les manger. Ne croyez pas que cela ne se produit qu'à la campagne, même dans une grande ville, vous pouvez être infecté par la vermine. Bien sûr, je parle de vieilles propriétés dont l'isolation n'a pas été changée depuis les années 50-60.

Chapitre IV

Les maisons neuves

Dans le cas d'une construction neuve, il faut vous adresser à des entrepreneurs généraux. Ceux-ci doivent se soustraire aux normes de construction. Mais il s'en trouve toujours qui s'arrangent pour outrepasser ces normes et règlements et y glisser des erreurs volontaires et involontaires. Certains inspecteurs sont aveugles ou ils ferment tout simplement les yeux. Donnons leur le bénéfice du doute, ils doivent avoir trop de travail. Mais, ce dont je suis certaine, c'est qu'il vous faut surveiller de très près les travaux de construction. Plus encore, *soyez sur le chantier presque tous les jours* (si vous n'avez pas acheté un des modèles déjà construits).

Votre attention devra se porter d'une manière toute spéciale sur l'intégrité et la réputation du constructeur. Ne vous gênez pas pour lui demander où sont situés les autres projets domiciliaires sur lesquels il a travaillé. Je vous suggère, surtout, de vous rendre sur les lieux des autres projets et de parler à plusieurs des propriétaires qui ont acheté une propriété de ce constructeur. Vous seriez surpris de constater comment ces gens sont ouverts d'esprit, aimables et disponibles à parler à cœur ouvert des satisfactions et des déboires qu'ils ont vécus par rapport à leur demeure.

LE SERVICE APRÈS VENTE, C'EST CAPITAL!

Vous ne pouvez connaître l'intégrité du constructeur tant et aussi longtemps que vous n'avez pas eu affaire avec lui après la vente. Il y a toujours de petits ajustements à faire lors d'une construction neuve. Les premières années, la maison travaille et prend «sa place».

Donc, il arrive que des fissures apparaissent, que des joints soient à refaire, que des fils électriques soient mal branchés et que des soudures lâchent. Il peut même arriver qu'il manque de l'isolant dans un mur. Toutes sortes de choses peuvent arriver! C'est à peu près normal. Toutefois, quand il s'agit de construction neuve, il vous faut être prudent et choisir un constructeur ayant à son actif un grand nombre de constructions dont le pourcentage de satisfaction «après-vente» est élevé. La seule façon de vous rassurer, c'est d'en discuter avec d'anciens acheteurs qui ont eu affaire avec ce constructeur et qui n'habitent pas sur le même développement que celui que vous avez choisi. Pourquoi, pas sur le même développement? La raison est simple : en approchant des acheteurs situés sur le même projet que vous, vous risquez de ne pas avoir l'heure juste. Justement parce que ces acheteurs peuvent craindre que les employés du chantier (vendeurs, ouvriers etc.), ou vous-même, n'alliez rapporter au constructeur les informations qu'ils vous auraient transmises, ce qui risquerait de leur causer préjudice quand viendrait le temps de faire réparer les anomalies de leur maison. Alors, ils préfèrent se taire.

Vous devez exiger une preuve que votre constructeur soit membre de l'Association provinciale des constructions neuves du Québec (l'A.P.C.H.Q.) ou de L'Association des constructeurs du Québec (l'A.C.Q.). Ne vous contentez pas uniquement d'un oui. Exigez son numéro de membre et prenez le temps de vérifier auprès de ces associations. J'ai déjà vu des constructeurs afficher, dans leur maison modèle ou dans la roulotte destinée à la vente, un certificat périmé. On se fera un plaisir de vous renseigner sur le constructeur. Cependant, ne vous fiez pas uniquement aux informations reçues par l'une ou autre de ces associations. Continuez plus en avant vos recherches. Posez beaucoup de questions à cette association.

- Depuis combien d'années le constructeur en est-il membre?
- Qu'arrive-t-il lorsque la date du certificat devient échue pendant la construction de ma maison et que le constructeur ne renouvelle pas son contrat avec vous?
- Suis-je toujours protégé par cette garantie?
- Est-ce toujours sur le même nom qu'il renouvelle son contrat?
- Renouvelle-t-il a tous les ans ou par période?
- Quelles sont les garanties offertes par l'Association?
- Couvrent-elles uniquement les vices cachés pour cinq ans?
- Expliquez-moi comment fonctionne la garantie?
- Qu'arrive-t-il lorsqu'un constructeur dépose son bilan en cours de route ?
- Suis-je protégé? Y a-t-il des plaintes à son sujet?

Lorsqu'un constructeur a terminé la construction de votre maison, il doit vous remettre un document qui provient de l'A.P.C.H.Q.. Ce document, que le constructeur et vous-même devez signer, comporte un paragraphe intitulé *«travaux à compléter»*. Il arrive quelques fois que la maison soit prête pour l'habitation, mais qu'il reste quelques petits travaux à terminer. C'est à cet endroit que vous devez les mentionner. Dans l'éventualité où le constructeur refuse de signer ce document, parce que vous y avez inscrit la liste des travaux à finir, n'entamez pas une guerre avec lui. Faites une plainte à l'Association. On vous conseillera. Je vous suggère de ne jamais finaliser votre transaction chez le notaire, tant et aussi longtemps que ce constructeur n'a pas complété ces travaux. Il peut vous faire attendre très longtemps si la transaction chez le notaire est complétée. Car, il a votre argent dans ses poches. Il est beaucoup moins pressé de s'occuper de vous.

De plus, ce document se trouve être la garantie de cinq ans pour les constructions neuves. Vous en aurez besoin pour les programmes de subventions offerts à titre d'aide aux acheteurs de maisons neuve ou pour un programme en exemption de taxes. Ces programmes d'aide «municipale ou provincial» ne sont pas toujours en vigueur. Donc informez-vous auprès des organismes concernés. Dans le cas du programme sur l'exemption de taxes municipales, il y a des échéances à respecter pour faire parvenir ce document à la Municipalité lorsque vous êtes devenu légalement propriétaire de la maison. Donc, si vous avez notarié la propriété avant que le constructeur et vous-même ayez signé ce document et qu'il se produit par la suite une mésentente, entre vous et celui-ci, sur les travaux à finir, ce document restera en suspend jusqu'à ce que le problème soit réglé. Vous pourriez alors perdre votre subvention si la mésentente se prolonge pendant des mois. Ne vous fiez pas aux promesses d'un constructeur ; encore moins, lorsque celui-ci ne veut pas signer ce document simplement parce que vous avez écrit sur ce papier quelques petits détails à finir. De quoi a-t-il peur, s'il vous promet de terminer les travaux la semaine suivante? S'il n'a peur de rien alors, il n'a qu'à l'écrire! Vaut mieux que tout soit en règle avant de finaliser légalement votre transaction. Vous vous éviterez ainsi plusieurs problèmes.

Certains constructeurs sont rusés. Lorsqu'ils ont terminé un projet, ils font faillite et recommencent un autre développement immobilier sous un autre nom. Donc, toutes les plaintes enregistrées contre eux deviennent difficilement décelables sous le nouveau nom. Il est arrivé souvent que des promoteurs partent avec tous les dépôts des acheteurs. Ceux-ci n'acceptaient pas que les dépôts soient versés dans un compte en fidéicommis.

« J'ai une bonne nouvelle à vous annoncer concernant l'A.P.C.H.Q. : depuis avril 1998, un nouveau plan de garantie encore plus étendu est en vigueur. »

CE PLAN PRÉVOIT;

- Le remboursement des acomptes jusqu'à concurrence de 30,000$

  - en cas de faillite de l'entrepreneur, sur simple demande officielle écrite;

  - en cas d'annulation de la transaction dans 10 jours, conformément à la clause de dédit (moins les frais d'administratifs qui peuvent être stipulés au contrat);

- la proposition d'un arbitrage consensuel en cas de demande de remboursement des acomptes après la période de 10 jours;

- le parachèvement des travaux de l'unité résidentielle prévus au contrat original;

- le paiement d'une indemnité de retard sur la livraison pouvant atteindre 50$ par unité par jour, jusqu'à concurrence de 3,000.$;

- la réparation des malfaçons existantes et dénoncées au moment de la réception de l'unité résidentielle;

- la réparation des malfaçons cachées découvertes dans les (12) mois suivant la date de réception de l'unité par le premier acheteur;

- la réparation des vices de construction affectant la solidité ou la stabilité de l'immeuble et apparaissant au cours des cinq (5) années suivant la date de réception de l'unité par le premier acheteur;

- un service impartial de règlement des litiges;

   ➢ conciliation par la Garantie des maisons neuves de l'A.P.C.H.Q.;

   ➢ puis, s'il y a lieu, arbitrage par l'Institut d'arbitrage et de médiation du Québec;

- un transfert automatique au nouvel acheteur tant qu'elle est en vigueur.

L'A.P.C.H.Q. vous suggère au moment d'acheter:

- et, avant de signer le contrat préliminaire ou le contrat d'entreprise, de les appeler (514- 353-1120) afin de vérifier si votre entrepreneur est bien accrédité à La Garantie des maisons neuves de l'A.P.C.H.Q. Une transaction avec un intermédiaire (un promoteur par exemple) invaliderait la garantie.

- Lors du versement d'un acompte, vérifiez si le nom apparaissant sur l'attestation d'acompte est bien celui de l'entrepreneur accrédité à la Garantie des maisons neuves de l'A.P.C.H.Q. avec lequel vous avez signé le contrat préliminaire ou le contrat d'entreprise. Tout versement à quiconque n'étant pas accrédité à la Garantie des maisons neuves de l'A.P.C.H.Q. est exclu des acomptes protégés.

- À la réception des travaux, vérifiez si votre unité a été enregistrée à la Garantie des maisons neuves de l'A.P.C.H.Q. Inspectez votre nouvelles maison, puis remplissez l'attestation de parachèvement des travaux.

ENCORE PLUS DE PROTECTION !

Vous voulez encore plus de tranquillité d'esprit avec une protection prolongée ? Vous pouvez l'obtenir avec l'option 2-10.

Comme son nom l'indique, cette protection prolongée est optionnelle et c'est à vous qu'il appartient de la demander. En effet, elle ne peut entrer en vigueur que si l'A.P.C.H.Q. a reçu et accepté le formulaire de demande d'inscription à l'option 2-10.

L'option 2-10 prévoit :

- La réparation des malfaçons cachées découvertes dans les deux (2) années (au lieu d'une seule) suivant la date de réception de l'unité par le premier acheteur ;

- La réparation des vices de construction affectant la solidité ou la stabilité de l'immeuble et apparaissant au cours des dix (10) années (au lieu de 5) suivant la date de réception de l'unité par le premier acheteur.

Comme la garantie de base, la garantie avec l'option 2-10 est transférable à un autre propriétaire tant qu'elle est en vigueur. LE TOUT POUR UNE INFIME PARTIE DE VOTRE INVESTISSEMENT. Pour plus de détails concernant les coûts relatifs à la garantie prolongée, informez-vous auprès de l'A.P.C.H.Q.

NOUVEAUTÉ DÈS LE DÉBUT DE 1999

L'actuel ministre du travail, Monsieur Matthias Rioux, a annoncé qu'en plus du nouveau plan de garantie tel que spécifié précédemment, le parc visé sera :

- **Un plan de garantie obligatoire** pour la construction de tout bâtiment résidentiel neuf unifamilial, multifamilial à partir du duplex jusqu'au quintuplex ; multifamilial de plus de cinq logements détenu par un organisme sans but lucratif ou une coopérative, et, pour toute copropriété de moins de quatre étages. En dehors du parc visé, les garanties offertes ne sont pas réglementées que ce soit à l'égard de la couverture, des mécanismes de règlement des litiges et des qualités requises des administrateurs.

- **Une meilleure protection des consommateurs**
  Le plan de garantie obligatoire vise à protéger le consommateur. En effet, l'acheteur d'une maison neuve pourra, pour moins de 1% de la valeur de la construction, bénéficier d'une garantie plus large que les garanties existantes, et parmi les plus complètes au Canada, lui assurant un produit de qualité répondant aux normes en vigueur et la tranquillité d'esprit face à son investissement, le plus important de sa vie. Le plan offrira entre autres, une protection contre les malfaçons non apparentes (1 an), les vices cachés (3 ans) ainsi que les vices de conception, de construction et du sol (5 ans), lesquels devront être dénoncés par l'acheteur dans les 6 mois de leur découverte, tout en respectant la durée de chaque garantie.

Bâtiments visés par la garantie :

- Seuls les bâtiments destinés à des fins principalement résidentielles sont couverts par la garantie. La destination du bâtiment s'établit à la date de conclusion du contrat. Cette destination est présumée valoir pendant toute la période de la garantie et la garantie s'applique à l'ensemble du bâtiment.

Bâtiment se définissant comme suit :

- Le bâtiment lui-même, y compris les installations et les équipements nécessaires à son utilisation, soit le puits artésien, les raccordements aux services municipaux ou gouvernementaux, la fosse septique et son champ d'épuration et le drain français.

Bâtiments non détenus en copropriété divise :

- La maison unifamiliale isolée, jumelée ou en rangée;
- Le bâtiment multifamilial à partir du duplex jusqu'au quintuplex;
- Le bâtiment multifamilial de plus de 5 logements détenu par un organisme sans but lucratif ou une coopérative.

Bâtiments détenus en copropriété divise:

- La maison unifamiliale isolé, jumelée ou en rangée.
- Le bâtiment multifamilial à partir du duplex d'une hauteur de bâtiment de moins de 4 étages.

Entrepreneurs visés par la garantie :

- L'entrepreneur, incluant le promoteur, qui exécute ou fait exécuter, pour un bénéficiaire, des travaux de construction d'un bâtiment neuf visé par le plan de garantie.

- (tout bâtiment neuf acquis par un entrepreneur général d'un syndic, d'une municipalité ou d'un prêteur hypothécaire et offert en vente à un bénéficiaire est protégé par le plan de garantie.)

- Le bénéficiaire qui a conclu un contrat pour la vente ou la construction d'un bâtiment visé au programme avec un entrepreneur qui a adhéré à un plan approuvé, mais qui n'est pas titulaire du certificat d'accréditation approprié, ne perd pas le bénéfice de la garantie applicable à ce bâtiment.

Pour les exclusions et autres informations pertinentes à la Garantie des maisons neuves, renseignez-vous auprès de l'A.P.C.H.Q. Je tiens à remercier l'A.P.C.H.Q. de m'avoir fourni tous ces précieux renseignements.

Pour tous les gens qui souhaitent acquérir une propriété avant la mise en application de l'obligation de tous les entrepreneurs généraux de s'accréditer à une Association pour la garantie des maisons neuves, je vous suggère de vous protéger.

Autre chose dont vous devez vous méfier. Dans la plupart des maisons modèles, le constructeur met souvent le paquet en ce qui concerne les extras, ce qui éblouit l'acheteur. Cependant, le prix annoncé devient vite dépassé. Le prix de la maison peut facilement augmenter de 10,000 $ à 30,000. $ dollars. Ce, dans le temps de le dire! Encore une fois, c'est l'émotion et l'impulsivité ainsi que la force du vendeur qui font que l'acheteur se retrouve souvent avec un budget «défoncé». Le constructeur fait une marge de profit assez considérable sur les extras, et le vendeur du projet également. Hélas, c'est l'acheteur qui paye la note. Les extras reviennent presque au double du prix régulier, car le constructeur prend son profit sur le prix, sur les frais d'administration, sur les frais de l'installation et autres.

Ne vous laissez pas impressionner. Ne soyez pas influençable. Il est souvent très difficile de résister à un excellent vendeur farci de bons arguments.

NE SIGNEZ RIEN AVANT D'AVOIR FAIT CERTAINES RE-CHERCHES, NI AVANT D'AVOIR VISITÉ LA MAISON PLUSIEURS FOIS. ENCORE MOINS, SANS ÊTRE ALLÉ VOIR D'AUTRES PROJETS DANS LE SECTEUR ET AVOIR EFFECTUÉ UNE ANALYSE DE VOS BESOINS RÉELS «À MOINS D'INSCRIRE, SUR VOTRE PROMESSE D'ACHAT, UNE CLAUSE QUI VOUS PERMET DE FAIRE VOS RECHER-CHES ET D'ÊTRE ENTIÈREMENT SATISFAIT DE CELLES-CI»

Il est important de bien choisir l'emplacement du terrain. Référez-vous à la section sur les terrains

RECHERCHE

Rendez-vous à la Municipalité et vérifiez que le lot que vous convoitez corresponde bien au registre officiel de la Municipalité. Le constructeur doit déposer ses plans cadastrés à la Ville. En posant quelques questions, vous pourrez voir à quoi ressembleront les futurs projets du constructeur. Il arrive souvent que d'autres phases de construction soient prévues. Un constructeur préfère commencer par ce qui est difficile à vendre. Il garde ses plus beaux terrains ou un autre secteur plus intéressant pour la fin du développement.

Vérifiez également qui était l'ancien propriétaire des terrains avant que le constructeur ne les achète. Il est possible que ces deux personnes aient conclu une entente entre elles. Vérifiez au Bureau de la publicité des droits, les données de l'entente interve-

nue entre l'ancien propriétaire et le constructeur. **En lisant l'acte notarié, vous serez en mesure d'identifier le mode de paiement du constructeur envers l'ancien propriétaire des terrains. Comme on dit dans le jargon de l'immobilier, peut-être y a-t-il des** *«mains levées».* **Cela veut dire que les terrains sont payés au fur et à mesure que les ventes se transigent. Cet exercice permet d'avoir une idée sur la solvabilité du constructeur. Un constructeur ne possédant aucune dette sur les terrains sur lesquels il construit est en meilleure situation financière qu'un autre, dont la créance s'élève presque entièrement au coût total de son achat.**

Ce constructeur joue avec l'argent des autres. En cas de pépins, il n'a qu'à faire faillite. Il ferme les portes et les autres sont pris avec les problèmes. Un constructeur qui investit l'argent de sa compagnie dans l'achat d'un développement de terrains sera plus prudent qu'un autre qui n'a rien investi. Il démontre sa solvabilité et sa crédibilité.

Que le constructeur ait payé, en partie, en totalité, ou pas du tout, le terrain, je vous suggère de faire quand même votre recherche au Bureau de la publicité des droits tel que spécifié au chapitre sur les terrains et les propriétés existantes. Il vous sera possible de savoir qui sont les associés ou promoteurs de ce constructeur. **Entre autres, le notaire du constructeur peut être associé avec lui sous un nom de compagnie. Lorsque vous irez au Bureau de la publicité des droits, après votre lecture des documents, arrêtez-vous au Bureau des incorporations. Celui-ci se trouve dans le même édifice. Vous pourrez ainsi vérifier qui sont les actionnaires de toutes les compagnies associés à lui, incluant la compagnie du constructeur.** Personnellement, je n'achèterais pas d'un constructeur qui serait associé avec le notaire mandaté pour conclure la vente. Un notaire étant partie prenante dans une transaction se retrouve en conflit d'intérêt lorsque surviennent des problèmes. Cela se produit trop souvent. **Vous devriez exiger de prendre votre notaire et d'inscrire cette clause dans votre promesse d'achat.**

Avant de faire votre promesse d'achat, je vous suggère, lorsque vous serez au Bureau de la publicité des droits, de vérifier le prix vendu des autres propriétés du projet. Cela vous permettra de connaître le prix

négocié par les autres acheteurs, les extras qu'ils ont obtenus et les conditions qu'ils ont ajoutées à leur promesse d'achat. Avec ces informations, vous saurez sur quel pied danser, lors de votre négociation. N'oubliez pas que vous aurez besoin de l'adresse des propriétés, le cadastre, le lot, la paroisse, le canton et le *rang s'il y a lieu*. Ces informations sont prises au moment où vous faites votre recherche à la Municipalité. De plus, en imprimant le rapport de chacune de ces ventes, vous pourrez constater si des hypothèques légales ont été enregistrées pendant ou après la vente. Les hypothèques légales étaient appelées, il n'y a pas si longtemps, « *des privilèges* ». *(Voir le chapitre sur les professionnels)*

En tant qu'acheteur, vous devez vous protéger contre ces hypothèques légales qui peuvent être enregistrées sur votre maison par les sous-traitants. Ces privilèges peuvent être enregistrés jusqu'à trente jours après la fin des travaux. Cela signifie que vous pouvez être propriétaire au moment ou celle-ci sera enregistrée. Il est possible de vous protéger contre ces hypothèques légales. Comment? Par une CLAUSE SPÉCIALE que vous ajouterez sur votre promesse d'achat et qui autorise le notaire à retenir 15% du prix d'achat de la maison et cela jusqu'au moment où le danger est totalement écarté (la retenue doit être de 30 jours après la fin des travaux). Cette clause est essentielle. Le notaire ne peut rien faire pour vous protéger si vous oubliez d'inclure cette clause dans votre promesse d'achat. **Après qu'un document est signé et accepté, il est impossible de revenir en arrière. C'est à vos risques et périls !** Une autre façon de se protéger est d'exiger sur votre promesse d'achat une renonciation écrite et signée de la part de tous les sous-traitants du constructeur à enregistrer une hypothèque légale sur votre propriété. **Aucun constructeur ne vous suggérera d'inscrire une de ces clauses. C'EST À VOUS DE LE FAIRE.**

Comment se fait-il, que vous, qui avez respecté honnêtement toutes vos obligations envers le constructeur, en payant intégralement votre dû, en finalisant la transaction dans les délais prévus, vous vous retrouviez avec un ou des privilèges enregistrés sur votre maison? C'est simple. C'est là qu'entrent en considération la solvabilité et l'intégrité du constructeur. Cependant, il ne faut pas tout mettre sur le dos de celui-ci. Il existe toujours deux côtés à une médaille.

Toutefois, il peut arriver qu'un constructeur refuse de payer un sous-traitant lorsque que celui-ci a terminé les travaux dont il avait la charge. Ce, dans le seul but d'obliger ce dernier à renégocier à la baisse le contrat établi et signé par les deux parties. Le constructeur peut prétexter que le sous-traitant n'a pas très bien fait les travaux, retardant ainsi le paiement qui est dû au sous-traitant. Le seul recours que possède ce dernier pour se faire payer est d'enregistrer un privilège sur votre maison, puisque c'est sur celle-ci que les matériaux ont été posés et que le taux horaire des employés a été calculé. Lorsqu'une telle situation arrive, les deux parties finissent généralement par s'entendre et le privilège est alors radié.

D'autres constructeurs, financièrement solides, s'amusent à mettre en faillite par ce procédé plusieurs petites firmes de sous-traitance. Cela leur permet de mettre encore plus d'argent dans leurs poches. Lors d'un nouveau développement ou d'un complexe pour condominiums, certains promoteurs traitent avec de jeunes firmes qui débutent. Ces dernières, afin de se faire connaître, cherchent à obtenir des contrats avec les constructeurs ou les promoteurs de projet. Elles sont prêtes à plusieurs sacrifices pour les obtenir et baissent leurs prix au maximum. Souvent les constructeurs abusent de ces entreprises en leur demandant d'en faire davantage et en refusant de les payer tant qu'elles n'auront pas accédé à leur demande. Les sous-traitants, souvent incapables de fournir aux exigences du constructeur et n'ayant pas toujours les moyens financiers de se défendre contre lui, se voient souvent dans l'obligation de fermer leur porte au grand bonheur des magnats de la construction.

Une autre catégorie de constructeur, c'est ceux qui n'ont pas l'intention de payer les sous-traitants. Ils ont déjà en tête de faire une faillite frauduleuse dès que le plus gros du projet sera vendu et que les contrats seront notariés. Donc, pas de service après vente. Le risque de vous retrouver avec un ou plusieurs privilèges sur votre maison augmente. Ces constructeurs ne sont pas nombreux, mais ce sont les plus dangereux. Après leur faillite, ils recommencent sous un autre nom.

L'autre côté de la médaille, c'est qu'il arrive que les sous-traitants ne fassent pas leur travail comme il se doit et, dans ce cas, il est normal que le constructeur retienne l'argent qui leur est dû. Ce genre de situation finit toujours par se régler et les privilèges qui peuvent être enregistrés sur les maisons sont radiés assez rapidement. Toutes ces manigances, de part et d'autre, nuisent à la réputation des entreprises qui sont honnêtes et intègres. Quel dommage! Car, de bons constructeurs, de bons promoteurs, ce n'est pas ce qui manque, il y en a plus qu'on ne le croit. Il faut seulement prendre le temps de les trouver.

Il y a quelques années, peut-être en avez-vous entendu parler aux nouvelles à la télévision ou dans les journaux, plusieurs nouveaux propriétaires à Ville Saint-Laurent, se sont retrouvés avec des hypothèques légales enregistrées sur leurs propriétés parce que le constructeur a fait faillite. Les sous-traitants n'avaient pas été payés. Chacun des propriétaires reçut une facture s'élevant à plusieurs milliers de dollars. Je ne sais pas comment l'histoire s'est terminée. Quoi qu'il en soit, les acheteurs ont dû payer pour se défendre et ont perdu de l'argent.

IL N'EN TIENT QU'À VOUS DE VOUS PROTÉGER CONTRE CE GENRE DE SITUATION.

Ne soyez pas si empressé de signer votre promesse d'achat. L'erreur de la majorité des gens, c'est qu'ils se croient immunisés contre tous les risques. Ils font preuve d'imprudence et ne s'informent pas assez. Ne faites pas l'autruche. Montrez-vous un acheteur avisé et confiant. **C'EST VOUS, LE CLIENT!** Les constructeurs ont besoin de vous pour acheter leurs propriétés. *C'est donc VOUS qui devez mener le bal.*

Cessez d'être timide et d'avoir peur de contrarier tout le monde. N'ayez pas peur de dire «NON» lorsque vous ne vous sentez pas confortable dans une négociation. Les constructeurs ne laissent pas facilement partir un acheteur sérieux uniquement parce que certains détails restent en litige. Cela fait partie des négociations. Il peut arriver que celles-ci prennent du temps avant d'en arriver à un compromis. Dites-vous bien «qu'une maison de perdue, dix de retrouvées»! Il y a de fortes chances que la prochaine maison soit encore plus magnifique que celle que vous convoitez en ce moment.

Lorsque vous achetez une propriété neuve, exigez les devis descriptifs de la construction de votre maison. Ces devis expliquent quels sont les matériaux utilisés. Habituellement, ce document vous donne les grandes lignes. ***Il est important de connaître le numéro de série, la marque, le modèle de tous les matériaux utilisés. De la cave au grenier.*** Les matériaux pour la charpente et le plancher (composants principaux) . **Assemblage du plancher et des murs (*composants principaux*), murs (*assemblage*).** C'est ce qui fera toute la différence pour obtenir une maison de qualité.

Pour un acheteur qui prend très au sérieux la construction de sa maison, je suggère L'achat d'un livre intitulé, « *La charpente en bois* » publié par « Les publications du Québec ». Lorsque vous aurez lu ce livre, vous comprendrez très bien comment se construit une maison. Comment reconnaître les matériaux de qualité. Pourquoi utiliser un matériel de qualité à un endroit précis de la construction plutôt qu'une catégorie inférieure. Lorsque vous posséderez toutes les informations sur la construction de votre charpente, vérifiez auprès de firmes spécialisées dans chacun des domaines. Très souvent, dans les devis descriptifs, il est écrit «que les matériaux sont sujets à modification sans préavis». Exigez, lors de votre promesse d'achat, que toutes modifications au devis vous soient soumises. Ce n'est pas parce que quelque chose est écrit, que cela ne peut être changé. Cependant, vous devez le spécifier avant de faire votre promesse d'achat. Après, il est trop tard.

Voici la liste des pièces de bois utilisées lors de la construction de la charpente.

- Fourrures (forences), 1 X 2, 1 X 3, 1 X 4 ou 2 X 2, pour supports de revêtement de mur ou de plafonds.

- Planches, 1 X 6, 1 X 8, etc., pour revêtements de mur, de plancher ou de toit.

- Colombages (studs), 2 X 3, 2 X 4 ou 2 X 6, pour colombages, lisses, membrures de fermes de toit, etc.

- Madriers, 2 X 8, 2 X 10, 2 X 12, 3 X 8, etc., pour solives, chevrons, linteaux, etc.

- Poutres, 5 X 10, 5 X 12, 6 X 10, etc.

- Poteaux, 6 X 6, par exemple.

- Planchéiage, 2 X 6, 3 X 6, etc., pour certains planchers et toits en gros bois d'œuvre.

À la sortie de l'usine, on imprime sur chaque pièce de bois, un groupe d'indications à environ 2 pieds (600 mm) d'une extrémité. On y trouve :

- le nom ou le symbole de l'organisme de classification du bois,
- le nom ou le numéro de la scierie,
- l'essence ou la combinaison d'essences du bois,
- La qualité, et généralement, une indication sur la teneur en eau du bois.

Au sujet de la qualité du bois, les critères de classification dépendent de l'usage prévu. Des taches sont inacceptables sur des planches destinées à la finition intérieure, tandis que ces mêmes taches ne gênent aucunement sur du bois de charpente. Pour le bois de charpente, c'est la rigidité et la résistance structurale qui sont primordiales.

Au sujet de la teneur en eau contenue dans le bois, pour un bâtiment, on ne doit jamais utiliser de bois contenant plus de 19 % d'eau. Le tampon sur le bois comporte habituellement une indication sur la teneur en eau :

- «S-Green» ou «R-Vert» correspond à un taux de plus de 19 % lors du rabotage (surfacing)

- «S-Dry» ou «R-Sec» à un taux de 19 % au maximum, 15 % en moyenne.

Malheureusement, chez certains marchands, un entreposage à l'extérieur, sans protection, fait souvent augmenter la teneur en eau. Pour les pièces de bois destinées à devenir des solives, on offre souvent du «MC-15» ou du «KILN-DRY» (séché au four), avec un taux d'au plus 15 % à la sortie de l'usine, et un entreposage à l'abri (évidemment, le constructeur doit poursuivre au chantier la protection du bois). **Surveillez ça de près!**

Ces informations ont été prises dans le livre que je vous ai mentionné précédemment. Les auteurs sont Michel Beaudry et Luc Gravel. Ce livre contient un trésor d'informations à qui veut comprendre comment est érigée sa maison ainsi que la qualité des matériaux qu'un constructeur devrait utiliser. N'ayez pas peur, il est très facile à comprendre.

Autre chose: il est important que vous connaissiez le coût des extras que vous aimeriez ajouter dans votre maison. Cela, avant de faire votre promesse d'achat. Les extras constituent un atout important lorsque vient le temps des négociations. Les constructeurs sont souvent peu flexibles à baisser le prix de leurs propriétés. Par contre, ils acceptent souvent  d'inclure certains extras. Quelques fois les deux. Donc, ne vous pressez pas tant. Laissez venir le vendeur. Laissez-le vous harceler. Bien entendu, vous acceptez uniquement le harcèlement qui provient du vendeur qui travaille dans le projet qui vous intéresse. Éliminez les autres! Vous devez être tenace et persévérant. Vous y gagnerez plusieurs avantages que vous n'obtiendrez pas en achetant trop rapidement.

Je vous suggère également de suivre de très près la construction de votre maison. Un acheteur avisé se tiendra sur le chantier presque tous les jours, peu importe, si cela déplaît aux ouvriers et au constructeur. Il posera des questions aux ouvriers. Il les traitera avec respect et s'en fera des alliés. Gâtez-les un peu en apportant quelques fois des breuvages rafraîchissants lors de journées trop chaudes. Les ouvriers seront sensibles à votre sollicitude à leur égard. Ces gens travaillent dur et fort physiquement. Plus vous sympathiserez avec eux, plus il vous sera facile d'obtenir des petits suppléments; comme des prises de courant supplémentaires et bien d'autres choses! En devenant leurs alliés, ils peuvent vous informer sur la qualité des matériaux qui ont été installés lorsque vous étiez absent du chantier.

RÉCAPITULATION DES DONNÉES IMPORTANTES

- Faites une recherche complète, comme spécifié au chapitre sur les terrains et les propriétés.

- Vérifiez également qui sont les propriétaires des compagnies qui ont un lien financier avec le constructeur. (voir au Bureau des incorporations).

- Parlez à des personnes qui ont fait affaire en tant qu'acheteur avec ce constructeur et qui habitent sur un autre projet que le vôtre.

- Protégez-vous contre les hypothèques légales (privilèges).

- Exigez les numéros de séries, les modèles, les marques des matériaux utilisés.

- Négociez afin d'obtenir des suppléments ou faites baisser le prix ou encore les deux à la fois.

- Vérifiez auprès de «l'A.P.C.H.Q. ou l'A.C.Q.» selon le cas, leur numéro accréditation.

- Vérifiez au près de la Chambre des notaires, les plaintes pouvant être à l'actif du notaire responsable de conclure les transactions du projet.

- Informez-vous également sur les réalisations de l'architecte du projet.

- Quelles sont les autres réalisations du constructeur ? Où sont-elles situées ?

Chapitre V

Les condominiums

Acheter un condominium neuf ou déjà existant est un choix très personnel. Tout en restant circonspecte, je vous suggère, si votre choix s'arrête sur un condominium, d'acheter avec des promoteurs spécialisés dans ce domaine. Soyez prudent. N'achetez pas de n'importe lequel « Jo Bleau » qui commence et dont sa spécialité était les bungalows. Il s'agit de deux mondes bien distincts.

J'ai travaillé à la vente d'une douzaine de projets de condominiums construits par des promoteurs différents. Je dois vous avouer que trois ou quatre seulement étaient sans problèmes majeurs. Peut-être n'ai-je pas eu de chance!

Il n'en reste pas moins que l'achat d'un condominium demeure un achat idéal pour les personnes d'un certain âge qui ont élevé leurs enfants et qui ne veulent plus s'occuper de l'entretien d'une maison. Le concept est également idéal pour les personnes divorcées ou les jeunes professionnels très absorbés par leur carrière. En général, ces gens veulent demeurer le plus près possible de leur travail s'épargnant ainsi ces fastidieux aller-retour sur des routes encombrées aux heures de pointes.

L'achat d'un condominium pour des personnes qui élèvent de jeunes enfants n'est pas à conseiller. Les jeunes enfants s'ennuient dans un complexe où n'habitent que des adultes. Il en est de même pour les gros toutous. Ils pleurent toute la journée. Lorsqu'il fait beau, ils sont laissés sur le balcon des jours entiers. Ils sont tellement coincés qu'ils ont de la difficulté à bouger. Les voisins se plaignent et alors une loi est votée pour qu'il n'y ait plus d'animaux.

Il est arrivé que des membres du conseil d'administration aient chargé un supplément sur les frais de condo aux propriétaires possédant des chiens. Car, selon eux, les chiens usent et salissent la moquette des corridors et utilisent l'ascenseur, au même titre que les propriétaires.

L'avantage d'acheter un appartement, c'est d'avoir très peu de responsabilités. Vous désirez partir en voyage? Vous fermez la porte à clé, vous prévenez le surintendant, s'il y en a un, et vous partez la tête tranquille. Cependant, ce type d'achat nécessite encore plus de recherche et exige davantage de prudence. Il existe de bons projets, mais il faut les trouver. La valeur de revente se situe souvent au-dessous du prix payé. Les taxes foncières sont exorbitantes comparativement à celles d'une propriété. À cela, il vous faut ajouter les frais de condominium qui incluent tout ce qui est commun à l'édifice soit: l'éclairage et le chauffage des aires communes, le contrat d'entretien de l'ascenseur (s'il y a lieu), le changement des ampoules électriques et des néons dans les espaces communs, l'entretien de la bâtisse, la gestion et l'administration, le concierge et le surintendant - s'il y a lieu - la chute à déchet, le déneigement, l'assurance feu / responsabilité de l'immeuble, ainsi qu'un fonds de réserve qui prévoit les futurs travaux de réfection et d'amélioration de l'immeuble (toiture, pavé, aménagement paysager, changement de la moquette des corridors... etc.).

Lorsqu'une personne me demande si la construction est en béton armé, cela me fait rire et m'attriste en même temps. Les gens associent ce type de construction à l'insonorisation. Cela n'a strictement rien à y voir.

UNE CONSTRUCTION DE BÉTON N'EST PAS SYNONYME D'INSONORISATION.

Je connais des constructions en bois qui sont mieux insonorisées que celles en béton. Peu importe l'épaisseur de celui-ci, le béton est une vraie caisse de résonance. Il est également conducteur de bruits. De plus, si vous installez un plancher de bois directement sur celui-ci, vous amplifiez le bruit d'impact (le bruit des pas). Les normes minimales d'insonorisation sont d'environ 50 décibels ou I.T.S. (indice de transmission sonore). Personnellement, et c'est également l'avis de bien des résidents de ces immeubles, cela est insuffisant lorsqu'on vit dans un édifice à habitations multiples.

Pour mesurer les effets du bruit, on a recours à deux valeurs d'indices acoustiques.

- La première est la capacité d'un plancher ou d'un mur à résister au bruit ambiant et aérien (sons, télévision, musique et autres).

- La deuxième est l'indice d'impact (bruit de pas, de porte de garage, de chute à déchets, de porte d'ascenseur, de la cage d'escaliers).

Un plancher possédant huit pouces et plus d'épaisseur de béton donnera un bon rendement au niveau du bruit aérien. Cependant, le bruit d'impact peut être intolérable, lorsque le plancher n'est pas recouvert des matériaux qui insonorisent l'unité comme un sous-tapis et de la moquette Lorsque vous frappez sur un plancher, une colonne ou un mur de béton, la vitesse du son est extrêmement rapide. Elle utilise la masse et se propage partout. Vous avez l'impression que le bruit provient d'en haut ou de l'appartement d'à côté, alors qu'il peut provenir du garage et se situer à l'opposé de votre appartement.

Il existe différents matériaux et plusieurs façons d'insonoriser un appartement. Il serait trop long et trop complexe de les énumérer dans  ce livre. Un laboratoire de son vous guidera sur la qualité acoustique de l'immeuble et de votre appartement. Il existe tant de facteurs qui peuvent diminuer rapidement le nombre de décibels : les fenêtres et les portes patios de mauvaise qualité ainsi que chaque trou percé dans un mur pour une prise de courant, de téléphone etc. Mieux vaut connaître les composantes des murs et des planchers avant d'acheter.

L'architecte du projet devrait être en mesure de certifier aux acheteurs l'indice I.T.S. de l'appartement et de l'immeuble. Un laboratoire de son devrait être en mesure de confirmer ou de contredire le coefficient établi par

l'architecte. Il a besoin pour son analyse d'une copie des plans originaux où on y démontre le système utilisé pour l'érection des murs et la fabrication du plancher, ainsi que les marques et numéros de modèles des matériaux utilisés.

EXIGEZ LE COEFFICIENT SUR :

- ➢ Les murs donnant sur le corridor: 56 à 60 décibels c'est acceptable, (bruit aérien et ambiant).
- ➢ Mur mitoyen (qui touche à un autre appartement) 56 à 60 décibels c'est acceptable (bruit aérien et ambiant).
- ➢ Plancher: 70 décibels et plus est l'idéal pour le bruit d'impact.

Plusieurs constructeurs vous jettent de la poudre aux yeux. Ils inscrivent sur les devis descriptifs le nom des composants et des matériaux  qui insonorisent la structure, mais il arrive qu'ils en utilisent d'autres, souvent de moindre qualité, en cours de route. Qui est là pour s'en apercevoir? Personne! Des murs, c'est vite fermé! Lorsque les murs sont fermés, il est alors impossible de vérifier quoi que ce soit. Seuls des tests faits par une firme ou un laboratoire de son peuvent vous indiquer le coefficient acoustique. On utilise à cet effet des appareils technologiques impressionnants. Il est d'une importance capitale, pour ceux que le bruit dérange, de mettre une clause dans votre offre d'achat. Celle-ci doit porter sur votre exigence en valeur de coefficient acoustique. Il se peut qu'il y ait des coûts supplémentaires si vous demandez un I.T.S. plus élevé que ce que l'architecte a prévu dans ses plans et devis. Cependant, cet investissement en vaut la peine si vous souhaitez vraiment la tranquillité.

L'insonorisation d'un plancher peut s'évaluer a près de 1,500. $ dollars. Un contre-plaqué avec du liège, c'est insuffisant pour réduire l'impact causé par les bruits de pas lors de l'installation d'un plancher de bois. Un plancher flottant est supérieur. Il s'agit d'un isolateur de vibrations de métal placé à tous les 12 ou 16 pouces et dont l'intérieur est rempli de caoutchouc et dont la laine acoustique est enveloppée dans du plasti-

que. On installe ensuite le contre-plaqué et le tour est joué! Vous pouvez alors installer votre plancher de bois, de céramique ou autre. Cette méthode permet de laisser un espace d'air de 75% à 80% entre le béton et le bois. Comme l'espace entre le plancher et le béton est rempli de laine acoustique, le contact, se fera uniquement par les isolateurs de vibrations. Cette très grande surface ne touche pas au plancher d'au-dessous, contrairement à l'autre méthode, plus courante (de liège et de contre-plaqué). Le désavantage, c'est que vous devez avoir un plafond très haut. Cette façon d'insonoriser le plancher hausse celui-ci de quelques pouces. L'avantage c'est que la laine acoustique entre les deux planchers absorbe toutes les vibrations causées par la musique et les bruits de pas. Le prix? Entre 1.50 $ et 3.00 $ du pied carré.

Pour les murs mitoyens (ceux qui touchent à un autre appartement ou à un corridor), une construction des murs en QUINCONCE s'avère une méthode idéale pour insonoriser un appartement. Quand on installe des isolateurs de support entre les murs de corridor et les murs mitoyens, cela coupe les vibrations. Construire un mur en quinconce signifie que les «2 X 4» installés à la verticale sont en alternance de chaque côté des «2 X 6» qui eux sont installés à l'horizontale. Ensuite, on doit remplir les espaces de laine acoustique et installer les deux panneaux de placoplâtre (gyproc). Le contact se fera seulement à tous les deux «2 X 4» (voir figure). Cette façon d'ériger un mur est plus efficace. Elle insonorise davantage comparativement à la manière courante qui est d'aligner sur le même côté des «2 X 6», qui se trouvent à l'horizontale, les «2 X 4» qui, eux, sont à la verticale. (Voir figures ci dessous).

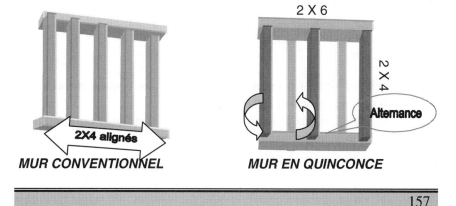

MUR CONVENTIONNEL   **MUR EN QUINCONCE**

Bien entendu, ce dessin n'est qu'une représentation, afin de vous faire comprendre l'aspect d'un mur en quinconce. Étant donné que je n'ai trouvé aucune illustration expliquant cette érection de mur, j'ai dû moi-même dessiné ces figures. Même si elles ne sont pas à l'échelle, elles ont pour but de démontrer l'alternance des « 2X4 » face aux « 2X6 » dans un mur en quinconce, comparativement à un mur conventionnel.

Les autres problèmes que l'on retrouve lors d'une construction en béton, c'est le bruit dérangeant de la porte du garage, de l'ascenseur, de la cage d'escalier, de la chute à déchets. Pour ceux qui habitent au dernier étage, les appareils de ventilation sur le toit sont incommodants. Il en est de même pour tous les appartements situés juste au-dessus de la porte du garage. Le spécialiste en son pourra vous indiquer le coefficient qu'il vous faudra exiger du promoteur si vous voulez vous protéger de ces désagréments. Un autre problème, c'est la porte d'entrée de chacun des appartements. Ces portes ne sont pas très bien scellées. Tous les périmètres de la porte doivent être munis d'un coupe-froid et d'un coupe-son. Lorsque la porte possède un espace d'air d'un ½ pouce, au-dessous et au-dessus de celle-ci, ainsi qu'un autre de 1/8 pouce, sur les côtés de la porte, vous entendez tout ce qui se passe dans le corridor, sans parler de l'air qui rentre! Dès que quelqu'un insère sa clé dans la serrure de sa porte, vous l'entendez. De plus, vous avez

 l'impression que c'est dans votre appartement qu'on essaie d'entrer. Les portes doivent être pleines. Un bon moyen de vérifier ce détail, cognez sur la porte. Le son devrait être sourd. Faites un test, cognez sur la porte de votre chambre à coucher et sur celle de votre porte d'entrée, vous entendrez la différence de son. Une porte d'entrée doit avoir, au minimum, 60 minutes de résistance au feu. Surveillez ça de près.

Lorsque vous décidez d'acheter un condominium, déterminez d'abord votre préférence entre:

- **Acheter dans un complexe qui n'est pas encore construit et dont la vente se fait sur plan.**
- **Acheter lorsque le projet est en phase terminale ou complètement terminé.**
- **Acheter une revente.**

LES AVANTAGES ET LES DÉSAVANTAGES DE CHACUN.

Un achat sur plan donne l'avantage d'apporter certaines modifications au plan. agrandir ou diminuer une pièce, enlever un mur ou ajouter des éléments comme un foyer, un air climatisé central, un bain tourbillon et autres. Vous pouvez aussi choisir divers matériaux de finition ainsi que les couleurs appropriées. Lorsque vous achetez au début du projet, vous avez plus de choix sur les différents modèles d'appartements, sur le choix de l'étage également. Votre préférence se portera peut-être sur un modèle en façade (ensoleillement et bruit de la rue), de côté (tranquillité) ou à l'arrière« avec une vue sur un fond de cour». Cela vous permet de choisir un emplacement privilégié pour votre stationnement (les gens préfèrent stationner près de l'ascenseur). De plus, il est possible de négocier un meilleur prix.

☞ *LES DÉSAVANTAGES.* Il y a des risques!

- Le constructeur rendra-t-il son projet à terme et dans les délais prévus?
- Sinon, qu'adviendra-t-il de mon dépôt?
- L'insonorisation est-elle adéquate?
- L'immeuble sera-t-il bien entretenu, bien administré?
- Les frais d'exploitation sont-ils exacts?
- Vont-ils augmenter?
- Vais-je être déçu de l'appartement, lorsque celui-ci sera terminé?

☞ De plus, il y a les inquiétudes quant à la vitesse à laquelle le projet va se vendre;

- celles d'être le premier acheteur,
- celles à propos de la qualité de la construction,
- de la solvabilité du constructeur,
- ou du service après vente.

☞ Un autre point important d'inquiétude:

- Est-ce que les appartements non vendus seront loués?
- Dans quelle proportion?

Les propriétaires n'aiment pas vivre avec des locataires dans ce genre d'immeuble. Ils croient que les locataires n'auront pas autant de respect qu'eux pour l'immeuble qu'ils habitent. De plus, le rang social «*standing*» devient important. Toutes ces interrogations font état de risques fondés, mais elles ne sont pas nécessairement dramatiques. Personne ne peut garantir, même prévoir ce qui peut arriver. Cependant, votre risque est calculé lorsque vous savez comment vous protéger.

La plupart des gens sont incapables de visualiser un appartement complété lorsqu'ils n'ont qu'un plan en leur possession. Il arrive souvent que les acheteurs soient déçus lorsque c'est terminé. Trop de perte d'espace due à des couloirs. C'est plus petit qu'on le pensait. La chambre est grande, mais il ne reste que très peu d'espace sur le mur pour la disposition des meubles. Car ceux-ci peuvent être obstrués par une grande fenêtre, une garde-robe qui fait tout un mur, ou encore, par une colonne de soutien.

☛ **Les avantages d'acheter lorsque le projet est en phase terminale ou complètement terminé.** Vous pouvez voir concrètement l'appartement qui vous intéresse. Quand il regarde un plan, l'acheteur ne porte pas vraiment attention aux corridors de l'appartement. Quelques fois, il se retrouve avec un labyrinthe pour se rendre d'une pièce à l'autre. C'est avantageux de pouvoir constater de visu la dimension des pièces, le panorama, l'ensoleillement, la finition intérieure. Cela vous permet également d'observer la disposition des portes extérieures de tous les appartements de l'étage. Sont-elles face-à-face? Cela est désagréable et ronge sur l'intimité. L'appartement est-il près de l'ascenseur? Cela peut être un mauvais choix, si le mur du corridor et la porte d'entrée ne sont pas bien insonorisés. L'ascenseur, la chute à déchets, la ~~e~~ d'escalier de secours ; tous devraient se retrouver en~~-~~ ~~b~~les au centre du complexe et n'être en aucun cas mi~~-~~ ~~s~~ à un mur d'appartement. L'idéal, c'est la disposition ~~¬~~ ».

☞ *Acheter lorsque le complexe est terminé, ou presque, ne comporte pas vraiment de désavantages,* car vous avez la possibilité de tout voir concrètement. Exception faite, du prix qui risque d'augmenter, surtout si le projet s'est vendu rapidement. De plus, votre préférence pour la vue, le style de modèle, l'étage s'en trouve affectée (moins de choix).

☞ *Pour l'achat d'une revente, les avantages sont plus évidents et il y a moins de risques* lorsque vous effectuez, au préalable, une bonne recherche. Il est avantageux de voir un appartement déjà aménagé et décoré, de constater, de visu, le panorama que vous aurez de votre unité et d'observer l'éclairage de jour et de soir. De constater la qualité des matériaux, le bruit environnant et, surtout, de pouvoir faire des tests de son «sur les bruits de pas, de musique, de plomberie etc.» avec les voisins immédiats «d'en haut et d'en bas, ainsi que de chaque côté de l'unité». Cela, sans avoir à utiliser les services d'un laboratoire de son. Je vous suggère également de frapper à toutes les portes. Cela vous permet de connaître la satisfaction des résidents sur la qualité de construction, la gérance, l'administration etc. De plus, il vous possible d'obtenir un très bon prix, à cause de la multitude de condominiums à vendre

☞ *Le désavantage* se situe au niveau du secteur, de l'environnement recherché ainsi que du choix de l'étage.

Il est important de vous souvenir qu'un complexe de condominiums facilement accessible au centre ville, aux autoroutes et situé près d'une bouche de métro et des commerces les plus importants constitue un avantage sérieux.

À *QUALITÉ DE CONSTRUCTION ÉGALE.* Ce choix sera plus dispendieux à l'achat, mais vous obtiendrez un meilleur prix lors d'une revente qu'avec n'importe quel autre complexe situé dans des secteurs moins accessibles. C'est le prix du terrain ainsi que l'accessibilité aux services qui font toute la différence. Je vous donne un exemple: un complexe situé sur le Plateau Mont-Royal peut se revendre plus rapidement, et probablement à un meilleur prix, qu'un autre situé en banlieue ou dans un autre secteur de la ville. Ces derniers prendront peut-être trois ou quatre ans pour se vendre et il n'est pas certain que vous recouvrerez votre investissement initial, tandis que, dans le premier cas, vous auriez peut-être la chance de le vendre en moins d'un an et avec un léger profit.

☞ Lors de l'achat d'un condominium, vous devez redoubler de prudence. Faites une recherche intégrale. Informez-vous davantage.

☞ Mais surtout, protégez-vous!

- En inscrivant des clauses dans votre promesse d'achat.
- N'enlevez jamais ces clauses, tant et aussi longtemps que vous n'avez pas reçu entière satisfaction.

☞ Car, encore une fois, vous n'êtes pas à l'abri

- des privilèges,
- des règlements de la déclaration de copropriété,
- de la qualité de l'insonorisation
- Et de bien d'autres choses

☞ **PRUDENCE. Visitez-en plusieurs! Posez le maximum de questions! Prenez des notes! Vérifiez tout sans exception! Protégez-vous!**

☞ **RECHERCHE. Concernant les condominiums, il y a énormément d'éléments dont il faut tenir compte. Donc, la recherche sera probablement un peu plus longue.**

En vous relatant deux cas dont j'ai été personnellement témoin, vous comprendrez pourquoi j'insiste sur ces points. Je pourrais écrire un livre uniquement sur des faits vécus. Cela ne donnerait pas grand-chose, car ce sont presque toujours les mêmes problèmes qui surviennent et se répètent constamment. Mon but est de vous informer sur ces points majeurs très désagréables qui peuvent devenir coûteux pour l'acheteur.

Cet événement s'est produit, il y a huit ou neuf ans, dans une municipalité très réputée et située sur l'île de Montréal. Il s'agissait d'un ancien garage. En raison de sa forme et de sa structure en béton armé, celui-ci était tout indiqué pour y construire un bel édifice de six étages pour condominiums. Cet immeuble était situé sur une rue achalandée, dans un secteur recherché et huppé.

J'avais obtenu le contrat de la vente de ce complexe. Le plan des différents modèles annoncés comprenait des 3½, des 4½ ainsi que 5 splendides "penthouses" au dernier étage. Ces appartements de luxe avaient une superficie d'environ 2,500 pieds carrés et possédaient une vue exceptionnelle. Les prix variaient pour les 4½, entre 130,000$ et 180,000$ dollars et pour les «penthouses», entre 225,000$ et 350,000$ dollars.

Les appartements se vendaient assez rapidement et la construction allait bon train. Ces appartements étaient magnifiques. Comme dans tout projet, il survenait, de temps à autre, quelques petits problèmes, mais tout se réglait assez rapidement. La construction terminée, les nouveaux propriétaires commencèrent à emménager. C'est au premier hiver que le cauchemar a commencé. Cela a même été publié dans les journaux de l'époque. Les gicleurs n'avaient pas été isolés. Les tuyaux ont gelé. Imaginez le dégât d'eau partant du sixième étage jusqu'au rez-de-chaussée! Si ma mémoire est bonne, ils en ont eu deux. Ensuite, ce fut au tour de la brique. Celle-ci absorbait l'eau. Ce qui signifie des infiltrations d'eau dans les appartements. Encore des dommages importants !

Le coût des travaux s'éleva à 1,500,000.00$ dollars. Un million cinq cent mille dollars payés par les propriétaires parce que le promoteur a fait faillite, après que ceux-ci eurent entamé des procédures judiciaires contre lui. N'ayant plus aucun recours légal contre le promoteur du projet, ils essayèrent de revenir contre les sous-traitants. Encore là, peine perdue. Après des années de batailles juridiques, d'argent dilapidé inutilement, les copropriétaires se partagèrent le coût des travaux. Je n'y comprends rien. Les inspecteurs en bâtiment de la Municipalité n'ont pas décelé cette erreur, pourquoi? Comment ont-ils pu passer à

côté d'un élément aussi important que les gicleurs? Ils passent habituellement leur temps à s'attarder sur des détails insignifiants lors d'une construction. Mystère!

Un autre fait s'est produit sur un projet plus récent. Les problèmes majeurs touchent surtout à la ventilation,  l'aération ainsi qu'à la pompe submersible qui sert à l'évacuation de l'eau au garage. Dans un premier temps, les copropriétaires furent incommodés une dizaine de fois par des odeurs toxiques avant que le problème ne soit décelé. À tous moments, les pompiers étaient appelés sur place. Les copropriétaires, en colère, étaient surtout apeurés à l'idée de ne pas se réveiller un beau matin.

Le problème de cet immeuble était que les tuyaux d'évacuation d'air n'étaient pas placés assez haut sur le toit. Toutes les odeurs d'oxyde de carbone et autre, en provenance du garage, se répandaient dans la cage de l'ascenseur ainsi que dans les sorties de ventilation installées à chaque étage. Ce qui a eu pour effet que l'odeur se répandit dans les corridors ainsi qu'à l'intérieur des appartements! La situation fut corrigée. On a détourné, coupé, élevé certains tuyaux. Il n'y avait pas trente-six façons de corriger le défaut puisque l'immeuble était terminé. Comment se fait-il, qu'encore une fois, aucun inspecteur n'ait remarqué cette erreur lors de la construction? Est-ce que cette installation tiendra le coup longtemps? Je l'espère pour les copropriétaires.

Le deuxième point majeur dans cet édifice fut la pompe submersible, impuissante à évacuer l'eau dans le garage. L'immeuble était construit sur un sol glaiseux et son sous-sol possédait beaucoup de calcaire, ce qui bloquait continuellement la pompe. Celle-ci était reliée à une alarme qui se déclenchait continuellement puisqu'elle ne pouvait fournir au débit d'eau et de calcaire. Devinez ce qui s'est produit? Plusieurs inondations au deuxième niveau du garage allant parfois jusqu'à trois ou quatre pieds d'eau. Plus personne ne voulait stationner à cet étage même après qu'on y eut ajouté une deuxième pompe, six ou huit mois plus tard. Pendant tout ce temps, cette partie du garage fut condamnée. Imaginez votre belle voiture engloutie dans quatre pieds d'eau!

Comme il restait encore une quinzaine d'appartements à vendre, cela aida les propriétaires à mettre de la pression sur le promoteur afin qu'il répare les défauts de constructions au plus vite. Cela a quand même pris près de huit mois. Imaginez si tous les appartements avaient été vendus et payés? Combien de temps, aurait-il mis, pour effectuer la réparation? L'aurait-il fait? Ou aurait-il simplement attendu une action de la part des copropriétaires? Ou encore, aurait-il fait faillite? Autant d'interrogations auxquelles il est impossible d'y répondre lorsqu'on ne sait pas à qui on a affaire. Dans le cas présent, je suis persuadée que tout serait rentré dans l'ordre, même si tous les appartements avaient été vendus. Car, ce promoteur est en affaire depuis quarante ans. Il n'aurait certainement pas perdu sa réputation pour si peu. Malheureusement, ce n'est pas toujours le cas. Vous devez être prudent lors de l'achat d'un condominium. N'achetez pas en aveugle. Les bâtisses déjà existantes comme «école, garage, église etc.», qui sont transformées en copropriétés divises ou indivises, sont encore plus à risques que des complexes entièrement neufs!

☛ *Seule une recherche approfondie, des clauses préventives et protectrices, un examen des plans originaux et des devis par un ingénieur en bâtiment, autre que celui du promoteur, pourront vous porter secours.*

N'OUBLIEZ JAMAIS! IL S'AGIT DE VOTRE ARGENT! VOUS ÊTES LE MAÎTRE! C'EST VOUS QUI DÉCIDEZ CE QUE VOUS DEVEZ INCLURE DANS VOTRE PROMESSE D'ACHAT! ET PERSONNE D'AUTRE!

Il est entendu que le promoteur a le choix de refuser ou d'accepter vos conditions. S'il les refuse, vous avez également le choix de ne pas acheter. Ne vous en faites pas. Après un certain temps, il va courir après vous. Montrez-vous toujours intéressé, mais gardez vos positions. Il finira par céder ou du moins vous en arriverez à un terrain d'entente.

QUESTIONS À POSER, LORS DE L'ACHAT D'UN CONDOMINIUM OU D'UNE MAISON NEUVE.

Certaines de ces questions ne s'adressent qu'aux condominiums ainsi qu'à un achat sur plan. Il vous sera facile de faire la distinction entre les questions à poser pour l'achat d'une maison neuve et ceux-ci. Dans les constructions neuves, vous avez la possibilité de visiter un modèle complété. Dans les deux cas, il est important de vérifier les réalisations de chacun des intervenants professionnels ainsi que les plaintes pouvant les concerner, auprès de leurs associations respectives. Je vous donne les noms et numéros de téléphone de ces associations à la fin du livre.

QUESTIONS ET INFORMATIONS SUR LES INTERVENANTS QUI ONT RÉALISÉ LE PROJET.

Cochez dans le carré lorsque vous aurez obtenu les informations.

CONCERNANT LE CONSTRUCTEUR ET LES PROMOTEURS DU PROJET.

- ❑ Le nom des propriétaires de la compagnie.
- ❑ Où se trouve le siège social de l'entreprise?
- ❑ Depuis combien de temps est-elle en affaire?
- ❑ Quelles sont ses réalisations?
- ❑ Demandez une brochure corporative de l'entreprise et de ses réalisations.
- ❑ Où sont situés les autres projets réalisés et complétés par le constructeur?
- ❑ Est-il membre d'une association accréditée comme l'A.C.Q ou l'A.P.C.H.Q. ?
- ❑ Quel est son numéro de membre? La date d'échéance de son mandat?
- ❑ Depuis combien d'années est-il membre?
- ❑ Renouvelle-t-il son contrat à tous les ans?
- ❑ Ou périodiquement? (Il est possible que celui-ci ne construise qu'à tous les deux, trois ou quatre ans ; pas très actif).
- ❑ Y a-t-il d'autres promoteurs ou investisseurs dans le projet? Qui sont-ils? (Si oui, posez-leur les mêmes questions que pour le constructeur)
- ❑ Est-ce qu'une analyse de sol a été faite? Demandez une copie du rapport.

- Quel est le nom du notaire du projet ?

- Est-il associé dans le projet comme investisseur? (Vous pourrez le découvrir en faisant votre recherche au Bureau de la publicité des droits. Cela me surprendrait que son nom personnel apparaisse sur l'entente (mais, sous un nom de compagnie, c'est possible).

- Est-il obligatoire de prendre le notaire du projet? (Il n'est jamais obligatoire de prendre le notaire du projet) sauf, que le notaire mandaté pour toutes les transactions du projet devrait vous donner un meilleur prix. Je vous suggère quand même de magasiner. Par contre, si vous optez de choisir votre notaire, il vous faut le spécifier dans votre offre d'achat.

- Où se trouve le siège social de l'étude du notaire? (Vérifiez auprès de la Chambre des notaires).

- Qui est l'architecte du projet? Où se trouve le siège social de son entreprise?

- Quelles sont ses autres réalisations?

- A-t-il une brochure corporative de ses réalisations? (Vérifiez ses qualifications auprès de l'Association des architectes du Québec).

- Qui est l'ingénieur-conseil du projet?

- Où est situé le siège social du Bureau d'ingénierie pour lequel il travaille? (Vérifiez ses qualifications auprès de l'Association des ingénieurs.)

- Qui est le responsable du chantier de construction? Est-il seul? Ou sont-ils deux? Un seul responsable n'est peut-être pas assez, c'est souvent pour cette raison que des erreurs majeures surviennent dans la construction (trop de responsabilités pour un seul homme).

- Demandez les autres endroits où ce superviseur de chantier a travaillé et vérifiez auprès des acheteurs de ces projets, les problèmes qu'ils ont pu avoir.

- La déclaration de copropriété est-elle accessible pour consultation? Si oui, demandez une copie afin de l'analyser. Ce document contient environ 70 pages. Il est possible que le constructeur exige que vous fassiez une offre avant de vous la remettre. C'est normal. Cependant, inscrivez une clause spécifiant que, si vous n'en êtes pas satisfait, l'offre devient nulle et non avenue.

- Quels sont les noms des firmes de sous-traitance avec lesquelles le constructeur transige? ***Ces firmes ont-elles un cautionnement avec une compagnie d'assurance?*** Demandez-en la preuve.

- Les plans originaux (*blue print*) sont-ils à la disposition des acheteurs pour consultation par un spécialiste, et ce en tout temps?
- Exigez les devis descriptifs complets de la construction. Les sortes de matériaux utilisés, la marque, le modèle et le numéro de série de tous les matériaux. Vous devez tout demander, de la cave au grenier.
- Comment sont érigés les murs mitoyens (pour l'insonorisation)?
- Sont-ils montés en quinconce?
- Quel est le nombre de décibels prévus?
- Quelle est l'épaisseur du plancher de béton?
- Si, vous n'aimez pas les plafonds en «stuc», il est possible d'obtenir un plafond lisse comme du plâtre, même si celui-ci est en«stuc». Personne ne vous le proposera, car c'est plus long à faire. C'est à vous de l'exiger.

LA SALLE DE BAIN

Ces questions servent surtout à ceux qui achètent sur plan (spécialement pour les condominiums)

- La tuyauterie est-elle insonorisée et isolée? (Important dans les condominiums.)
- Le cabinet de toilette est-il silencieux?
- La grandeur du bain, sa forme, sa profondeur, sa composante, sa marque?
- Y a-t-il une vanité avec tiroirs et espace de rangement? Quelle est sa largeur? (Il est possible qu'il n'y ait qu'un lavabo sur pied)
- Y a-t-il une pharmacie encastrée dans le mur de la salle de bain? Ou est-elle simplement installée en superficie? (Pas très solide et non esthétique).
- Y a-t-il un miroir mural en plus de la pharmacie? (Largeur, hauteur)
- Y a-t-il une lingerie dans la salle de bain? (Largeur, profondeur). Quelques fois, elle est tellement petite qu'une simple débarbouillette a de la difficulté à s'y ranger.
- Quel type d'éclairage –y-a-t-il dans la salle de bain? (Habituellement, elle est très mal éclairée).
- Y a-t-il une cabine de douche, en plus du bain? Est-elle carrée ou en demi-lune? Quelle est la largeur de la cabine de douche?
- Le placoplâtre autour du bain est-il à l'épreuve de l'eau? (Ce placoplâtre est habituellement de couleur verte).
- Y a-t-il de la céramique jusqu'au plafond dans la salle de bain?

❑ Quels sont les choix et la qualité de céramique?

❑ Est-il possible d'avoir des tuiles avec motifs et de les disposer de façon spéciale? Quels en sont les coûts?

REVÊTEMENT DU PLANCHER: Bois, moquette, céramique, marbre, linoléum.

❑ Y a-t-il de la céramique sur le plancher de la cuisine? Quels choix? Quelles couleurs? Pour du linoléum, demandez l'épaisseur de celui-ci.

❑ Y a-t-il de la céramique ou du marbre dans l'entrée? (Choix, couleur).

Plancher de bois:

❑ Marqueterie ou lattes de bois?

❑ Bois dur (érable, chêne...) ou mou (pin...)?

❑ Vernis, teint ou cristallisé?

❑ Combien de couches de vernis sont appliquées?

❑ Le plancher de bois est-il installé directement sur le béton?

❑ Quels sont les matériaux d'insonorisation utilisés?

❑ Quel est le pourcentage établi d'I.T.S. pour l'insonorisation du plancher?

Plancher avec moquette:

❑ Quelle est la marque du tapis?

❑ Quelle est son épaisseur? Combien d'onces de matériel contient-il?

❑ Y a-t-il des moulures? (Plusieurs constructeurs n'en mettent plus). Mauvaise finition sans les moulures.

LA CUISINE

❑ Les armoires de cuisine sont-elles en mélanine? Si oui, il existe plusieurs catégories de mélanine.

❑ Sont-elles en stratifié? C'est mieux ,mais plus cher.

❑ Sont-elles en bois ou plaqué bois?

❑ Y a-t-il un cache-néon en haut et en bas des armoires? C'est préférable.

❑ Le filage et les néons sont-ils fournis?

❑ Les armoires de coin possèdent-elles un plateau tournant?

❑ Sur l'échantillon de la porte d'armoire, voyez-vous sur la bordure de la porte, le bois pressé? Si oui, cela dénote que ces armoires sont de moindre qualité. Exigez des armoires avec une finition.

❑ La largeur et la profondeur du garde-manger vous conviennent-elles? Souvent très petit.

❑ Y a-t-il un emplacement pour un lave-vaisselle? Il arrive souvent que les appareils n'entrent pas parce que l'ouverture n'est pas standard. Si vous ne désirez pas de lave-vaisselle, il existe un module d'armoire qui le remplace.

❑ Y a-t-il un évier double? Vous pouvez vous retrouver avec un évier simple divisé en deux. Faites attention.

❑ Quel genre de robinetterie? Habituellement, celle qui est fournie est de qualité passable.

❑ Y a-t-il un lave-légumes?

❑ Demandez la largeur et la hauteur de l'ouverture pour le poêle et le réfrigérateur. Quelques millimètres en moins et ceux-ci n'entreront pas. Idem pour un frigo avec doubles portes.

❑ La sortie d'air pour la hotte du poêle s'évacue-t-elle vers l'extérieur?

❑ Quel genre d'éclairage y a-t-il dans la cuisine?

❑ Y a-t-il un coin dînette? Un comptoir lunch?

SALLE DE LAVAGE

❑ Y a-t-il un emplacement pour les appareils (laveuse/sécheuse) dans l'appartement?

❑ Sont-elles superposées ou côte à côte? Les appareils superposés coûtent plus cher.

❑ Y a-t-il de l'éclairage dans cette pièce?

❑ Quel genre de porte ferme cet endroit?

❑ Quelles sont la largeur et la profondeur de cet emplacement? C'est important. Quelques fois, les appareils ne rentrent même pas. Lorsque ces appareils sont installés, il arrive souvent que les portes devant ceux-ci ne ferment plus, faute d'espace adéquat.

❑ À quel endroit se situe la plomberie pour ces appareils? Si c'est sur le mur du fond, mesurez la profondeur à partir de celle-ci et non à partir du mur. Si la plomberie se situe sur le côté du mur et que l'emplacement est conçu pour des appareils superposés, mesurez alors la largeur. Il arrive que cet espace soit tellement restreint, qu'il faut dé-

foncer le mur et enlever la tuyauterie afin d'y faire entrer les appareils. L'emplacement pour ces appareils est souvent prévu pour des modèles réduits (mini). Surtout dans les condominiums

PORTES ET FENÊTRES

❏ Les portes intérieures, les portes pliantes, les portes coulissantes en bois ont souvent besoin d'être coupées dans le bas, à cause d'un tapis trop épais ou d'un plancher de bois qui surélève le plancher. Si le travail n'est pas bien fait, et c'est souvent le cas, celles-ci s'effilochent rapidement.

❏ Y a-t-il des portes miroirs?

❏ Demandez le coefficient de résistance au feu de vos portes extérieures.

❏ Il existe plusieurs qualités de fenêtres et de vitres. Demandez la marque, le numéro du modèle et le matériel utilisé qui recouvre le châssis de la fenêtre. Faites ensuite votre enquête auprès du fournisseur en porte et fenêtres, sur la qualité, l'étanchéité, l'insonorisation de celles-ci.

ESPACE DE RANGEMENT

❏ Y a-t-il des espaces de rangement (lockers) sur l'étage ou au garage?

❏ Sont-ils faits d'acier?

❏ Sont-ils visibles ou dans une pièce commune fermée à clé? Lorsqu'ils sont visibles et trop facilement accessibles, il y a risque de vol et de vandalisme.

❏ L'ascenseur se rend-il à tous les niveaux du garage?

❏ Y a-t-il un téléphone dans l'ascenseur qui est relié à une centrale en cas d'urgence ou de panne? Plusieurs ascenseurs possèdent le téléphone cependant, il n'est pas fonctionnel.

❏ Y a-t-il un endroit pour entreposer les bicyclettes?

❏ Y a-t-il une buanderie dans l'immeuble?

❏ Y a-t-il une piscine, un gymnase, un sauna, une terrasse sur le toit. etc. Si oui, quels sont les frais relatifs à ces équipements ainsi que ceux des assurances? Il faut qu'il y ait un préposé à la sécurité et à l'entretien du gymnase ou de la piscine.

HALL D'ENTRÉE

❏ Y a-t-il un gardien de sécurité dans l'immeuble?

❏ Quels sont les autres systèmes de sécurité dans l'immeuble?

❏ La sonnette de la porte d'entrée est-elle reliée à un système d'interphone, de code ou est-elle directement reliée à votre téléphone? Lorsque la sonnette est reliée à votre ligne téléphonique, il peut résulter un problème si vous possédez un télécopieur relié à cette même ligne. Lors d'un envoi ou de la réception d'un fax, si quelqu'un sonne à la porte au même moment, cela peut créer des embrouilles. Il est alors préférable d'avoir une ligne téléphonique séparée pour le télécopieur.

CUISINE LABORATOIRE

Dans une cuisine laboratoire, il n'y a que très peu de place. Il arrive souvent que l'on s'aperçoive que les ouvertures ne sont pas adéquates et ce, quand la construction est terminée. Les cuisinettes sont tellement petites que, si vous n'êtes pas sur le bon côté lorsque vous ouvrez la porte de votre frigo, il vous est alors impossible d'accéder à celui-ci. Il arrive également que la porte de l'armoire de coin soit tellement près du poêle que la poignée du four empêche d'ouvrir cette porte. Vérifiez la solidité de la hotte du poêle. J'ai vu plusieurs fois les hottes du poêle tomber, après que les gens furent emménagés. L'une d'entre elles est tombée sur une casserole dont le contenu bouillonnait. L'installateur n'avait pas trouvé de point d'appui solide dans le mur pour la soutenir, alors il l'a vissée dans le placoplâtre. Quel manque de professionnalisme! Cet incident aurait pu être dramatique.

Utilisez cette liste lors de l'achat d'une propriété ou d'un condominium neuf. Avec des réponses, il est plus facile de faire une bonne négociation. Vous pourrez ainsi inclure dans votre offre d'achat les suppléments que vous aimeriez avoir. Faites une liste prioritaire de ces extra, parce qu'il est possible que tout ne soit pas accepté.

SOUVENEZ-VOUS QUE TANT QUE VOUS N'AVEZ PAS SIGNÉ D'OFFRE D'ACHAT, IL EST TOUJOURS TEMPS D'AJOUTER DES CHOSES SUR CELLE-CI. APRÈS AVOIR SIGNÉ, PERSONNE NE VOUS DONNERA QUOI QUE CE SOIT. IL EST TROP TARD.

LES PETITS CONSEILS À NE PAS OUBLIER, LORS DE L'ACHAT D'UNE CONSTRUCTION NEUVE ET D'UN CONDO.

Lorsque votre unité est prête à être peinturée, vérifiez si la maison ou l'appartement a bien été nettoyé.
Dans la plupart des cas, les sous-traitants en peinture
commencent la peinture sans que les murs et les planchers aient été nettoyés. Cela a des conséquences, car la
poussière s'agrippe à la peinture sur vos murs et
moulures.

L'entrepreneur général et le sous-traitant en peinture se jettent la balle. L'un dit que c'est la responsabilité de l'autre et vice versa. Déterminez qui sera responsable de nettoyer le plancher et les murs avant de peinturer.

Surveillez de très près la construction et soyez régulièrement sur le chantier. Encouragez les ouvriers qui sont présents. Apportez-leur quelques fois des breuvages, surtout lorsqu'il fait très chaud. Si vous avez de la considération pour eux, ils en auront pour vous. Ils vous seront reconnaissants et vous pourrez obtenir d'eux des petits extras et un travail bien fait. Il ne faut pas avoir peur de leur demander leur avis et quelques conseils. Ils vous donneront leur juste. Ces ouvriers ne sont pas les patrons, mais ils ne sont pas toujours d'accord sur la méthode et les matériaux de construction utilisés. Ils sont payés pour exécuter ce que l'employeur leur dit de faire. Si vous ne demandez rien, ils ne vous diront rien.

DÉCLARATION DE COPROPRIÉTÉ

La déclaration de copropriété est un élément important, avec l'insonorisation acoustique, lors de l'achat d'un condominium (qu'il soit existant ou en construction).

Ce document comporte près de soixante-dix pages.
Comme celui-ci n'est disponible que vers la fin des travaux, il vous faudra ajouter une clause spéciale sur
votre promesse d'achat. Il est prudent, et même

primordial, de prendre connaissance de ce document lorsque vous achetez un appartement sur plan. **Dans cette clause, vous mentionnerez que les règlements de la déclaration de copropriété devront être à votre entière satisfaction.** Une partie seulement de ce document est régie par le promoteur ou le constructeur. Tout le reste est rédigé de façon standard et prescrit par le Code civil. C'est la réglementation du projet qui intéresse l'acquéreur et fait en sorte qu'il sera heureux et capable de vivre, ou non, avec ces procédures.

LA RÉGLEMENTATION DE LA DÉCLARATION DE CO-PROPRIÉTÉ PEUT VOULOIR DIRE

- Pas de barbecue.
- Pas le droit au terrain.
- Pas le droit d'installer une clôture ou une haie (pour les condominiums en rangées).
- Terrasse aménagée sur le toit ; si vous êtes au dernier étage, aimerez-vous ça?.
- Les heures d'utilisation de la piscine, du gymnase, du sauna etc.

Il serait trop long d'énumérer tous les règlements d'un condominium. Chacun possède ses caractéristiques propres. Donc, il est important de bien lire cette partie et de s'en déclarer satisfait. Il y a des endroits, comme aux États-Unis par exemple, où vous n'avez pas le droit de louer votre condominium ou de recevoir des visiteurs. Pire encore, à certains endroits, vous n'avez pas le droit de l'habiter si vous n'avez pas atteint un âge déterminé par la réglementation. Il est possible que vous n'ayez pas le droit de le louer non plus. Ne riez pas, vous seriez surpris de constater combien de personnes se sont fait avoir dans ce genre d'achat. Elles ne s'étaient pas informées des restrictions.

Il y a aussi des complexes qui possèdent une cour intérieure avec une piscine en son centre. Toutes les portes-patios donnent sur la piscine. Pensez aux cris des enfants et à ceux des adultes qui sont quelquefois plus bruyants. Ajoutez à cela la visite qui s'amène. Il vous sera impossible de regarder un bon film à la télé sans avoir à fermer la porte et ouvrir la climatisation.

Une personne qui se fie uniquement aux dires du vendeur (personne responsable de la vente) concernant la réglementation de la copropriété est un acheteur imprudent. La plupart du temps, le vendeur n'a même jamais lu ce règlement. Dans certains complexes, on accepte des commerces au rez-de-chaussée. Alors, informez-vous sur le type de commerce pouvant être accepté. Des boutiques de vêtements ou autres, ainsi que des bureaux, ça peut aller. Un restaurant, c'est autre chose! Pensez à l'odeur de la nourriture, aux bestioles, à la musique et aux bavardages des clients, surtout lorsque le plafond est très haut et n'est pas insonorisé. Les commerces à grande surface comme une quincaillerie, une pharmacie ou autres du même genre, c'est atrocement insupportable pour les résidents du 1er étage. Ces genres de commerce reçoivent souvent leurs livraisons à l'aurore. De plus, dans le cas d'une quincaillerie, on entend le bruit des scies, des coups de marteau et autres. C'est invivable! De préférence, il devrait être mentionné que seuls des bureaux, des boutiques de vêtement, chaussures, literie, cadeaux etc., ayant des heures d'ouverture et de fermeture normales, sont acceptés.

Bref, n'achetez jamais un condominium existant ou en construction sans préalablement vous protéger avec une clause relative à la déclaration de copropriété.

CLAUSES POUR CONDOMINIUMS

Cette promesse d'achat est conditionnelle:

- À toutes vérifications et inspections, pendant et après la construction. Le tout à mon entière satisfaction.
- À un test d'insonorisation, dont les normes devront se situer entre 56 et 60 décibels pour le bruit aérien et 70 décibels et plus pour le bruit d'impact.
- À mon entière satisfaction en ce qui a trait aux règlements de la déclaration de copropriété.
- À ce que le notaire instrumentant retienne 15 % du prix de vente, pendant trente jours après la fin des travaux.
- Au notaire de mon choix.
- À cette promesse d'achat, j'ajoute (inscrivez la liste des extras que vous souhaitez obtenir).

Si l'une ou l'autre de ces conditions n'est pas respectée, la promesse d'achat deviendra nulle et non avenue et mon dépôt devra m'être remboursé sans aucune pénalité, ni frais d'aucune sorte. Sans aucun recours de part et d'autre.

La clause ci-dessus mentionnée est une suggestion pour rédiger votre promesse d'achat et ses avenants.

Je dois vous informer que le constructeur ou le promoteur peuvent notifier vos conditions sur une annexe (une autre feuille à part du document original). N'oubliez pas de conserver une copie signée par le promoteur. De plus, vérifiez sur l'annexe si celle-ci fait référence à la promesse d'achat fait en date du _____, par _____ (inscrivez votre nom) et qui concerne l'appartement n°___ du projet situé au _____(adresse). La raison est bien simple. Le constructeur doit avoir vendu près de 50% des unités avant même de commencer à construire. Son institution financière n'acceptera pas cet appartement comme étant vendu, car très souvent les déboursés du prêt de construction sont émis en fonction du nombre de ventes. Une promesse d'achat conditionnelle n'est pas considérée comme étant une vente réelle. N'oubliez pas de demander une insonorisation spéciale pour un mur mitoyen ou la porte d'entrée de l'appartement, si ceux-ci sont en relation directe avec une chute à déchets, une cage d'escalier, l'ascenseur, la porte du garage ou la ventilation sur le toit. Pour la porte de garage, demandez que le plancher et le mur extérieur soient davantage insonorisés, si votre appartement se trouve juste au-dessus. Faites de même, si vous souhaitez acheter au dernier étage. Demandez que le plafond et le mur extérieur soient davantage insonorisés.

POUR LES MAISONS NEUVES:

Je vous suggère de faire votre recherche tel que spécifié au chapitre sur les terrains et les propriétés avant d'écrire votre promesse d'achat. Les clauses conditionnelles qui vous protègent concernant la construction des maisons neuves sont les mêmes que pour celles des condominiums neufs, exception faite de la déclaration de copropriété. Vos exigences concernant l'insonorisation devront se porter sur les murs mitoyens pour le bruit aérien lorsque votre propriété est jumelée.

De plus, n'oubliez pas de faire retenir 15 % du montant de la vente pendant trente jours après la fin des travaux, afin de vous protéger contre les hypothèques légales enregistrées par des fournisseurs non payés. Ou encore, exigez que le constructeur vous remette par écrit une renonciation de toute hypothèque légale et ce, de la part de tous les fournisseurs et sous-traitants.

Dans le cas des maisons neuves, en ce qui concerne les clauses conditionnelles, vous devez ajouter un délai pour vos recherches et inspections. Ce délai peut être de quinze jours. Le délai commencera à la date de l'acceptation de votre promesse d'achat. Vous devez également exiger un autre délai à l'intérieur du premier, afin que le constructeur vous remette la liste des marques et numéros de modèle de tous les matériaux utilisés. Sinon, il peut vous faire attendre très longtemps et vous oublierez de vérifier ces détails importants. **Souvenez-vous que ce sont les matériaux utilisés qui font toute la différence entre une maison de carton et une autre solide comme du roc.** Après vérification, vous pourrez faire enlever cette condition, exception faite pour la retenue du 15 % après la fin des travaux. Pour *les condominiums en construction,* il n'est pas nécessaire d'inscrire un délai. Vous enlèverez vos conditions au fur et à mesure que vos clauses seront respectées et que vous en serez satisfait. Exception faite pour la retenue de 15 %.

Toute est une question de négociation. Un constructeur dont la réputation est solide, qui est en affaires depuis vingt ou trente ans, toujours sur le même nom, est moins à risque qu'un autre qui en est à ses premiers balbutiements. Des constructeurs consciencieux, il en existe, mais ne prenez aucune chance, faites quand même votre recherche.

Chapitre VI

Les propriétés à revenus

Acheter une propriété à revenus de nos jours n'est pas une sinécure, davantage lorsque l'expérience en ce domaine n'est pas au rendez-vous et que l'individu achète pour la première fois. Mais ce qui est formidable, c'est que tout s'apprend avec un peu de patience et de temps. Il s'agit d'être prudent et de ne pas sauter à pieds joints dans le premier immeuble rencontré. Vous souvenez-vous lorsque mon associée et moi voulions acheter des propriétés «vente pour taxes». Nous avons étudié le processus pendant un an avant d'acheter. Je ne vous demande pas d'attendre aussi longtemps, mais prenez quand même le temps d'en visiter et d'en analyser plusieurs avant d'acheter. Des «deals» il y en aura toujours.

Il n'y a pas si, longtemps ce genre de propriété s'achetait en tenant compte des revenus qu'elle générait. Aujourd'hui, on ne sait plus trop sur quoi se baser pour faire une offre. Jadis, on se basait sur l'évaluation de l'immeuble et sur les revenus générés. Des immeubles se sont vendus jusqu'à dix fois les revenus. Aujourd'hui, on achète en bas de l'évaluation municipale et, lorsqu'un vendeur reçoit trois à quatre fois les revenus, c'est un bon prix. Ces immeubles furent payés beaucoup trop cher et furent également hypothéqués au-dessus de leur valeur. Croyez-moi, ce n'est pas parce qu'un immeuble possède une hypothèque élevée qu'il vaut le prix demandé. Très souvent, ça ne vaut pas plus que l'hypothèque existante et quelques fois, cela vaut moins que celle-ci. Lorsqu'une crise économique arrive, comme dans les années 1989, ceux qui ont payé trop cher ne tiennent pas le coup très longtemps. Souvent, ils en perdent leur chemise. Dans une situation pareille, l'immeuble devient vite un fardeau financier trop lourd pour son propriétaire, à cause des coûts trop élevés, des frais d'exploitation, d'administration, de gestion, de perte de loyer... etc.

Je vous suggère d'éviter toutes formes d'achat de «*sociétés en commandite*». Le risque est trop élevé. Je connais plus d'individus qui ont perdu une fortune que ceux qui ont fait de l'argent dans ce genre d'investissement. Fortement à déconseiller. Ne vous laissez pas influencer par ce genre d'investissement qui semble génial et alléchant. On incite souvent les gens à se regrouper pour acheter un édifice à logements multiples. Laissez cela aux spéculateurs. Ils connaissent le jeu et, eux, sont capables financièrement de prendre ce genre de risques. Peut-être pas vous. Je vous assure qu'ils perdent de l'argent presque à tous les coups.

Un de mes amis a joué presque toute sa vie dans l'acquisition d'immeubles à revenus. Il m'a un jour donné sa définition entre «l'investisseur et le spéculateur». Sa définition concorde très bien avec la mienne.

L'INVESTISSEUR est celui qui achète un immeuble et espère le revendre dans dix ou vingt ans avec un profit de \$\$\$\$\$.... Il est patient et, selon lui, cet achat constitue un placement.

LE SPÉCULATEUR par contre, c'est celui qui achète un immeuble et espère le revendre avec un profit de \$\$\$\$\$\$\$\$\$\$\$...... avant même de l'avoir notarié (ou du moins le plus vite possible).

Moi, j'ajouterais à sa définition que, dans le premier cas l'investisseur n'achètera pas sur un coup de tête. Il prendra le temps d'analyser la bâtisse sur toutes ses coutures. Il fera une projection des revenus à long terme. Il calculera son taux de rendement par rapport à l'argent investi. De plus, il choisira la bâtisse avec soin. Il l'entretiendra soigneusement, protégeant ainsi son investissement.

Dans le deuxième cas, le spéculateur achète sur un coup de dés. Il ne se préoccupe pas de la condition de la bâtisse. Il ne veut pas l'entretenir. Très souvent, il l'achète sans même l'avoir visitée. La transaction se fait très rapidement. Tout ce qu'il veut, c'est la revendre avec profit et très vite.

C'est de ce genre de transaction dont il faut vous méfier. L'immeuble est souvent greffé de plusieurs hypothèques. Il s'est probablement vendu plusieurs fois. La plupart du temps cet immeuble est dans un état pitoyable, ce qui n'est pas toujours visible à l'œil nu. Un immeuble camouflé de ses imperfections, cela existe en masse.

Lorsque votre intention est d'acheter un immeuble à logements multiples et que vous croyez avoir trouvé ce que vous cherchez, avant de prendre trop de temps à inspecter la bâtisse, faites d'abord votre recherche au Bureau de la publicité des droits. Vous allez certainement trouver, à cet endroit, des informations pertinentes qui vous feront peut-être changer immédiatement d'idée. **Voir le chapitre sur les propriétés et les terrains pour votre recherche.**

Une fois que vous avez fait votre recherche, que vous avez examiné à la loupe la propriété, que vous avez pris des notes et que vous avez en votre possession les documents relatifs aux dépenses (taxes, frais d'entretien et d'exploitation, assurances, hypothèque...) et aux revenus (les copies des baux) ; une fois de retour à la maison et à tête reposée, faites vos calculs. Soyez circonspect. Contrefaire des factures et des baux, c'est courant. Gardez toujours à l'esprit que toutes les informations peuvent être faussées. C'est à vous de découvrir le vrai et le faux. Les gens ne lisent pas intégralement les papiers et passent souvent à côté d'informations importantes. Même une facture peut déceler des informations pertinentes.

J'ai déjà vu des gens prendre pour acquis un compte de taxes vieux de cinq ans. Ils n'ont regardé que le montant des taxes et n'ont prêté aucune attention à l'année. Des baux et des revenus falsifiés, ça existe. Bien entendu, vous pouvez toujours revenir contre le vendeur. Mais, à quel prix !

Lorsque vous avez visité plusieurs bâtisses, vous allez certainement vous rendre compte que deux bâtisses similaires peuvent avoir des revenus et des dépenses complètement différents. Il est important de tenir compte de certains détails. Dans un cas, c'est le vendeur qui entretenait sa bâtisse. Il s'occupait de tout lui-même (collecter les loyers et réparer tout ce qui cloche), tandis que dans l'autre, tout était fait par une tierce personne. Donc, dans le premier cas, les dépenses sont plus basses que dans l'autre. Si vous n'avez pas l'intention de faire vous-même vos travaux de rénovation et d'entretien, ni la gestion et l'administration, calculez-en les coûts.

Un immeuble où le chauffage et l'électricité sont payés par les locataires est plus avantageux comme achat qu'un immeuble dont ces dépenses incombent au propriétaire. C'est la même chose pour les appartements munis d'appareils ménagers et de meubles. Tenez compte dans vos calculs de la dépréciation de ceux-ci ainsi que de leur remplacement éventuel.

Lorsque vous faites votre offre d'achat, n'oubliez pas d'inscrire les clauses qui vous protégeront. Exemple:

Cette promesse d'achat est conditionnelle.

- À la vérification de tous les documents concernant les revenus et dépenses de l'immeuble. (Ces documents devront être remis à l'acheteur, au plus tard, trois jours après l'acceptation de cette offre d'achat.)

- À l'inspection de la bâtisse. (L'acheteur se réserve le droit de visiter tous les appartements sans exception). Sur avis de vingt-quatre heures, l'acheteur peut faire inspecter l'immeuble par des spécialistes en ce domaine, autant de fois qu'il le désire.

- Ces conditions sont valables pour un délai de trente jours ouvrables, à compter de la date d'acceptation de cette promesse d'achat, soit le _____ du mois de _____ année.

- À la fin ce délai, l'acheteur devra aviser par écrit le vendeur de son intention d'acheter et ladite promesse d'achat deviendra ferme et irrévocable et/ou de son intention de résilier sa promesse d'achat. Dans ce cas, cette promesse d'achat deviendra nulle et non avenue et tous dépôts devront être remboursés. Ce, sans aucuns frais ni pénalités d'aucune sorte. Sans recours de part et d'autre.»

C'est au moment où vous faites votre promesse d'achat que le jeu des négociations entre en action. Offre, contre-offre, contre-contre-offre et ainsi de suite jusqu'à ce que survienne une entente propice aux deux parties. En aucun cas, vous ne devez céder sur les conditions tant et aussi longtemps que vous n'avez pas entièrement terminé votre recherche et vos inspections. Peu importe le temps que vous prendrez pour les négociations. Il ne faut jamais être trop pressé d'acheter.

Si vous vous êtes rendu au Bureau de la publicité des droits avant de faire votre offre conditionnelle, vous connaissez donc l'histoire de l'immeuble et les prix de vente antérieurs de cette bâtisse. Cela devrait vous guider dans votre prix de départ. Quelquefois, il est bon de donner un choc au vendeur en faisant une offre basse, surtout si celui-ci demande un prix exagéré. Ce choc peut le ramener à la réalité. Je vous suggère de commencer avec «trois fois le montant des revenus» et d'augmenter lentement s'il y a lieu. Bien entendu, il faut se servir de son jugement. S'il s'agit d'un édifice en béton armé impeccablement entretenu, dont tous les logements sont loués et qui rapporte un bon revenu, vous pouvez commencer un peu plus haut. Plus haut de cinq fois le revenu, cela commence à être risqué. Pour acheter à six fois les revenus, il faut que cet immeuble soit «la crème des crèmes». Si ce n'est pas le cas, abstenez-vous!

Lorsque vous êtes dans le vif des négociations, le truc, c'est de donner un court délai au vendeur pour vous répondre et de demander un délai plus long pour votre réponse. Si vous arrivez à obtenir cela, vous deviendrez très vite un expert. Cet exercice a pour but de vous donner du temps afin de bien réfléchir à votre acquisition et de refaire vos calculs. Par contre, il est convenable d'accorder le même délai à chacun.

Vous vous êtes entendu sur le prix, sur le mode de financement, alors, vous êtes enfin prêt à continuer vos recherches et vos inspections. N'oubliez pas de faire votre chèque de dépôt au nom de votre notaire. Exception faite pour un vendeur qui finance (balance de vente), en partie ou en totalité, la transaction. Il a le droit d'exiger de prendre son notaire. Il protège ainsi son investissement. Par contre, ne jamais libeller un chèque uniquement au nom du vendeur. Vous devez également ajouter le nom du notaire «en fidéicommis».

Lorsque le vendeur vous remet l'état des dépenses, les factures et les baux pour votre étude, *vous devez les scruter à la loupe. Lorsque vous vérifiez les factures, observez de quelle réparation il s'agissait, la date de celle-ci, le taux horaire et le coût des matériaux utilisés.* Voyez si cela a du sens. Il y a souvent falsification des factures. Il existe souvent deux catégories de facturation, celle montrée pour fin d'impôt et une autre qui est souvent réservée pour l'acheteur. Demandez à vérifier les livres comptables et le livret de dépôt des loyers. La plupart des gens ne pensent pas à les demander. Un vendeur qui ne remplit pas, dans un livret de dépôt bancaire, le montant des loyers qu'il dépose surtout lorsqu'il a plusieurs locataires, c'est louche! Je vous suggère également de discuter avec d'autres propriétaires d'immeubles à logements multiples. Si vous n'en connaissez pas, il est possible que des amis ou des voisins connaissent des gens possédant ce genre d'immeuble. Sinon, je vous suggère de vérifier auprès de l'Association des propriétaires du Québec (section immeuble) ou auprès d'un courtier en immeubles. Ainsi, vous aurez l'heure juste sur les dépenses d'un immeuble similaire. Comme je vous l'ai déjà dit, il arrive souvent qu'un propriétaire-vendeur, étant bricoleur ou à sa retraite, entretienne et s'occupe lui-même de son édifice. Si cela diminue ses coûts d'entretien et de gestion, cela ne veut pas dire qu'il en sera de même pour vous. Il est entendu que si vous n'avez aucun talent pour le bricolage, cela va vous coûter plus cher pour entretenir et gérer cette bâtisse qu'il n'en coûte à l'actuel proprio.

POINTS IMPORTANTS À NE PAS OUBLIER

➢ Le concierge touche-t-il un salaire en plus d'avoir droit à son loyer?

➢ Est-ce un surintendant qui fait la cueillette des loyers?

➢ Il ne faut jamais oublier que, dans ce genre d'édifice, il y a toujours quelques choses à réparer ou à refaire (des comptoirs de cuisine à changer, de la tuyauterie à réparer, des tapis à changer ou à nettoyer, de la peinture à refaire).

☛ Il faut toujours tenir compte de ces détails dans vos dépenses, cela sans parler des problèmes inhérents à une fournaise défectueuse, une porte de garage bloquée, un ascenseur en panne ou à un système d'alarme qui retentit à tout moment.

☛ Prenez note que si vos alarmes se déclenchent trop souvent, vous payerez une amende!

☛ Il vous faut également prendre en considération des locataires qui désertent pendant la nuit et vous laissent avec un appartement qui ressemble à un champ de bataille, ainsi que des loyers impayés.

☛ Prévoyez également dans votre budget, des loyers en retard, et des chèques en bois, qui rebondissent de temps à autre.

☛ Ayez en permanence dans votre compte bancaire un fonds de réserve important pour contrer à tous ces désagréments. Les locataires peuvent se permettre de vous faire attendre mais la banque, elle, n'attendra pas!

☛ Il est important de prévoir de tels événements dans vos dépenses. Cela diminue encore la rentabilité de l'immeuble.

Vérifiez chacun des baux attentivement. Je vous suggère de prendre des notes pertinentes. Inscrivez-les sur un papier que vous fixerez sur chaque bail. Cette méthode vous permettra de sauver du temps lorsque vous rencontrerez les locataires un par un. **C'est primordial de les rencontrer.**

INFORMATIONS PERTINENTES À NOTER CONCERNANT LES BAUX

> **La durée du bail.**
> **Le montant du loyer.**
> **Les clauses spéciales.**

Le but de l'exercice est de faire parler les locataires. Il est important de bien vous présenter à ceux-ci. Soyez gentil, ayez un beau sourire et écoutez-les. Ils doivent sentir que vous êtes là pour améliorer leur sort et régler les lacunes inhérentes à leur logement, et non pour les brimer ou les incommoder.

QUESTIONS AUX LOCATAIRES.

- Vous habitez dans cet immeuble depuis longtemps?
- Êtes-vous satisfait de votre logement?
- Quelles sont les améliorations que vous aimeriez que nous apportions dans votre appartement? Dans l'immeuble?
- Avez-vous reçu des augmentations de loyer depuis votre arrivée? Si oui, de quel ordre?
- Prévoyez-vous déménager lors du renouvellement de votre bail? Dans l'affirmatif, pourquoi?
- Combien payez-vous par mois pour votre loyer?

- Avez-vous reçu des mois de loyer gratuits lors de votre emménagement dans cet immeuble ou lors d'un renouvellement de votre bail?
- Ces mois de gratuité correspondent-ils au même montant de loyer que ce que vous payez actuellement?
- Y a-t-il des promesses qui vous ont été faites?

Profitez de votre rencontre pour examiner attentivement les lieux. Un édifice où on loue des logements meublés occasionne également des coûts supplémentaires à l'acheteur. Vérifiez l'état de cet ameublement. Le fait de poser toutes ces questions et d'examiner la condition de chacun des logements permet d'avoir une idée plus juste des informations données par le vendeur. Il est possible qu'un locataire résidant dans l'immeuble depuis longtemps n'ait pas subi de hausse de loyer ou qu'un bail ait été rédigé pour une durée de deux ou trois ans sans augmentation. Il est intéressant que vous le sachiez.

Là où l'acheteur est le plus susceptible de se faire avoir, c'est lorsque le propriétaire détermine avec le locataire un faux montant au bail, un montant qui évidemment favorise, à la hausse, les revenus annuels de l'immeuble. Voici comment on procède. Supposons qu'un 4½ se loue habituellement 400,00$ mensuel. Multipliez ce montant par 12 mois, vous obtiendrez un revenu annuel 4,800$ dollars, pour cet appartement. L'immeuble possède douze logements de 4½. Ce qui fait 12 X 4 800$ = 57 600,00$ dollars par année. Le propriétaire peut s'entendre avec un ou plusieurs locataires en leur offrant de louer au même montant annuel. Cependant, le loyer peut être réparti comme suit: les quatre premiers mois, le locataire ne paie aucun loyer et les huit autres mois le loyer sera de 600$ dollars par mois au lieu de 400$ dollars.

Le calcul donne 600,00$ X 8 mois = 4 800,00$

Voyez le montant du revenu annuel de l'appartement est le même.

- 400$ X 12 mois = 4,800$ dollars
- 600$ X 8 mois = 4,800$ dollars

J'exagère l'exemple afin que vous compreniez bien. Supposons que le propriétaire fasse le même scénario avec tous les locataires. Ce serait un coup de maître! Tout est possible pour les génies de la fraude. Pour le locataire, cela ne change rien. Regardons ce que cela rapporte au propriétaire lorsque celui-ci vend sa bâtisse.

Revenu réel :

> ➤ 12 logements X 4 800,00$ par année = 57 600,00$ de revenu annuel.

> ➤ 57 600,00$ X 3 fois les revenus = 172 800,00$ prix de vente.

Revenu falsifié :

> ➤ Un logement à 600,00$ par mois X 12 mois = 7 200,00$ par logement, par année.

> ➤ Douze logements X 7 200,00$ par année = 86 400,00$ de revenu annuel.

> ➤ 86 400,00$ de revenu annuel X 3 fois les revenus = 259 200,00$ prix de vente.

Le propriétaire encaisse:

> 259,200.00$ - 172,800.00$ = 86,400.00$ dollars de plus que la valeur réelle de la bâtisse

Il ne faut pas oublier que personne n'est au courant du fait que le locataire n'a pas payé de loyer pendant quatre mois. Le vendeur n'est pas assez fou pour inscrire au bail quatre mois sans paiement de loyer et huit mois à 600.00$. Le bail mentionne 12 mois à 600$ dollars. L'entente avec le locataire se fera sur un document isolé du bail. Il est certain qu'il ne peut opérer ainsi avec tous les locataires et que les montants cités en exemple peuvent être plus bas. Ce que j'essaie de vous faire comprendre, c'est qu'il ne faut qu'un ou deux appartements pour aller chercher un montant alléchant. Certains propriétaires sont tellement rusés qu'ils peuvent convenir avec le locataire d'appliquer la gratuité sur les quatre derniers mois du bail. Qui alors récoltera les problèmes de cette généreuse donation? L'acheteur! C'est-à-dire **_VOUS._** Cependant, vous avez des recours auprès de la Régie du logement. Exception faite: des coopératives d'habitation, la Régie n'accepte aucune autre clause que celles rédigées sur le bail. Mais, imaginez l'aria! Sans parler du froid qui peut s'installer entre vous et vos locataires. Croyez-vous que ceux-ci vont rester, lors du renouvellement du bail? Un locataire n'acceptera jamais de payer 600$ par mois lorsque son logement n'en vaut que 400$.

UNE AUTRE BONNE RAISON DE VISITER CHACUN DES APPARTEMENTS. °

Sur les détails descriptifs que le vendeur vous a remis, il a peut-être mentionné que deux ou trois logements sont vacants. Dans la réalité, il se peut qu'il y en ait le double ou plus encore. Dans ce cas, le vendeur remet à l'acheteur des faux baux avec des noms fictifs. C'est inimaginable le nombre d'acheteurs qui acquièrent sans visiter chacun des logements. Ils prétendent ne pas avoir le temps. Il peut également arriver que ce soit le vendeur qui essaie de vous convaincre de ne visiter qu'un modèle de chaque logement. Il donnera probablement pour raison qu'il ne faut pas apeurer les locataires avec cette vente éventuelle. C'est à vous d'exiger de visiter tous les appartements. Ne vous demandez pas pourquoi il y a autant de litiges qui traînent en Cour à propos de l'immobilier. Vous connaissez la réponse. Imaginez la scène! Vous achetez de bonne foi un immeuble à logements multiples. Après avoir légalisé votre transaction au bureau du notaire, vous vous rendez compte que l'immeuble est à moitié vide. De plus, parmi les locataires qui restent, il y a eu des modifications du prix du loyer. Si cela ne vous provoque pas un mal de tête carabiné, moi, je l'ai pour vous! Il vous reste toujours un recours en justice, car vendre un bien en omettant volontairement de déclarer tous les tenants et aboutissants des états financiers constitue une fraude commerciale. Encore là, quel cauchemar! Que de temps, d'argent et d'énergies perdus! Ce n'est certainement pas ce à quoi vous espérez quand vous prenez bâtisse.

Lorsque vous visitez les logements, les gens aiment parler et être écoutés. Ils se feront un plaisir de vous défiler tous les défauts de l'immeuble. Encore là, vous devez avoir une juste mesure, car certains exagèrent les choses. Personne d'autre que vous-même ne peut déceler une telle tromperie. Donc, soyez vigilant, car plusieurs vendeurs ont plus d'un tour dans leur chapeau. Lorsqu'un tel drame arrive et vient bouleverser la vie d'un individu, qui, du vendeur ou de l'acheteur, est le plus fautif? Est-ce le propriétaire-vendeur qui fraude? Ou l'acheteur, insouciant et naïf? À vous de répondre.

Si vous n'êtes pas familier avec ce genre d'immeuble, faites appel à un ingénieur-conseil quand viendra le temps de faire inspecter la bâtisse. Quant aux autres recherches à faire sur l'immeuble, voir le chapitre sur les propriétés.

Seul votre jugement, votre intuition, la qualité de votre recherche, une fouille scrupuleuse feront que cet immeuble puisse être un investissement rentable.

FAITS VÉCUS

Voici l'histoire d'un spéculateur qui, à trois reprises, devint millionnaire, et qui, à trois reprises, perdit tout. Une maxime que j'aime bien va comme un gant à l'histoire de cet homme et de bien d'autres. *«LA VALEUR NE FAIT PAS LE PAIEMENT».*

Cet homme avait plus de trois cents unités de logements. Il œuvrait dans l'achat d'immeubles à revenus et de terrains depuis des décennies. Il avait acquis une expérience qui l'avait rendu très confiant en lui-même. Même si la confiance en soi constitue une qualité à acquérir, cette qualité peut vite se transformer en un défaut. Ma définition d'un défaut est très simple *«c'est une qualité exagérée».* Pour en revenir à mon ami, les nombreuses affaires qu'il brassa au fil du temps lui valurent le titre de millionnaire. Il est très rare que cette catégorie d'acheteurs se sente menacée. Par leurs expériences, ils se croient à l'abri des fraudes ou des tours de passe-passe. Ils se sentent assez forts pour affronter l'intrus et désamorcer ses plans d'action.

Habituellement, lorsqu'un spéculateur achète, c'est qu'il est en face d'une aubaine incroyable lui permettant de réaliser rapidement un profit considérable. D'où son empressement à acheter rapidement. Un procédé souvent utilisé par certains individus est d'hypothéquer au maximum l'immeuble qu'ils viennent d'acquérir avant de le revendre. Ce surplus d'argent leur permet de repartir immédiatement à la conquête d'une autre bonne affaire. Ces personnes se retrouvent très souvent avec des actifs de plusieurs millions de dollars. Comme les profits sont presque toujours réinvestis, ils n'ont souvent que très peu de liquidité. Alors quand arrive un pépin, ils se retrouvent le bec à l'eau.

Mon ami me raconta qu'en 1990, il acheta un immeuble de trente logements qu'il paya 600,000.00$ dollars. Un spéculateur n'achète jamais, ou du moins rarement, en son nom personnel. Il fit donc son offre d'achat au nom d'une corporation. Les propriétaires-vendeurs de cet immeuble étaient au nombre de huit personnes, parmi lesquelles se trouvait un notaire qui était également spécialisé en droit. Celui-ci était mandaté par ses autres associés pour conclure la transaction avec mon ami. Ce notaire signifia à l'acheteur que six des appartements de l'immeuble étaient vacants. Mon copain eut entière confiance en cet homme, étant donné son statut professionnel. Donc, il ne visita aucun des appartements. Première erreur. De plus, la mère du notaire était créancier hypothécaire de deuxième rang sur l'immeuble. Or, il avait été prévu sur la promesse d'achat que cette créance soit transférée au nouvel acquéreur.

L'acheteur, en toute confiance, remit entre les mains du notaire, qui était également partie prenante dans la transaction, toutes les procédures de transfert d'hypothèques. Cela incluait également celle conclue de premier chef avec l'institution financière. L'acheteur commit donc sa deuxième erreur. On ne laisse personne faire pour soi la demande d'assumer une hypothèque. Pas même un notaire. Il y a plusieurs années, l'acheteur n'avait pas besoin de se rendre à la banque lorsqu'il assumait une hypothèque déjà existante. Le transfert se faisait automatiquement, puisque le vendeur restait toujours responsable du prêt. Seule une nouvelle demande d'hypothèque libère le vendeur de toutes responsabilités envers le créancier hypothécaire. Aujourd'hui, les banques ont changées leur fusil d'épaule. Le nouvel acquéreur doit être accepté par la banque, lorsque celui-ci assume une hypothèque. Cela, même si le vendeur demeure toujours responsable du prêt.

Voici le scénario relaté par mon copain sur ce qui c'est passé. Selon mon ami, qui était aussi l'acheteur, le notaire prit peur en ce qui concerne le remboursement de la deuxième créance. Créance qui, ne l'oublions pas, appartenait à sa mère. Sa peur résultait d'une omission volontaire envers l'acheteur. Cet immeuble contenait treize appartements vacants, et non six, tel qu'inscrit à l'offre par le vendeur, ce qui changeait la valeur de l'immeuble. Presque la moitié de l'édifice était vide. Il avait remis à l'acheteur de faux baux.

Toujours selon la version de mon ami, le notaire avait déjà son plan d'action en tête. Il connaissait la loi du bout de ses doigts, car il était avocat avant de changer d'orientation. D'ailleurs, il enseignait le droit. Ce notaire croyait que l'acheteur possédait une grande liquidité. Il savait que l'acheteur ne tarderait pas à découvrir très vite le pot aux roses. Lorsqu'il s'occupa du transfert des hypothèques, il engagea également l'épouse de l'acheteur et cela sans le consentement de mon ami. Celle-ci n'avait strictement rien à voir dans cette transaction! Donc, l'épouse de mon ami venait d'acquérir 50% de la propriété. Les prêts hypothécaires furent établis en fonction d'un endossement personnel et conjoint, et non au nom de la corporation, tels qu'indiqués à l'offre d'achat.

Le notaire utilisa une ruse qui, à mon sens, est dégueulasse. Il devait agir rapidement avant que l'acheteur découvre ce qu'il avait fait. Il téléphona à l'épouse de l'acheteur pour l'informer de l'acquisition que venait de faire son mari. Il lui annonça que son époux souhaitait lui faire un cadeau et lui offrait un partenariat, à part égale, sur la valeur de l'immeuble. Il lui demanda donc de se présenter au bureau d'un de ses collègues vers 16 heures pour légaliser le document. (Un notaire qui est partie prenante dans une transaction n'a pas le droit de rédiger ni de compléter sa propre transaction). Ensuite, il téléphona à l'acheteur et lui donna rendez-vous à 18 heures. Lorsque celui-ci arriva au bureau du notaire, il se rendit compte que le nom de sa femme était sur les documents. Celle-ci les avait même signés. Il se retrouva alors devant le fait accompli. S'il refusait de signer, cela voulait dire qu'il ne voulait pas donner 50% de son acquisition à son épouse. Il aurait eu droit, alors, à une scène de ménage incroyable! De plus, il perdrait la transaction. Alors, il signa en se disant qu'il arrangerait la situation par la suite. Dans les jours qui suivirent, ils conclurent la transaction. Il venait de signer son arrêt de mort.

Avant de continuer, il est intéressant de comprendre pourquoi il est avantageux d'acheter au nom d'une corporation, et même d'en avoir plus d'une, lorsqu'un individu possède plusieurs immeubles. En achetant divers immeubles au nom de différentes corporations, l'acheteur se protège personnellement. De plus, il protège ses autres investissements contre les coups durs qui peuvent survenir lors d'une mauvaise acquisition. Lorsqu'un de ses immeubles lui fait perdre beaucoup d'argent, il met la corporation qui détient cet immeuble en faillite. Cela n'affectera aucunement son nom personnel ni les autres corporations. Inversement, dès qu'un individu est en faillite personnelle, toutes ses corporations sont affectées. En endossant personnellement l'achat de cet immeuble, mon ami venait de mettre en péril tous ses autres immeubles détenus par des corporations. En tant que notaire et avocat, le vendeur connaissait bien cette façon de procéder. Voilà probablement la raison pour laquelle il demanda un endossement personnel non seulement de mon ami, mais également de son épouse.

Deux mois plus tard, le chat est sorti du sac. Les loyers ne rentraient toujours pas. C'est alors que l'acheteur découvrit qu'il s'était fait avoir. Il cessa de payer le versement de la deuxième hypothèque appartenant à la mère du notaire. Il croyait ainsi forcer le vendeur à prendre une entente monétaire à l'amiable. Une entente aurait été la meilleure solution pour les deux parties. Le notaire, se croyant fin renard, ne vit pas la chose de la même façon. Il prit immédiatement une action contre l'acheteur. À cet effet, il fit appel à un juge retraité, âgé de soixante et onze ans et à moitié sénile. Le vendeur se servit de son action pour pétitionner (faute logique par laquelle on considère comme admis ce qui doit être démontré) en faillite personnelle le couple d'acheteurs. Cela n'avait aucun sens. Quinze jours plus tard, le juge ne se souvenait même pas d'avoir statué sur ce jugement !

Je viens d'apprendre que n'importe qui ou presque peut pétitionner un individu s'il le souhaite et le foutre en faillite. Même une personne à qui cet individu ne doit rien. Il s'agit de faire une demande à la Cour.

Il faut lui mentionner que telle personne *possède deux dettes dues et exigibles et qu'elle ne peut les rembourser.* N'allez pas trop vite, si vous avez une dent contre quelqu'un. Il y a quand même des frais qui s'y rattachent ainsi qu'une bonne raison valable. Dans ce cas, le juge a statué immédiatement un jugement de faillite. Nous avons de drôle de lois, ne croyez-vous pas? Il est toujours possible d'aller en appel et de faire renverser le jugement. Mais le délai requis, aussi court soit-il, est déjà trop long. Lorsqu'un tel jugement est émis par la Cour, le mal est déjà fait. Surtout pour un individu qui possède plusieurs immeubles et très peu de liquidité.

Alors, le couple d'acheteurs se retrouva instantanément en faillite, sans même avoir eu le temps de se défendre. Lors d'une faillite personnelle, toutes les corporations, les biens, les avoirs et l'argent de la personne se retrouvent saisis et entrent les mains du syndic. Les nouvelles se propagent rapidement dans le milieu de l'immobilier. Toutes les balances de vente (créances hypothécaires) que mon ami possédait à son actif (grâce à la vente d'anciens immeubles, et dont les montants recevables atteignaient près d'un demi-million de dollars) se sont envolées en fumée. Il perdit tout du jour au lendemain, incluant sa femme, qui demanda le divorce après que le juge eut corrigé le jugement en sa faveur, la libérant ainsi de son cauchemar. Elle ne supporta pas que son nom soit compromis à cause d'une faillite, même si dans son cas, cela ne dura que quinze jours. Elle qui n'avait jamais eu de dettes! Ce jugement n'aurait jamais dû avoir lieu. Mon copain n'avait pas de dettes dues et exigibles. Le notaire avait bien monté son dossier.

Pour mon ami, ce fut différent. Il n'alla pas en appel et continua la faillite. Le notaire n'avait pas prévu cette éventualité. Trop de gens étaient au courant de la faillite. Tous ceux qui lui devaient de l'argent, sous forme de créance hypothécaire, refusèrent de payer. Le malheur des uns fait le bonheur des autres. Ces gens étaient heureux d'augmenter l'équité de leur immeuble grâce à une créance qui s'envolait pour ne plus jamais revenir.

La guerre ne s'arrêta pas là. Lorsque le notaire obtint le jugement, le juge lui accorda également le droit de saisir les loyers de l'immeuble en question.

Mon copain voulant se venger alla en appel et s'organisa pour étirer la cause sur plus de dix-huit mois. Le notaire commit également une erreur. Lorsqu'il a reçu le droit de saisir les loyers, il les garda, espérant ainsi avoir le temps de rembourser la deuxième hypothèque, hypothèque qui appartenait à sa mère. Son erreur fut de ne pas payer la première hypothèque détenue par la banque. Celle-ci ne tarda pas à réagir. Elle se protégea en prenant une action contre les deux parties (vendeurs et acheteurs). Elle obtint un Bref de saisie des loyers. Le vendeur a eu le temps de collecter environ 15,000.00$ dollars, ce, sans payer la première hypothèque. Un montant qui ne lui servit pas à grand-chose et qui, selon mon ami, lui coûta des arrérages et des frais s'élevant dans les six chiffres, lorsque la banque a obtenu gain de cause. La banque ne pouvait rien contre l'acheteur, celui-ci étant toujours en faillite. Par contre, un notaire ou un avocat n'a pas le droit d'être en faillite sans perdre le droit de pratiquer. Alors, le notaire écopa également, tout comme mon copain. Tout le monde a perdu dans cette histoire. La solution idéale aurait été de vendre l'immeuble à sa juste valeur tout en donnant à l'acheteur l'heure juste. Mon ami aurait quand même acheté l'immeuble, tout en sachant que celui-ci était à moitié vide. Il était capable de renflouer l'immeuble de nouveaux locataires, assez rapidement.

Voici un autre cas. En 1979, une personne acheta un immeuble de douze étages ayant au total 123 logements. Après avoir rénové l'intérieur des appartements, elle a revendu l'immeuble. Dix-huit mois après l'acquisition par le nouveau propriétaire, le mur de briques des deux derniers étages de l'immeuble s'est effondré. Le nouvel acquéreur prit une action contre le vendeur de cet immeuble, ce qui est tout à fait logique. Mais, celui qui lui avait vendu l'immeuble l'avait également acheté d'une autre personne. Donc, il pouvait également intenter une action contre cette personne. Malheureusement pour lui, cet individu était en faillite. Comment peut-on prendre une action lorsqu'un individu est insolvable? Toutefois, le dernier acheteur obtint un jugement en sa faveur contre son vendeur et cela, après dix ans de procédures légales. Les travaux avaient coûté environ 22,000$ dollars, l'acheteur en réclama néanmoins 65,000$ dollars. Celui-ci se présenta en cour avec un expert chevronné qui démontra le défaut comme un vice caché. Alors, le juge accorda le montant demandé plus d'autres frais. Les coûts d'avocats et de Cour s'élevèrent à plus de 25,000$ dollars.

Que feriez-vous si une telle chose vous arrivait? Payeriez-vous ce montant? Iriez-vous en faillite? Dans ce cas, l'individu préféra la faillite. Donc, l'acheteur entama des frais inutilement. On sait quand commence un litige, mais on ne sait jamais quand il se termine, ni combien cela va coûter. Si, après avoir pris connaissance de ces faits, vous n'êtes pas encore convaincu qu'une recherche ainsi que l'analyse de la propriété s'imposent, alors je ne sais plus quoi vous dire, ni qui pourrait vous faire changer d'avis. Je veux porter à votre attention que deux personnes ont acheté cette bâtisse, à dix-huit mois d'intervalle, et que ni l'une ni l'autre n'ont vérifié quoi que ce soit. Une inspection de la bâtisse aurait probablement permis de déceler le défaut. Un mur ne tombe pas comme ça, sans en annoncer des signes évidents. Ce mur devait certainement être bombé et aucun des deux acheteurs n'a levé la tête pour vérifier la condition du mur.

Dans la première histoire, j'ai demandé à mon copain pourquoi il n'avait fait aucune recherche et aucune inspection de la bâtisse. Il n'a fait que passer devant celle-ci pour la regarder. Il me répondit que toutes les bâtisses sont pareilles, au niveau de la structure. Il ajouta qu'il n'avait pas le temps de commencer à visiter tous les appartements d'un immeuble, ayant trop de bâtisses à s'occuper. Il termina en disant «qu'il faut prendre des risques dans la vie».

Je suis d'accord avec lui sur le fait qu'il faut prendre des risques dans la vie, mais des risques calculés. Lorsqu'une personne a les moyens de courir des risques aussi importants, elle a sûrement les moyens de former un individu de confiance, apte à faire le travail à sa place. Ne serait-ce qu'un travailleur à contrat. Je crois qu'en agissant ainsi, mon ami se serait évité de gros problèmes et il ne se serait probablement pas retrouvé dans cette situation aujourd'hui. Après trois faillites importantes, j'espère qu'il a compris! Je ne suis pas inquiète pour lui, c'est un homme brillant qui sait retomber sur ses pattes très rapidement après un coup dur.

Chapitre VII

Conseils aux vendeurs

CONSEILS PRATIQUES POUR LES PROPRIÉTAIRES-VENDEURS

Le but de tout propriétaire-vendeur est de vouloir vendre sa propriété au meilleur prix possible. Pour ce faire, vous devez préparer votre maison en conséquence. Un petit coup de peinture sur les

balcons. L'ajout de fleurs sur le parterre. Peinturer l'intérieur de la maison d'une couleur

neutre, si cela est nécessaire. Réparer les petites imperfections. Bref, celle-ci devrait reluire comme un sou neuf. De plus, rangez ce qui traîne. Une pièce qui respire en est une qui n'est pas encombrée. Lavez les vitres, cela donne toujours une bonne impression.

Ensuite, je vous suggère de faire votre propre recherche de comparables. C'est-à-dire, prenez en note les propriétés à vendre dans votre secteur, ainsi que celles qui sont affichées, vendues. Procédez de la même façon qu'un acheteur. Voir le chapitre sur les propriétés pour connaître la manière de procéder pour la recherche. Dans votre cas, vous n'avez pas besoin de lire les actes notariés, vous pouvez seulement faire imprimer le rapport de vente des propriétés.

Vous devez maintenant choisir la façon dont vous souhaitez vendre votre propriété. Désirez-vous la vendre vous-même? Alors, je vous suggère de vous rendre dans une papeterie et d'acheter un formulaire qui s'intitule *«promesse d'achat»*. Ce document contient des formules légales. Vous pouvez l'utiliser en toute sécurité. Ensuite, il s'agit d'installer votre affiche **«À VENDRE»** visiblement sur votre terrain ou de l'accrocher aux barreaux du balcon ou encore, sur votre mur extérieur. L'important, c'est que l'affiche soit grande, au moins 2 pi X 4 pi., et le numéro de téléphone doit être lisible de loin. Donc, il est préférable d'acheter des autocollants avec de gros chiffres, plutôt que d'écrire le numéro de téléphone avec un crayon feutre. Vous devez maintenant choisir le style de publicité que vous ferez. Si vous ne savez pas trop quoi écrire dans votre annonce, lisez les petites annonces sous la rubrique «immobilier», cela vous donnera des idées. Lorsque vous serez prêt, je vous suggère de placer deux annonces dans les quotidiens et hebdomadaires à gros tirages. Une, sous la rubrique *«visite libre»* ; l'autre, sous la rubrique « ***propriétés à vendre»,*** en fonction du secteur.

Je vous donne un exemple pour cette dernière. Votre propriété se trouve «dans le secteur de Rosemont» donc commencer votre publicité en inscrivant sur la première ligne de votre annonce (en gros caractère gras) le secteur. Le caractère gras va démarquer votre annonce des autres et attirer l'attention ; pareil pour les annonces encadrées. Cette dernière coûte plus cher. Je vous suggère de ne pas trop donner de détails. Soyez bref et précis. Moins, vous donnerez de détails, plus vous recevrez d'appels. Lors d'un appel téléphonique, il est plus facile de convaincre la personne de se rendre sur place. Vendez votre salade avec enthousiasme, sans trop insister. Il faut que vous leur donniez le goût de se déplacer. Ne négociez jamais le prix au téléphone. Lorsqu'un acheteur vous demande, lors d'un appel, si le prix est négociable, dites-lui simplement de venir constater par lui-même la valeur de la propriété. Les visites libres permettent de vendre plus rapidement. Cependant, vous devrez sacrifier quelques dimanches. Les heures favorables sont entre 2 heures et 4 heures. Si vous optez pour les visites libres, ajoutez une autre affiche que vous pouvez placez au dessus de votre pancarte à vendre et qui indique la journée et l'heure de votre visite libre. Vous **OPEN 🏠 HOUSE** pouvez trouver ce genre de pancarte dans les magasins spécialisés. Je vous suggère également de préparer une description de la maison. Comme le font les agents immobiliers! (voir le tableau ci-joint) vous n'aurez qu'à le photocopier et l'agrandir.

- L'année de construction :
- L'évaluation du terrain :
- L'évaluation de la propriété :
- Total de l'évaluation :
- Le nombre de chambres à coucher :
- La superficie du terrain :
- Le carré de la maison :
- Les taxes municipales :
- Les taxes scolaires :
- La grandeur des pièces :
- Le prix :
- Le détail de l'hypothèque :
- Le sous-sol est-il fini? Écrivez-le. Ainsi que tous les autres détails concernant les points stratégiques et intéressants pour un acheteur.

Si vous avez une photo en noir et blanc qui met votre maison en valeur, faites un montage avec la description et la photo. Au centre de la photocopie, on va vous arranger ça. Il est bon que l'acheteur parte avec la description de votre maison et la photo de celle-ci. Cela ne coûte pas cher, pour cinq dollars, vous pouvez avoir près de 100 feuilles. Une feuille dactylographiée de 81/2 X 11 et la photo dans le coin supérieur de celle-ci. Maintenant, vous êtes prêt à recevoir les acheteurs. Il vous faut être accueillant, avoir un beau sourire, et

Secteur : _____

Adresse : _____

Année : _____

Prix de vente $ _____

Évaluation municipale

Propriété : $ _____
Terrain : $ _____
TOTAL : $ _____

Taxe municipale : $ _____

Taxe scolaire : $ _____

Revenu mensuel
_____ x _____ $ _____
_____ x _____ $ _____
_____ x _____ $ _____

Revenu annuel _____ $

Superficie :

Terrain : _____ x _____ p.c.
Superficie : _____

Propriété : _____ x _____ p.c.
Superficie : _____

Style de propriété : ☐ Unifamiliale ☐ Cottage ☐ Maison de ville
☐ Duplex ☐ Triplex ☐ Quadruplex
☐ Autre : _____

Description :

Nombre d'étages : _____
Nombre de pièces : _____

Sous-sol :
• Fini ☐
• Non fini ☐

Garage :
• Oui ☐
• Non ☐

Stationnement ext. :
• Oui ☐ ☐ Places _____
• Non ☐

Piscine : oui ☐ non ☐
• Creusée ☐
• Hors terre ☐

Chauffage : _____
Air climatisé central : _____
Thermopompe : _____
Autres : _____

Nombre de chambres à coucher : _____

Dimension chambre à coucher des maîtres : _____ x _____

Chambre à coucher #1 : _____ x _____
Chambre à coucher #2 : _____ x _____
Chambre à coucher #3 : _____ x _____
Chambre à coucher #4 : _____ x _____

Salle à dîner : _____ x _____
Salle de séjour : _____ x _____
Salle de jeu : _____ x _____
Salle d'eau : _____ x _____
Solarium : _____ x _____

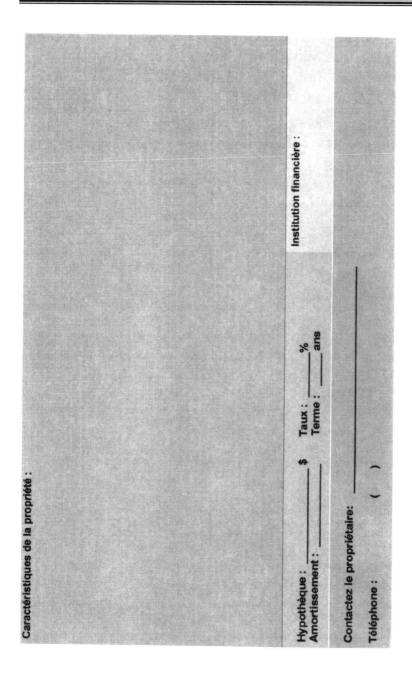

Caractéristiques de la propriété :

Hypothèque : _____ $

Amortissement : _____

Institution financière : _____

Taux : _____ %

Terme : _____ ans

Contactez le propriétaire: _____

Téléphone : (___) _____

suggérer aux gens de prendre leur temps et de bien examiner la propriété. Si la propriété comporte quelques petites réparations à faire, mentionnez-le. Surtout, n'oubliez pas d'ajouter les travaux à faire sur la promesse d'achat et faites signer l'acheteur de ses initiales à côté de chacun d'eux. Il vous faut avoir tous vos documents à portée de la main : **certificat de localisation, compte de taxes, la garantie des travaux que vous avez faits sur la propriété, factures etc.** Vous devez, lors d'une visite, allumer les lumières partout dans la maison, ouvrir les stores et les rideaux. Faites aérer la maison avant l'arrivée des visiteurs. Achetez-vous du sent-bon que l'on peut brancher dans les prises électriques. De plus, il est favorable de préparer quelques breuvages (thé glacé, café, jus) et quelques biscuits bien présentés sur la table avec peut-être un petit bouquet de fleurs fraîches.

Si vous choisissez d'utiliser les services d'un agent immobilier, faites-le avec soin. Il est préférable de choisir un agent qui travaille assidûment dans votre secteur. En vous promenant, observez les affiches d'agents immobiliers. Lorsque le nom d'un agent se retrouve en évidence sur plusieurs affiches dans votre secteur, c'est qu'il est très actif ; plus encore, lorsque sur ses affiches vous retrouvez un autocollant «vendu». Un agent qui ne s'éparpille pas trop dans différents secteurs de la ville est plus apte à bien vous servir. Travaillant presque continuellement dans le même secteur, il est en mesure de bien cibler son marché. Lorsque vous avez choisi votre agent, demandez-lui ce qu'il prévoit faire pour la vente de votre propriété et inscrivez tout ce qu'il vous dit sur le mandat. Je vous suggère de prendre un mandat «M.L.S.» car votre inscription sera vue par tous les agents de tous les bureaux de courtage. Demandez à votre agent s'il prévoit faire des visites libres et à quel rythme. Est-ce à tous les dimanches, ou deux fois par mois? Donnez-lui votre préférence. Demandez-lui, également, s'il prévoit organiser une caravane d'agents immobiliers afin de faire voir votre propriété par d'autres agents. Combien d'annonces prévoit-il mettre? À quel rythme? Quels sont les médias d'informations qu'il préconise? Tout ce qu'il vous promettra, inscrivez-le.

Si vous avez fait votre recherche sur les comparables, et j'espère que vous l'avez faite, comparez celles-ci avec celles de l'agent immobilier. Il est essentiel que vous ayez confiance en la personne que vous choisissez. Contactez-en plusieurs, s'il le faut. Comme je l'ai spécifié pour les acheteurs, n'ouvrez pas trop vite votre jeu. Plus vous parlerez de ce que vous êtes prêt à recevoir comme offre d'achat et plus les offres que vous recevrez seront au-dessous de ce que vous souhaitez obtenir. C'est normal ! N'oubliez pas que les agents immobiliers n'ont aucun salaire de base, ils ne sont payés que lorsqu'ils vendent. N'ayant aucun autre revenu, ils veulent vendent très vite. Alors, ils risquent d'attirer l'acheteur en lui disant que vous êtes très ouvert aux négociations.

Ne dites pas à votre agent qu'il est pressant que vous vendiez, quelle que soit la raison pour laquelle vous désirez vendre rapidement. Sauf, si vous êtes prêt à accepter n'importe quelles sortes d'offres. Encore là, c'est VOUS, le client, et personne ne peut vous forcer à accepter une offre. Ne vous laissez ni impressionner, ni manipuler, si vous croyez mordicus que le prix que vous voulez dans vos poches, après avoir payé la commission à l'agent, n'est pas exagéré. Attendez alors votre prix. Si l'agent ne respecte pas votre choix et qu'il vous apporte une offre au-dessous de ce que vous voulez obtenir, alors, négocier sa commission. **Je crois qu'un agent qui respecte son client mérite sa pleine commission.** Un autre qui se prend pour «je ne sais qui» ne mérite pas votre confiance et encore moins votre argent.

En général, les agents immobiliers sont honnêtes et de bonne foi, mais il arrive que certains prennent des initiatives sans en parler à leur client. J'ai vu des agents de connivence avec des arpenteurs. Dès qu'ils obtenaient une inscription, ils demandaient à l'arpenteur de faire un nouveau certificat de localisation et cela sans la permission du vendeur. Celui-ci recevait un compte par la poste avec le nouveau certificat de localisation. Comme dans tous les métiers, il y en a des bons et des moins bons. Donc, choisissez bien votre agent.

La troisième option est d'utiliser les services de, «Proprio Direct». Pour un montant fixe, vous avez droit à tous les outils nécessaires afin de vendre adéquatement votre propriété. Ce service vous offre également une liste d'acheteurs potentiels qui recherchent dans votre secteur. Pour un supplément, vous pouvez obtenir de la publicité soit à la télévision ou autre. Ce service est également de plus en plus populaire.

Il vous reste une autre alternative pour vous aider à vendre votre maison, c'est par le biais, d'Internet. Celui-ci est un très bon médium de communication. Si vous n'êtes pas branché sur «le Net», vous connaissez certainement quelqu'un dans votre entourage qui y est branché. Faire de la publicité sur le Net, c'est efficace.

Une chose est certaine, vous seul décidez de tout. L'important, c'est que la propriété se vende et que toutes les parties en cause soient heureuses.

Je vous souhaite la meilleure des chances !

Chapitre VIII

Les fondations

Les problèmes de fondation, quels qu'ils soient, doivent être réglés par des entrepreneurs professionnels, sinon cela risque de s'aggraver et de mettre la structure d'un bâtiment en danger. Les fissures sont très souvent une manifestation des problèmes de fondation. En voici les causes les plus fréquentes: les fissures en lézarde ou en escalier sont souvent le résultat d'un affaissement du sol et du bâtiment. On peut y remédier en enfonçant hydroliquement des pieux jusqu'au roc et en remettant la structure à niveau. Quant aux fondations qui s'effritent et qui subissent des infiltrations d'eau, il est possible d'effectuer un re-surfaçage et d'appliquer une membrane élastomère et un drain français afin de prolonger la vie de la fondation et ainsi régler les problèmes d'infiltration.

L'abattement soulevé par le gel est causé par un enfoncement insuffisant des fondations dans le sol. Cela est source d'un problème. La solution consiste alors à installer une barrière thermique et un drain ou à prolonger en sous-œuvre les fondations existantes. Enfin, les gonflements des dalles de béton causés par la présence de remblais de *schiste et de pyrite* constituent un autre problème qu'il est possible de résoudre. Il faut alors obligatoirement retirer ces matériaux sous les planchers et les remplacer par un remblai neutre de manière à faire disparaître les dommages causés à la structure.

☞ **Le schiste et la pyrite** *sont de petites roches utilisées autrefois pour les fondations. Il n'y a pas si longtemps, les entrepreneurs en fondation découvrirent que ces matériaux ne se mariaient pas avec le béton et qu'ils occasionnaient des problèmes au niveau des fondations. Ces roches furent retirées du marché et furent remplacées par d'autres matériaux. Néanmoins, imaginez le nombre de propriétés construites sur ces roches.*

L'entrepreneur en fondation peut garantir les travaux de réparation et de construction qu'il exécute. Si tel est le cas, il faut lire cette garantie attentivement en tenant compte de sa portée et de sa durée, sans oublier de vérifier si les matériaux et la main-d'œuvre y sont inclus. Il est possible que les réparations des fondations soient couvertes par votre assurance habitation. La nature du problème de fondation, le moment où il se produit de même que le contenu de votre police d'assurance détermineront si les réparations sont remboursables. Renseignez-vous auprès de votre courtier en assurances. Il consultera votre dossier et vous fournira toutes les précisions à ce sujet.

DÉTAILS SUR LES INSPECTIONS DE FONDATION

Les problèmes de fondation sont difficiles à cerner par un amateur ou par le propriétaire lui-même. Ils nécessitent souvent l'intervention d'un entrepreneur professionnel. Ce dernier est en mesure d'identifier le type de fondation de votre maison et la cause du problème. Pour ce faire, il examinera l'état des planchers, des murs, de la toiture, des plafonds et des chambranles de portes.

CONSEILS.

Les montants de portes inclinés ou séparés dans les angles supérieurs, la présence de fissures sur les murs intérieurs ou sur la brique extérieure constituent autant d'indices qui origine d'un problème de fondation. À l'extérieur, ces indices traduisent un mouvement de la structure. Elles peuvent aussi provenir d'un tassement qui entraîne une fissuration du mortier de la brique. Parfois, cela crée un espace entre les montants des portes et le mur extérieur. L'inclinaison des planchers peut également provenir d'un problème de fondation. Renseignez-vous auprès d'un entrepreneur en fondation si l'un ou l'autre de ces signes se manifeste.

Les détails concernant les fondations proviennent de INFO-CONSEIL, diffusé par les entreprises «P.F. St-Laurent» dont vous trouverez les coordonnées à la fin du livre».

Chapitre IX

L'isolation

L'un des moyens les plus économiques pour produire de l'énergie consiste à la conserver. En ce sens, l'isolation constitue une forme de conservation d'énergie aussi efficace que les appareils de chauffage ou les poêles à bois.

Une isolation adéquate, qui comprend coupe-froid et calfeutrage, peut réduire jusqu'à 40 % vos coûts de chauffage. Au contraire, une isolation insuffisante, des portes et fenêtres qui laissent s'échapper la chaleur et l'air climatisé ne procurent aucune économie. Vu sous cet angle, l'épargne réalisée à l'aide d'une bonne isolation est évidente.

L'isolation d'une maison est quantifiée à l'aide d'une mesure de résistance à la chaleur appelée facteur «R». Plus le degré de résistance est élevé, plus cette valeur augmente, meilleure est votre isolation.

On a commencé à isoler les maisons entre les années 50-60. Les toits en pente ou à pignon possèdent ce que l'on nomme un entre-toit ou grenier. Certains d'entre eux furent isolés lors de la rénovation de la maison, il y a plus de trente ou quarante ans. D'autres, par contre, ne l'ont jamais été. L'entre-toit est souvent difficile d'accès, l'ouverture étant placée dans les garde-robes ou placards. Ces vieilles maisons isolées depuis si longtemps peuvent posséder encore une certaine capacité thermique (avec 3 à 4 pouces d'épaisseur). Mais, aujourd'hui, les normes sont de «R-20» pour les murs, «R-35 à 40» pour le toit.

Les vieilles maisons ayant un toit plat n'ont pas d'entre-toit donc pas d'isolation. Par contre, il est possible aujourd'hui d'isoler un toit plat lors de la réfection de la toiture.

Les matériaux isolants sont nombreux dans le domaine de la construction. La fibre de verre offre une résistance relativement élevée à l'air. De plus, son facteur «R» est élevé. Elle est imperméable, ininflammable; elle ne pourrit pas et ne coûte pas très cher. Pas surprenant qu'elle soit si populaire! La mousse isolante est également très à la mode, mais ses mélanges et ses modes d'application varient selon la structure à isoler. La cellulose, quant à elle, est une fibre dont le facteur «R» est relativement élevé en comparaison de la fibre de verre. Elle est le plus souvent constituée de papiers déchiquetés et pulvérisés avec un produit ignifuge en poudre. Les matériaux isolants qu'on vaporise ou que l'on étend à l'intérieur des murs et des plafonds sont peu nombreux. Certains sont très combustibles et doivent être installés avec beaucoup de soin, conformément au Code du bâtiment.

Bon nombre de propriétaires oublient que la chaleur et l'air froid peuvent s'échapper par les fissures et les espaces créés dans les cadres de portes et fenêtres. De là, toute l'importance des coupe-froid et du calfeutrage. Si vous désirez rendre votre maison étanche, vous devez d'abord repérer les endroits qui ont besoin d'être isolés. Si votre maison n'a jamais été isolée, commencez par utiliser un matériau dont le facteur «R» est élevé. C'est l'étape la plus importante.

Si vous voulez vous amuser, faites le tour de votre demeure en tenant dans vos mains une chandelle, de l'encens ou tout autre objet qui produit de la fumée. Approchez-vous des cadrages de portes et fenêtres ainsi que des prises électriques. La direction de la fumée vous indiquera si l'air est aspiré vers l'intérieur ou s'échappe vers l'extérieur. Si l'air est aspiré, posez un coupe froid, s'il s'échappe, calfeutrez. Pour les prises électriques et boiseries, appliquez du plâtre et de la peinture autour de celles-ci. N'hésitez pas à prendre toutes les mesures pour rendre votre propriété la plus étanche possible. Vos factures de chauffage et votre bien-être durent les gros froids s'en ressentiront.

Ces informations sont une gracieuseté de «INFO-CONSEILS».

Chapitre X

Multi-Prêts hypothèques

Lors d'une demande d'hypothèque, il est important de magasiner auprès de différentes institutions financières. Un individu qui fait cette démarche lui-même risque de ne pas obtenir un taux avantageux, ni jouir des meilleures promotions, disponibles sur le marché. Il existe des institutions financières qui sont plus ouvertes que d'autres à offrir une hypothèque à une personne ayant eu quelques difficultés financières et dont le crédit a été quelque peu affecté.

Le courtier hypothécaire indépendant n'est attaché à aucune institution financière. Selon le cas du client, il sait où s'adresser. Cet individu est habilité à transiger avec ces sociétés prêteuses et il connaît les critères exigés par chacune d'elles.

Il y a beaucoup de compétition aujourd'hui dans le domaine du financement et c'est pour cette raison que je vous conseille d'utiliser les services d'un courtier hypothécaire indépendant et autonome. **Aucun coût n'est relié à l'utilisation de leur services** donc, c'est avantageux pour un consommateur de les utiliser. Leurs honoraires professionnels sont payés par les institutions prêteuses. Les sociétés prêteuses préfèrent de loin faire connaître leurs produits et promotions par le biais des courtiers hypothécaires, afin d'augmenter leur clientèle et leur profit annuel, plutôt que de s'engager dans des campagnes publicitaires onéreuses.

La plupart des gens ne connaissent même pas l'existence des courtiers hypothécaires indépendants. Il arrive que certaines institutions prêteuses aient également leurs propres courtiers hypothécaires. Le nom «démarcheur» est attribué à ces agents hypothécaires. Ceux-ci ne travaillent que pour l'institution qui les a embauchés. Leur rôle est de contacter les agents immobiliers, les constructeurs et promoteurs afin que ceux-ci puissent référer leurs clients à la société prêteuse, moyennant une commission établi sur le montant et le terme du prêt.

L'agent immobilier possède une formation de base en courtage hypothécaire, mais n'est pas un spécialiste. Il y a des courtiers immobiliers qui sont spécialisés dans le courtage hypothécaire, «La Capitale, page 283» courtier immobilier, fait partie d'un de ceux-là (voir le chapitre sur La Capitale). Mais, encore là, ce n'est pas votre agent immobilier qui négociera votre prêt, cette tâche sera assignée à un agent en courtage hypothécaire de son bureau.

La majorité des agents qui travaillent chez un courtier immobilier non spécialisé dans le courtage hypothécaire vont plutôt référer leur clientèle à un courtier hypothécaire indépendant tel Multi-Prêts Hypothèques. Ceci afin d'obtenir le meilleur taux disponible sur le marché pour leurs clients. Il existe, au Québec, environ 175 agents spécialisés dans le courtage hypothécaire et près d'une centaine d'entre eux travaillent chez Multi-Prêts.

Je trouve dommage que les gens soient si peu informés sur l'avantage d'utiliser les services d'un courtier hypothécaire indépendant, lorsque vient le temps de renouveler un prêt hypothécaire ou pour un nouvel achat nécessitant un prêt. Il est vrai que ce service est quelque peu nouveau au Québec et peu de gens sont au courant de son existence. Aux États-Unis, ce service existe depuis très longtemps. Il est très apprécié par le consommateur.

J'ai fouiné afin de vous donner le plus d'informations possibles sur les prêts hypothécaires. Dans ce chapitre, vous apprendrez des éléments fort intéressants. J'ai choisi Multi-Prêts pour répondre à mes questions, puisqu'il est le pionnier du courtage hypothécaire au Québec.

J'ai appris, par l'intermédiaire de Multi-Prêts, que toutes les institutions prêteuses (banques, fiducies, et compagnies d'assurances) sont régies par une charte fédérale. Quant aux Caisses populaires, elles sont régies par une charte provinciale. La charte fédérale dit que les institutions prêteuses ne peuvent émettre un prêt dépassant 75 % de la valeur de la propriété, à moins de faire garantir ce prêt par une Société comme la S.C.H.L (Société canadienne d'hypothèque et de logement) ou G.E. Capital, une autre société qui garantit des prêts.

Les prêts assurés par la S.C.H.L.et G.E. Capital ont été établis dans le but de faciliter l'accessibilité à la propriété pour l'acheteur d'une première maison ayant un minimum de comptant puisque ce type d'acheteurs englobe une importante part du marché de l'achat immobilier.

Afin qu'il n'y ait aucun abus de la part des institutions prêteuses, les sociétés qui garantissent les prêts prévoient des clauses normatives sur les actes de prêts. Lorsque la demande est acceptée, votre notaire en recevra une copie. Il saura vous conseiller si des clauses non standard sont ajoutées au contrat. **Demandez-lui, il se fera un plaisir de vous renseigner.**

MULTI-PRÊTS HYPOTHÈQUES

Vous aimeriez certainement connaître quelles sont les clauses qui sont greffées à votre contrat d'hypothèque. Pour ce faire, je vais laisser monsieur Pierre Martel, vice-président de Multi-Prêts, répondre aux questions que je lui ai posées concernant :

MULTI- PRÊTS HYPOTHÈQUES

> Sa mission.
> Ses services.
> La compétition souvent féroce entre les institutions prêteuses.
> Le terme et l'amortissement.
> L'avantage et le désavantage d'un terme et d'un amortissement, à court ou à long terme.
> Les pénalités.
> La subrogation.

Toutes ces informations sont importantes et il arrive souvent que le client ne s'informe pas assez des différentes possibilités avantageuses pour lui. Donc, avec l'aide de monsieur Martel, nous allons essayer de décortiquer ce qu'est un prêt hypothécaire.

QUELQUES MOTS SUR L'ENTREPRISE

La société de courtage hypothécaire Multi-Prêts existe à Montréal depuis 1981. À sa 17ième année d'existence, l'entreprise connaît sa plus forte période de croissance avec des bureaux partout au Québec et une centaine d'agents. En septembre 1998, l'entreprise a créé une nouvelle entité canadienne soit «The Mortgage Alliance Company of Canada». Le mouvement étant maintenant enclenché, Multi-Prêts a ouvert, la même année, des bureaux à Toronto. Ces bureaux comptent 38 agents.

Depuis 1998, au Canada comme au Québec, la société Multi-Prêts Hypothèques est devenue le leader du courtage hypothécaire avec un volume estimé à maintenant près de 600 millions de dollars générés par 7 000 transactions en 1998. On estime qu'en 1999, ce volume grimpera à un milliard de dollars, soit 10 000 transactions.

Cette maison de courtage est la propriété de 10 actionnaires dont monsieur Pierre Fournier, président, et monsieur Pierre Martel, vice-président. Cette entreprise est totalement indépendante des sociétés financières avec lesquelles elle transige.

Les 7 dernières années ont été consacrées à la croissance de l'entreprise. Celle-ci a adopté le principe **d'offrir gratuitement** ses services aux clients. Grâce à son important volume des transactions, Multi-Prêts a négocié avec les institutions financières des produits et des promotions plus intéressants et ce, à un taux d'intérêt plus compétitif.

VISION ET STRATÉGIE DE L'ENTREPRISE

La vision de l'entreprise et sa stratégie ont contribué à augmenter la notoriété de l'industrie du courtage hypothécaire au Québec. Ce qui a augmenté le nombre d'entreprises voulant se spécialiser dans ce domaine. Pour qu'une entreprise puisse devenir courtier hypothécaire, il n'y a qu'un seul pré-requis : devenir courtier immobilier.

Jusqu'au début des années 90, les réticences des institutions financières rendaient le service de courtage hypothécaire moins attrayant pour le consommateur, puisque le travail du courtier ne consistait qu'à offrir des démarches de négociation ; sans nécessairement obtenir un rabais de taux ou des conditions particulières.

Depuis maintenant 5 ans, l'ensemble des institutions prêteuses se montrent plus agressives. Elles veulent augmenter leur part du marché. Donc, elles sont plus réceptives aux négociations. Elles offrent maintenant des promotions qui sont souvent suggérées par les agents de Multi-Prêts Hypothèques ; celui-ci détenant le marché du courtage hypothécaire.

Il est à noter que la firme Multi-Prêts est accréditée auprès de 15 institutions financières au nombre desquelles on retrouve des banques, Caisses populaires, compagnies d'assurances et fiducies.

La politique de Multi-Prêts est de payer une commission nivelée aux agents et cela, peut importe la durée du prêt. Ceci constitue pour le consommateur la meilleure assurance qu'il ne fera l'objet d'aucune pression indue. Cette politique de l'entreprise permet de pouvoir véritablement offrir le meilleur produit en fonction des besoins du client.

LA CONCURRENCE ET LE MARCHÉ

Il est quelques fois aberrant de constater comment fonctionne le système des institutions financières. Je vais essayer de vous l'expliquer brièvement.

Les institutions prêteuses offrent aux personnes-ressources œuvrant dans le domaine immobilier (agents immobiliers, constructeurs, promoteurs et autres) une commission et cela, chaque fois que l'un d'entre eux leur réfère un nouveau client. Il peut arriver que certaines institutions financières soient plus agressives que d'autres.

Pour ce faire, elles vont alors offrir un pourcentage de commission un peu plus élevé aux personnes-ressources du domaine immobilier. Celles-ci, à leur tour, vont apporter à ces institutions un plus grand nombre de clients. Par contre, cela ne veut pas dire que ces personnes sont habilitées à négocier le meilleur prêt pour leur client. Au contraire, elles auront plutôt tendance à le référer à l'institution avec laquelle elles ont une entente. Plus le terme est long, plus la commission est élevée, mais il y a un plafond à cette surenchère et la différence de commission est quand même minime entre un terme court ou long.

Les courtiers hypothécaires, parce qu'ils ont un important volume de transactions à leur actif, ont une plus grande force envers les institutions financières **lors de la négociation d'un prêt à court terme.** Ce qui n'est pas le cas d'un agent immobilier, d'un petit courtier ou d'un constructeur ; ceux-ci n'ayant pas le même volume de clients emprunteurs.

Plutôt que de jouer sur le pourcentage de commission offert à tout ce beau monde, les institutions financières devraient établir les mêmes règles et axer la concurrence sur leurs promotions.

Nous savons tous que les institutions financières sont là pour faire des profits, au même titre que n'importe laquelle des sociétés. Cependant, une réglementation dans ce domaine permettrait à tout le monde de diriger le client là où la promotion est la plus avantageuse. Alors que maintenant, on s'en tient surtout à la commission supplémentaire dont la personne intermédiaire peut bénéficier. Quand on y pense bien, n'est-ce pas là un moyen légal de contaminer les gens de l'immobilier et leur donner mauvaise conscience en leur offrant subtilement le choix entre travailler pour leur poche ou travailler pour le client. Voilà pourquoi il peut être plus avantageux de transiger avec des agents hypothécaires. Les agents de Multi-Prêts Hypothèques, entre autres, n'ont pas ce problème, puisque leur commission est nivelée. De plus, ils ont le monopole du marché dans ce domaine. Donc, les agents d'un courtier hypothécaire comme Multi-Prêts vont référer leurs clients, là où c'est le plus avantageux pour ces derniers.

Les services de courtage hypothécaire sont gratuits pour le client. Donc, si vous consultez un courtier hypothécaire qui vous charge des frais, je vous suggère fortement d'en consulter un autre. Cependant, il peut y avoir une exception à la règle. Cette exception s'applique lorsque le prêt d'un client est refusé. Celui-ci peut avoir eu des difficultés avec son crédit pendant un certain temps, suite à une mauvaise passe dans sa vie, (qui peut se vanter de ne jamais avoir eu quelques problèmes !). Quoi qu'il en soit, la demande du client peut alors nécessiter une expertise particulière, afin de faire approuver le prêt. Très souvent, dans un cas aussi particulier, le courtier hypothécaire peut jouer un grand rôle pour le client. C'est dans cette conjoncture que des coûts, souvent minimes, peuvent s'appliquer.

La grande variété de produits hypothécaires offerts de nos jours, place maintenant grand nombre de consommateurs, dans une situation où les services d'un professionnel du courtage s'avèrent quasi essentiels.

LA FORCE DE VENTE DE MULTI-PRÊTS

Afin de mieux conseiller les consommateurs sur la gamme de produits disponibles sur le marché, Multi-Prêts privilégie l'embauche d'agents qui proviennent des institutions financières. À leurs connaissances vient s'ajouter une formation adaptée aux services personnalisés et uniques de l'entreprise. Cette formation continue se donne sous forme de sessions d'information avec des fiscalistes.

LE SERVICE À LA CLIENTÈLE

Bien que la technologie offre aux agents de Multi-Prêts la possibilité de travailler plus efficacement, l'entreprise s'est dotée d'un service à la clientèle basé sur la communication avec le client. Ce service, regroupe des spécialistes en marketing. Ceux-ci vérifient après chaque transaction, la qualité des services fournis par le courtier et la qualité du suivi avec l'institution prêteuse. Ces spécialistes mesurent ainsi le degré de satisfaction du client.

Si on se fie à Monsieur Martel, Multi-Prêts Hypothèques s'engage à :

- ➢ Négocier pour le client les meilleurs taux d'intérêts, en plus de certains avantages.
- ➢ Expliquer tous les programmes gouvernementaux concernant l'habitation.
- ➢ Offrir un service de pré-qualification.
- ➢ Protéger à long terme le taux hypothécaire du client.
- ➢ Transférer son hypothèque sans frais.
- ➢ Être disponible tous les jours de la semaine.
- ➢ Offrir un service entièrement adapté aux besoins du client.
- ➢ Transférer une hypothèque sans frais d'ouverture de dossier, ni frais d'évaluation, ni pénalités.

Les spécialistes de Multi-Prêts peuvent transiger chez-vous, à votre travail ou à leurs bureaux.

Des réponses intéressantes ! On me demande souvent ce que veulent dire les expressions **«terme et amortissement»** ?

LE TERME :

Pour bien des gens, entendre parler de 1/25 ans, 3/25 ans, 5/25 ans, 5/20 ans ou autre, cela devient du chinois. Nous allons essayer de démystifier tout cela. **Le premier chiffre correspond au terme.**

Le terme signifie la durée durant laquelle le taux de votre prêt hypothécaire est fixé. Je vous donne un exemple :

Vous choisissez de prendre votre taux hypothécaire pour 3 ans. Cela signifie que pendant 3 trois ans votre versement hypothécaire mensuel sera toujours le même. Après cette période, il vous faudra renégocier votre taux d'intérêt. Il est possible que le taux ne soit plus le même. Supposons que la première fois, le taux était de 6 % pour un terme de 3 ans. Au moment du renouvellement, il a augmenté de 1.5 %. Votre nouveau taux sera 7.5 % au lieu de 6 %. Ceci veut dire que votre paiement mensuel vient d'augmenter pour toute la durée du terme que vous allez maintenant choisir soit (1, 3, 5 ans). Il en est de même lorsque le taux est à la baisse, votre versement mensuel est alors diminué.

L'AMORTISSEMENT :

L'amortissement, qui correspond au deuxième chiffre, contribue à amortir les versement hypothécaire sur une longue période soit 10, 15, 20 ou 25 ans.

C'est à de vous de choisir le terme et la période d'amortissement. La majorité des gens ne savent trop quoi choisir. Est-il préférable d'opter pour un terme et un amortissement s'échelonnant sur une courte ou sur une longue période ? Là est toute la question ! Les institutions financières préfèrent des termes et des amortissements longs, puisque c'est de cette façon qu'elles font leur profit. Surtout lorsque le taux d'intérêt est à la hausse. C'est d'ailleurs pour cette raison qu'elles offrent une commission plus élevée à un intermédiaire qui conseille à son client de les prendre sur une longue période de temps.

Personnellement, je crois qu'il faut se servir de son jugement. Lorsqu'un taux d'intérêt est à la hausse (8 % et plus), il est souvent préférable d'utiliser un terme qui se négocie tous les six mois ou un an à la fois. Par contre, lorsque le taux d'intérêt est bas ou en chute, il est alors préférable d'utiliser un terme plus long (3 ou 5 ans).

Aujourd'hui, il existe deux formes de prêts que l'on nomme :

> **Le prêt convertible**
> **Le prêt ouvert**

Le prêt convertible est avantageux à prendre lorsque le taux est haut. Il se renouvèle de six mois en six mois ou d'un an à la fois. **L'avantage du prêt convertible comparativement à un prêt ouvert** est que votre taux est identique à celui en vigueur sur le marché. De plus, vous n'encourez aucun frais quand vous le renouvelez. Ainsi, vous pouvez le fermer n'importe quand, sans pénalité. Par contre, il y aura pénalité si vous vendez votre propriété pendant la durée de votre prêt convertible. Ce ne sont pas toutes les institutions prêteuses qui offrent le prêt convertible. De plus, parmi celles qui l'offrent, quelques une refusent de le renouveler après la fin du terme. Un agent spécialisé en courtage hypothécaire sait immédiatement où s'adresser pour ce genre de prêt.

Quant au prêt ouvert, il est avantageux uniquement lorsque vous êtes fermement décidé à vendre votre propriété. Sinon, optez pour un prêt convertible lorsque le taux est à la hausse. En utilisant un prêt ouvert, votre taux sera un peu plus élevé que celui du marché, mais vous n'aurez aucune pénalité à payer lorsque la propriété sera vendue. Des frais de 75 $ à 80 $ s'appliquent lorsqu'il y a renouvellement, mais c'est mieux que d'avoir à payer la pénalité.

Concernant l'amortissement, est-il mieux de prendre celui-ci à long ou à court terme ? Là encore, tout est une question de choix. Selon les spécialistes de Multi-Prêts, il est souvent préférable de prendre un amortissement échelonné sur 25 ans, surtout lorsqu'il s'agit d'un premier achat.

Selon monsieur Martel, le fait d'amortir le prêt sur une période de 25 ans, la première fois, plutôt que de 20 ou 15 ans, permet de ne pas crever votre budget lorsque survient un coup dur affectant vos finances. Personne n'est à l'abri d'une situation pécuniaire difficile. Prendre une hypothèque avec un amortissement de 15 ou 20 ans augmente votre paiement hypothécaire. Il est certain que vous sauvez sur le montant des intérêts et que la propriété se paye plus rapidement. Par contre, les paiements peuvent vite devenir trop lourds à supporter. Alors vous risquez de vous retrouver devant la nécessité de demander à votre institution prêteuse de prolonger votre amortissement sur une période plus longue. Il vous en coûtera beaucoup de frais (notaire, quittance, ouverture de dossier, etc.).

À ceux qui se sentent capables de payer les versements mensuels d'une hypothèque étalée sur 15 ou 20 ans, Multi-Prêts suggère d'amortir plutôt le prêt sur 25 ans et d'opter pour l'augmentation du paiement mensuel. Supposons que votre mensualité est de 600 $ par mois, vous avez le droit de donner n'importe quel montant tous les mois supérieur à 600 $. Ces montants peuvent se situer entre 600 $ et 1 200 $ par mois. Donc, cette façon de procéder permet de fixer votre paiement comme si vous payez l'amortissement de votre hypothèque sur 20 ou 15 ans. Selon le montant additionnel choisi.

L'avantage d'un tel procédé est qu'il vous permet de revenir au paiement établi pour 25 ans sans que cela vous coûte des frais, lorsque survient un problème financier important. Le désavantage : lorsque vous choisissez une telle option, vous devez conserver le même rythme tous les mois. Du moins, jusqu'à ce que vous décidiez de revenir au paiement initial.

De plus, à chaque année (par période de douze mois), vous avez le droit de faire une remise d'argent allant jusqu'à 25 % de la valeur de votre prêt. Ce qui diminue le capital assez rapidement. Vérifiez auprès de votre agent hypothécaire, le pourcentage de remise annuelle permis par l'institution prêteuse. Celui-ci peut différer d'une institution à une autre.

Il y a d'autres options qui existent également et qui permettent de diminuer rapidement le capital, tout en ayant un amortissement de 25 ans. Vous pouvez choisir de faire vos versements à toutes les semaines, ou au deux semaines (la différence est minime entre les deux options). Supposons que votre versement mensuel est de 600 $ par mois et que votre option de paiement est hebdomadaire.

Alors, l'institution prêteuse calculera votre paiement ainsi :

HEBDOMADAIRE	MENSUEL
600 $ divisés par 4 semaines =150$	600 $ par mois (sans division)

150 $ par semaine	600 $ par mois
X 52 semaines	X 12 mois
7 800 $ par année	**7 200 $ par année**

DIFFÉRENCE : 600 $ par année

La différence avantageuse se trouve dans le 600 $ de plus que vous avez payé à la fin de l'année. Ce supplément annuel permet de payer, en près de 19 ans, la totalité du prêt amorti au départ sur 25 ans. Cette façon de procéder se nomme un prêt en versements accélérés. Il faut faire attention avec certaines institutions. Elles offrent, à la fois, le paiement accéléré et non accéléré. **Seul le paiement accéléré est économique ! L'autre, n'est d'aucune utilité.** Vous ne sauvez strictement rien. Il peut arriver que la société prêteuse ne le dise pas à ses clients. Demandez à voir sur votre contrat d'hypothèque qu'il y est écrit **«paiement accéléré».** Lorsque vous choisissez cette option.

Lorsque vous transigez directement avec votre institution bancaire pour une demande de prêt, il y a de fortes chances qu'on ne vous consacre pas plus de 15 à 20 minutes. À certains endroits, ils ne vous reçoivent même plus ; la personne prend les informations au téléphone et vous donne la réponse au téléphone. Leur horaire est très chargé. Par contre, un agent hypothécaire prendra tout le temps nécessaire, pour vous expliquer tous les programmes et options offerts par les différentes institutions financières. De plus, il se déplace à l'endroit de votre choix, cela sans frais de votre part.

Pour en revenir à l'amortissement, il peut être avantageux de le prendre pour une durée de 15 ou 20 ans, lorsque le taux d'intérêt est bas et que la personne dispose d'une somme d'argent importante lors de l'achat de sa propriété.

Si vous optez pour un amortissement de vingt cinq ans, il vous est toujours possible de réduire celui-ci lorsque votre premier terme vient à échéance. Vous avez une hypothèque de 100 000 $ pour un terme de cinq ans amortie sur vingt cinq ans (5/25 ans). Lorsque les cinq ans sont écoulés, d'autres options s'offrent à vous. Vous pouvez faire une remise d'argent sur votre prêt et diminuer ainsi le capital, mais vous pouvez également diminuer l'amortissement de votre prêt, si vous le désirez. Vous aviez 25 ans, vous avez payé pendant 5 ans donc votre amortissement est maintenant de 20 ans au moment du renouvellement. Là, il peut être intéressant de sauter un terme de 5 ans et de prendre un amortissement sur 15 ans, au lieu de rester à 20 ans.

Vous savez, aujourd'hui, quelques institutions financières offrent un terme et un amortissement de 25 ans (25/25 ans). Cet été, il était possible d'obtenir un taux fixe de 6.98 % pour 25 ans. C'est excellent comme prêt. Vous vous assurez ainsi des versements hypothécaires égaux et cela jusqu'au terme du 25 ans d'amortissement. **L'avantage** est que vous pouvez également diminuer votre capital à chaque année (en donnant une somme d'argent sur votre prêt). Vous pouvez aussi opter pour l'augmentation de paiement (comme spécifié plus haut) ou encore payer à la semaine ou au quinze jours. Chacune de ces options permet de rembourser votre prêt plus rapidement. Le prêt 25/25 ans est très avantageux, surtout lorsque le taux d'intérêts est bas. Ce ne sont pas toutes les institutions prêteuses qui offrent ce forfait. Informez-vous auprès de votre courtier hypothécaire.

LA S.C.H.L.ET LA PRIME D'ASSURANCE

Les gens se demandent souvent, comment est calculé la prime pour un prêt assuré. J'ai déjà expliqué dans un chapitre précédant qu'il existe deux formes de prêt. **Il y a le prêt conventionnel.** Ce genre de prêt est accessible aux personnes qui donne comme mise de fonds, **une somme d'argent équivalente à 25 % et plus** de la valeur de la propriété. À titre d'exemple, vous achetez une propriété qui vaut 100 000 $, vous donnez 25 % comme mise de fonds soit (25 000 $). Donc votre prêt est de 75 000 $. Alors, vous êtes éligible au prêt conventionnel. Ce genre de prêt n'a aucunement besoin d'être assuré par une société comme la S.C.H.L., car il n'est pas considéré à risque étant donné l'importance du comptant donné par l'acheteur au moment de l'achat.

Il y a le prêt assuré. Ce genre prêt existe pour aider les personnes qui n'ont pas la mise de fonds de 25 % nécessaire pour accéder à un prêt conventionnel. Donc, la S.C.H.L. a prévu un programme de financement qui permet à ces personnes d'accéder à l'achat d'une propriété. Pour ce faire, la S.C.H.L. a établi une prime d'assurance qu'elle charge à l'acheteur. Cette assurance dégage l'institution prêteuse de tout risque d'avoir à reprendre la propriété et de subir une perte financière, si l'acheteur ne remplit pas correctement ses obligations financières. Les institutions prêteuses considèrent qu'une mise de fonds inférieure à 25 % de la valeur d'achat de la propriété constitue un prêt risqué. Donc, la S.C.H.L. accepte la responsabilité de rembourser l'institution prêteuse ou de faire les paiements appropriés, si l'acheteur est en défaut de paiement. Voilà pourquoi le prêt est assuré. Maintenant, examinons le montant que la S.C.H.L. vous charge pour assurer votre prêt.

Voici le tableau de la S.C.H.L concernant le montant de la prime.

Achat	Mise de fonds	Valeur du prêt	% de la prime	Prime à payer
100 000 $	10% (10 000 $)	90% (90 000 $)	2,50 %	2 250 $
100 000 $	15% (15 000 $)	85 % (85 000 $)	2,00 %	1 700 $
100 000 $	20 % (20 000 $)	80 % (80 000 $)	1,25 %	1 000 $
100 000 $	25 % (75 000 $)	75 % (75 000 $)	0,75 %	562.50 $

Ceci vaut pour une propriété déjà existante ou pour une construction neuve, possédant de un à quatre logements et dont l'un des logements doit être occupé par l'acheteur.

Dans le cas d'une mise de fonds de 5 %, la prime augmente et vous devez calculer 3.75 % sur la valeur du prêt. Cette prime s'applique pour une propriété existante ou pour une construction neuve, mais dans ce cas-ci, il ne s'agit que d'une propriété seule (unifamiliale ou condominium). Pour un duplex, la mise de fond doit être de 7.5 % de la valeur de la propriété, mais la prime de la S.C.H.L. de 3.75 % reste la même dans les deux situations. La condition d'être propriétaire-occupant d'un logement est toujours valide. Cependant, la durée (terme) minimale du prêt initial devra être de trois ans.

LES EXIGENCES D'AMISSIBILITÉ

Voici les exigences d'admissibilité pour **propriété existante** :

- ➤ La durée du prêt doit être d'au moins six mois.
- ➤ La période d'amortissement doit être de 25 ans maximum.
- ➤ La mise de fonds minimale de 10 % doit provenir des propres ressources de l'emprunteur (RÉER, rachat d'une police d'assurances, économies personnelles etc.).

S'il s'agit d'une mise de fonds sous forme de don, elle doit être documentée au moyen d'une lettre du donateur, afin de confirmer que l'argent constitue vraiment un don et non un prêt. L'emprunteur doit avoir l'argent du don en sa possession avant que la demande d'assurance prêt hypothécaire ne soit envoyée à la S.C.H.L.

Pour une construction neuve :

- ➤ Le constructeur doit être accrédité auprès d'un programme de garantie des maisons neuves et la propriété doit être enregistrée auprès de ce programme. Les auto-constructeurs ne sont pas tenus de se conformer à cette exigence.

- ➤ Pour les maisons achetées directement du constructeur, la signature de la vente et le décaissement des fonds doivent avoir lieu une fois la construction terminée.

CALCUL DE REMBOURSEMENT HYPOTHÉCAIRE

Les gens aiment bien savoir comment les institutions prêteuses calculent leurs capacités de remboursement. C'est très simple. Les individus n'ayant aucune dette personnelle sont soumis généralement au ratio A.B.D. (32 %). Ceux ayant contracté des emprunts sont soumis au ratio A.T.D. (40%). Je vous explique en détail tout ce que cela veut dire.

LE RATIO DE L'AMORTISSEMENT BRUT DE LA DETTE (A.B.D.)

L'A.B.D. ne doit pas excéder 32 % du revenu familial brut de l'acheteur et doit combler les paiements en **capital + intérêt + taxes + chauffage + 50 % des charges de copropriété** (s'il s'agit d'une copropriété). Exemple : le revenu familial brut est de 75,000 $. Ainsi 32 % de 75 000 $ donne 24 000 $. Ce montant couvre une année. Donc , nous le diviserons par 12 mois. Ce qui donne 2 000 $ par mois. Voilà le montant maximum qui doit être consacré pour payer votre paiement hypothécaire (capital et intérêt), vos taxes, le chauffage et les charges de copropriété (s'il y a lieu).

UN RAPPORT D'AMORTISSEMENT TOTAL DE LA DETTE (ATD)

L'emprunteur ne doit pas consacrer plus de 40 % du revenu familial brut au remboursement du **capital + intérêts+ taxes + chauffage + 50 % des charges de copropriété (s'il s'agit de copropriété) + paiement de ses autres dettes.** Donc, si on reprend l'exemple ci-dessus, 40 % de 75 000 $ donne 30 000 $ que nous divisons par 12 mois. Cela donne 2 500 $ par mois pour couvrir toutes les dettes, versements hypothécaires, taxes et frais de chauffage.

On entend par dettes: prêts personnels, paiements d'automobile, cartes de crédit, marge de crédit, meubles, etc. Les institutions financières ne tiennent pas compte des paiements pour placement (RÉER, assurances)..

Par contre, s'il s'agit d'un immeuble qui compte au moins un logement locatif, seul le rapport ATD est utilisé pour déterminer l'admissibilité de l'emprunteur. Voici comment il est calculé lorsqu'il y a un revenu et plus (maximum 4 logements) incluant celui du propriétaire:

(paiement total de capital et intérêts + paiement des autres dettes) x 100
Revenu familial brut + jusqu'à 50 % du revenu locatif brut

LES QUALIFICATIONS

Les qualifications requises par les institutions prêteuses afin d'obtenir un prêt hypothécaire sont également dictées par la S.C.H.L. Il y a quatre critères d'acceptation.

PREMIÈRE QUALIFICATION

L'emprunteur doit avoir une année continue d'emploi avec le même employeur et ses **A.B.D. et A.T.D.** ne doivent pas dépasser, 32% pour l'A.B.D. et 40 % pour l'A.T.D. de son revenu familial brut (voir l'exemple précédent.

DEUXIÈME QUALIFICATION

Avoir un bon record de crédit. Dans le cas de pépins à cet égard, il peut y avoir un moyen d'y remédier. La formation toute particulière des agents en courtage hypothécaire (du moins, ceux de Multi-Prêts) permet justement de pouvoir traiter ce genre de situation. Mais, il peut arriver qu'il y ait des cas extrêmes où la démarche sera plus longue, ce qui occasionne des frais, cependant raisonnables.

TROISIÈME QUALIFICATION

Avoir une mise de fonds minimale de 5 % (preuve à l'appuie), qui provient de ses propres ressources. On entend par «propres ressources» : économies personnelles, don fait par un membre de la famille, rachat d'une police d'assurance vie, placement, etc. .

QUATRIÈME QUALIFICATION

La valeur de la propriété doit être établie par la S.C.H.L. ou par un évaluateur agréé. Habituellement, il n'y a pas vraiment de problème pour faire accepter un prêt suite à un rapport d'évaluation. Il peut y avoir complication lorsqu'il s'agit d'une propriété située dans un secteur rural. Mais seulement quand cette propriété n'est pas conforme aux normes quant aux fondations, au puits artésien ou à l'installation septique.

LA PÉNALITÉ

La pénalité fait également partie des clauses inscrites sur un contrat d'hypothèque. J'ai demandé à Multi-Prêts de nous l'expliquer.

Il existe deux types de pénalités inscrites au contrat d'hypothèque.

> ➢ **Le différentiel de taux**
> ➢ **Le trois mois**

Lorsqu'une personne vend sa propriété pendant la durée de son terme hypothécaire et que le prêt est remboursé, il y a bris de contrat. Donc, cela implique une pénalité.

C'est toujours dans les trois premières années du terme de l'hypothèque que l'institution financière peut choisir une des deux options ci-dessus mentionnées. Comme elle a le choix, elle va opter pour la pénalité la plus forte lorsque le prêt est remboursé à l'intérieur de trois ans.

Voici un exemple qui explique les frais (pénalités) que l'emprunteur devra payer à l'institution prêteuse, **lorsque le différentiel de taux est appliqué.**

Vous avez une hypothèque dont le terme est de 5 ans à 9% d'intérêt. Deux ans plus tard, vous remboursez intégralement votre prêt (vente de la propriété, transfert de banque, ou autre). L'institution prêteuse va alors calculer qu'il reste 3 ans à couvrir sur votre prêt et ajuster le montant des intérêts à payer en conséquence. Or, supposons que le taux d'intérêt ait baissé à 6 %. L'institution prêteuse perd 3 % pour les 3 années qu'il vous restaient à couvrir. Le solde du prêt est maintenant de 100 000 $ au moment du remboursement. Elle va calculer ainsi : 3% de 100 000 $ = 3 000 $ d'intérêts par année donc,

Intérêts par année		3 000 $
Nombre d'années restant à couvrir	X	3 ans
TOTAL de la pénalité		**9 000 $**

Dans l'exemple donné, le montant de la pénalité devrait être légèrement inférieur, car l'institution prêteuse utilise certains facteurs que je n'ai pas. Lorsque des frais aussi importants sont à rembourser à l'institution prêteuse, lors d'une résiliation de contrat, le client ne peut rien y changer. Sauf, si celui-ci finance avec la même institution sa nouvelle propriété. Dans une situation semblable, l'institution prêteuse offrira au client d'avoir recours au taux pondéré. Ce qui permettra à celui-ci, d'amortir la somme due à la société prêteuse via le taux de son nouveau prêt. Car, le client doit payer (sous une forme ou une autre).

LE TAUX PONDÉRÉ

Le taux pondéré permet justement à l'emprunteur de ne pas avoir à sortir immédiatement de sa poche le montant qu'il doit à la société prêteuse.

Ce n'est pas compliqué à comprendre. Voici, la manière dont l'institution financière, calcul un taux pondéré. Pour l'exemple, nous garderons les mêmes données que précédemment. Vous aviez un terme de 5 ans à 9 %. Il vous reste 3 ans à couvrir au moment de la résiliation. Le taux actuel est maintenant de 6 % pour 5 ans. Elle calcul d'abord le montant des intérêts sur le 9 % (pour les 3 années qui restent à couvrir). Ensuite, elle calculera le montant des intérêts du 6 % (pour les 2 dernières années du nouveau terme de 5 ans). Puis , elle additionnera les deux montants. Ce montant sera ensuite converti en pourcentage. Ce qui donne le nouveau taux, de votre nouveau prêt. Voilà le taux pondéré.

Voyons maintenant ce que cela donne avec des chiffres :

> 9 % d'intérêts, sur 3 ans donne 27 000 $.
> 6 % sur 2 ans, donne 12 000 $.

En additionnant les deux montants, nous obtenons un montant d'intérêts de 39 000 $ sur 5 ans (durée du terme). Divisons ce 39 000 $ par 5 ans afin d'obtenir la moyenne des intérêts sur une année. Cela donne 7 800 $. En divisant ce montant par 100, nous obtenons le nouveau pourcentage qui sera appliqué à votre nouveau prêt soit : 7.8%. Voilà la manière de calculer un taux pondéré. Donc, ce qui paiera les frais du taux différentiel sera la différence de taux entre celui que vous aviez au départ (9 %) et celui présentement en vigueur (6 %). Si on fait le calcul en prenant la moyenne des deux taux, au lieu de calculer avec les montant d'intérêts. cela donnera 9 % + 6 % = 15 %. Divisons par 2, pour trouver la moyenne et vous obtenez 7.5 %. Il y a une différence de 0,03 %, parce que je n'ai pas le facteur que la banque utilise. Cette méthode de calcul est plus facile que l'autre. cela vous permettra de faire un calcul approximatif, plus rapidement.

Donc, si vous prévoyez vendre votre propriété, optez plutôt pour un prêt «ouvert» cela vous évitera d'avoir à payer des pénalités importantes. **Il est important à retenir** qu'après trois années continues de terme, **le différentiel de taux est aboli comme pénalité.** Cela, peu importe le nombre d'années qu'il vous reste à couvrir. Il est remplacé par la pénalité du trois mois de paiements mensuels. Cette pénalité couvre uniquement les intérêts et non le capital.

PEUT-ON NÉGOCIER LES PÉNALITÉS ?

Un individu qui manque d'assurance face à son directeur des prêts et qui, n'a pas l'habitude de négocier peut trouver la tâche ardue. Car, ce genre de négociation exige du doigté, des arguments solides et de l'entêtement, parfois.

Il est possible de négocier une pénalité. Lorsque vous souhaitez changer d'institution financière, l'agent de votre courtier hypothécaire peut faire payer (en partie ou en totalité) la pénalité par la nouvelle institution prêteuse, tout dépend du montant de celle-ci. Cependant, l'institution prêteuse demandera que le terme soit d'au moins trois ou cinq ans. Ce qui est normal, puisqu'elle paye pour vous la pénalité dévolue à l'autre institution prêteuse. Je crois qu'un courtier hypothécaire peut vous aider et répondre à vos questions sur ce point.

SUBROGATION

Multi-Prêts m'a expliqué qu'il est possible de subroger un prêt en faveur d'une autre institution prêteuse ; et cela sans frais. Le fait de changer d'institution financière implique des frais pour le consommateur. Ces frais couvrent l'ouverture de dossier, la pénalité (s'il y a lieu), la quittance pour l'ancien prêt, les frais de notaire et d'évaluation de la propriété etc. Si vous n'augmentez pas le montant du prêt et ne changez pas l'amortissement de celui-ci, il est possible alors de subroger votre prêt en faveur d'une autre société prêteuse et d'en faire payer les frais par celle-ci. Ce, tout en obtenant de meilleures conditions et un meilleur taux.

Ces informations m'ont été transmises par Multi-Prêts. J'espère qu'elles vous ont convaincus de l'importance d'utiliser les services d'un courtier hypothécaire. Car, plus il y aura de gens qui les utiliseront, plus ceux-ci obtiendront des conditions et des taux avantageux pour le consommateur.

Pour plus d'information concernant les prêts hypothécaires, vous pouvez consulter le site Internet de Multi-Prêts Hypothèques :

www.multi-prets.com

Pour connaître l'adresse et le numéro de téléphone de leurs bureaux à travers le Québec et l'Ontario, composez le numéro sans frais de Multi-Prêts Hypothèques.

1-800-798-7738

Je dois vous mentionner que Multi-Vie Assurances est une filiale de Multi-Prêts Hypothèques, donc, pour avoir plus d'informations, le même numéro de téléphone s'applique dans le cas des assurances hypothécaires.

Chapitre XI

L'assurance-vie hypothécaire

L'assurance-vie hypothécaire

Le but de ce livre est de vous informer objectivement en vous diffusant le maximum d'informations. Nous entrons dans un sujet qui soulève la controverse : est-ce mieux de prendre une assurance-hypothèque avec un courtier d'assurances ou avec une société prêteuse ?

Lors de mes achats immobiliers, j'ai toujours privilégié les courtiers d'assurances plutôt que les institutions prêteuses. Sincèrement, je ne savais trop pourquoi. Une intuition peut-être ? Dans ma carrière, j'ai souvent entendu parler de problèmes dû à des réclamations d'assurances. Mais je n'ai jamais cherché en savoir davantage sur le sujet, jusqu'au jour où mes parents furent victimes d'une injustice commise par une société prêteuse.

À la première édition de ce livre, je n'en savais pas assez sur les assurances-hypothécaires pour vous informer correctement. De plus, je ne connaissais personne qui pouvait me donner l'heure juste à ce sujet. À force de fouiller et de poser des questions, j'ai rencontré quelqu'un qui m'a référée à un agent d'assurances demeurant dans la région de Joliette. Les éloges que j'ai eues de cette personne ont attisé ma curiosité. Il se nomme Ken Battah et travaille chez Multi-Vie, courtier d'assurances. Vous trouverez, si cela vous intéresse, ses coordonnées dans les références personnelles de l'auteure, à la fin du livre.

J'ai donc pris rendez-vous avec ce monsieur et je n'ai pas été déçue de cette entrevue. Il est arrivé chez moi avec une pile de documents et de preuves attestant la véracité des informations qu'il me transmettait.

Comme je ne prends jamais rien pour acquis, j'ai vérifié moi-même chacune des données ainsi que chaque calcul. Donc, je vous suggère de faire comme moi. Voici les points importants à retenir, lorsque vous choisissez votre protection en assurance. Tout au long de ce chapitre, je vous donnerai les questions à poser, afin que vous puissiez vous-même vérifier la pertinence de ces informations. Après votre étude, vous aurez ainsi des réponses qui vous permettront de faire un choix judicieux entre une institution financière et un courtier d'assurances.

Voici deux des questions à poser à une institution financière et à un courtier en assurance, lorsque vous achetez une protection en assurance hypothécaire.

- La prime croit-elle avec l'âge ?
- La protection est-elle décroissante ?

LA PRIME CROISSANTE

Quand on parle de prime croissante, on veut dire que la prime de votre protection augmente avec votre âge. La majorité des institutions prêteuses appliquent la prime croissante à la fin de chaque terme. D'autres ont une prime fixe qui va jusqu'à la fin du prêt.

Quant aux agents d'assurances, ils offrent une prime croissante à tous les dix ans ou encore une prime fixe pour un amortissement de 20 ans maximum. Le prix de la prime diffère d'un endroit à l'autre. La prime qui augmente avec l'âge est celle qui coûte le plus cher aux consommateurs.

LA PROTECTION DÉCROISSANTE

En ce qui concerne, la protection décroissante, elle est facile à comprendre. Vous avez une hypothèque de 100 000 $. Donc, si vous souscrivez à une protection, celle-ci devrait être également de 100 000 $. L'amortissement de votre prêt est de 20 ans. Supposons que dix ans plus tard, 50 % de votre prêt a été payé. Vous décédez. L'assurance paiera ce qui reste sur le prêt, soit 50 000 $. Pourtant, la prime au départ était de 100 000 $. C'est ce qu'on appelle une assurance qui décroît avec le solde.

Au contraire, lorsque vous souscrivez à une police d'assurance-vie avec un agent d'assurance, celle-ci paiera à la succession, le montant initial, soit 100 000 $. Cela, même si le solde après dix ans, au moment du décès est de 50 000 $. C'est à y penser, ne croyez-vous pas ?

VOUS NE RECEVEZ JAMAIS DE CONTRAT

Je pose la question à tous ceux qui ont une assurance hypothécaire avec une société prêteuse (banque, Caisses populaire, fiducie) : avez-vous reçu, de la part de celle-ci, un contrat en bonne et due forme, concernant votre police d'assurance-hypothèque ? C'est possible, mais j'en doute. Habituellement, le seul document que la société prêteuse vous remet est une copie du formulaire de votre demande d'assurance. Cependant, avec certaines sociétés prêteuses, il est possible d'acheter le contrat ou de le consulter à la succursale.

Sur le formulaire de demande d'assurance, il y a généralement quatre questions auxquelles vous devez répondre. En voici trois, transcrites textuellement :

- Avez-vous déjà eu une demande d'assurance refusée, acceptée avec surprime ou modifiée par un assureur ?

- Au cours des deux dernières années, avez-vous eu des troubles cardiaques ou pulmonaires, tension artérielle, diabète, maux de dos, tumeur, cancer anomalie du système immunitaire y compris le sida, alcoolisme, abus de drogue ou autre maladie grave consulté par un professionnel de la santé ou reçu des traitements ou subi des tests ?

- Au cours des 5 dernières années, avez-vous fait un séjour d'au moins 24 heures consécutives dans un hôpital, une clinique ou un établissement de santé pour toute raison autre qu'un accouchement ?

Si vous répondez «oui» à l'une de ces questions, vous devez remplir et retourner le formulaire «déclaration de bonne santé et rapport d'assurabilité» que la société prêteuse devrait en principe vous remettre. Lorsque vous avez répondu «non» à toutes les questions, vous êtes admis à l'assurance en signant le formulaire. Sauf qu'à l'endroit ou vous devez signer, il est écrit sur certains formulaires : **«J'accepte que le fait de payer ce taux additionnel ne garantisse pas l'adhésion à l'assurance».**

Ceci est très simple à comprendre puisqu'il ne s'agit pas d'une assurance personnelle, mais d'une assurance collective (appelée «pool d'assurance»).

Lorsque vous utilisez les services d'un agent d'assurances, celui-ci vous fait parvenir un contrat spécifique avec toutes les clauses (inclusions et exclusions) qui s'y rattachent. Ce contrat ne comporte que quelques pages. De plus, il vous appartient puisqu'il s'agit d'une assurance personnelle et non d'un pool d'assurances.

LE CHOIX DU BÉNÉFICIAIRE ?

Lorsque vous transigez avec une institution prêteuse, c'est elle qui devient automatiquement la bénéficiaire de la police d'assurance. Cette police prévoit obligatoirement le remboursement du prêt lors du décès de l'assuré. Donc, vous n'êtes pas maître de votre contrat, puisque vous ne pouvez pas en choisir le bénéficiaire.

Lorsque vous transigez avec un agent d'assurance, c'est vous qui choisissez votre bénéficiaire. Si l'assuré décède, la succession peut décider de rembourser le prêt hypothécaire ou encore de garder l'argent et continuer à faire les paiements du prêt hypothécaire. Au moins, elle a le choix et elle peut disposer de l'argent comme bon lui semble. De plus, elle reçoit le montant initial de la protection et non seulement ce qui couvre le solde du prêt.

ÊTES-VOUS CERTAIN D'ÊTRE ASSURÉ ?

Souvenez-vous du scandale de certaines institutions financières accusées d'avoir chargé des montants pour la prime d'assurance, alors qu'elles n'avaient pas fait valider les polices. Il s'agissait sûrement d'erreurs administratives. Cela peut arriver, car les personnes qui vous vendent une assurance, au sein d'une société prêteuse, peuvent n'avoir aucun permis d'agent d'assurance. Il s'agit souvent d'employés ayant obtenu une promotion dans l'entreprise et ayant bénéficié d'une formation sommaire. Au contraire, l'agent d'assurance est spécialement formé pour vous offrir ce qu'il y a de mieux sur le marché. Il transige avec toutes les compagnies d'assurances et il connaît parfaitement l'éventail de tous leurs produits.

Je ne comprends pas comment des institutions financières sérieuses peuvent assurer une personne sur la foi d'un simple questionnaire (quatre questions !) Cela, sans demander aucun examen médical (prise de sang, test d'urine, rapport écrit du médecin etc.). Qu'arrivera-t-il si l'assuré décède rapidement et que son médecin déclare qu'il traînait une maladie depuis des années sans le savoir. Habituellement, les sociétés prêteuses n'aiment pas perdre de l'argent. La preuve : ne sont-elles pas parmi les entreprises qui génèrent des bénéfices annuels exorbitants ? Le risque est grand pour celles-ci d'assurer un individu sans expertise médicale. Comment peut-on prouver que l'assuré n'a commis aucune fraude ? Il n'est pas là pour se défendre puisqu'il est mort. N'est-ce pas là une des nombreuses situations qui peuvent survenir et amener des litiges lorsque viens le temps de payer ? Des litiges qui peuvent coûter très cher en frais juridiques. Les clauses, sur les formulaires de demande d'assurances, des sociétés prêteuses ont un sens à large envergure qui les favorisent. Donc, la succession devra s'armer de patience et peut-être devoir prouver qu'il n'y a pas eu fraude.

Je vous suggère, lorsque vous souscrivez à une protection avec une institution financière, de lui fournir immédiatement une expertise médicale. Mieux vaut prévenir que guérir.

Il peut arriver qu'une compagnie d'assurances accepte d'assurer sans examen médical. Lorsque cela se produit, la compagnie d'assurance rembourse les primes de l'assuré, si celui-ci décède à l'intérieur des deux premières années de l'entrée en vigueur de la police. Toutes les autres compagnies d'assurances demandent un rapport médical. Autrement, le risque est trop grand. De plus, le fait d'avoir un contrat d'assurance en sa possession avec toutes les clauses (inclusions et exclusions), diminue les risques d'avoir à défendre ses droits légitimes, lorsqu'il n'y a pas eu fraude de la part de l'assuré.

Des litiges concernant les assurances, il y en a amplement. Donc, protégez-vous, en prenant les devants, afin de mettre toutes les chances de votre côté.

L'ANNULATION DE VOTRE ASSURANCE

Certaines institutions prêteuses se réservent le droit d'annuler votre protection. Cette situation est arrivée à mes parents. Ils avaient leur assurance hypothécaire avec une Caisse populaire depuis plusieurs années. Lors du renouvellement du terme de leur prêt hypothécaire, la Caisse populaire leur fit remplir les 4 mêmes questions du formulaire de l'assurance-hypothèque. Ma mère, très honnête, mentionna quelle avait eu une crise cardiaque, l'année précédente. Alors, le préposé de la Caisse supprima, de la police d'assurance prise conjointement, la part de ma mère. Celle-ci payait cette police depuis des années. La Caisse n'avait pas le droit de faire ça. Il s'agit d'un droit acquis puisque la maladie est survenue pendant que ma mère était assurée. Mes parents ne connaissaient pas ce fait et ne défendirent pas leurs droits. Ce n'est qu'après quelques années, qu'on a su qu'elle n'avait pas le droit de résilier ce contrat. À titre compensatoire, la Caisse a offert à ma mère de revalider son assurance à condition qu'elle paie l'arrérage, dont le montant s'élevait à près de 3 000 $. Mes parents, qui n'ont que leur chèque de pension pour vivre, n'avaient pas les moyens de payer ce montant.

Donc, s'il survient un accident grave ou une maladie à risques pendant que vous êtes assuré, vous risquez de ne plus être assurable lors de votre prochain renouvellement d'assurance hypothécaire. Du moins, certaines institutions prêteuses peuvent essayer de vous exclure. Si vous ne défendez pas vos droits, parce que vous ne les connaissez pas, vous risquez de ne plus être assuré. Ce qui veut également dire que vous n'êtes plus assurable nul part ailleurs. C'est à y penser !

Lorsque vous souscrivez votre assurance hypothèque avec un agent d'assurance, il est mentionné, dans le contrat de votre police dont vous avez copie, que si la maladie survient pendant que la police est en vigueur, celle-ci ne peut être résiliée. La compagnie d'assurance possède la preuve que vous n'étiez pas malade au moment de la souscription. Elle a votre rapport médical en sa possession. Par contre, la compagnie peut toujours se désister s'il y a fraude, tout comme les institutions prêteuses.

LA PROTECTION N'EST PAS TRANSFÉRABLE

Votre assurance hypothécaire n'est pas transférable d'une société à une autre. Donc, cela peut poser des problèmes, si vous souhaitez changer d'institution prêteuse, surtout lorsque vous pouvez obtenir des conditions plus avantageuses ailleurs.

Avec un agent d'assurance, votre protection vous suit partout, cela peu importe l'endroit sur terre où vous déménagez. La police restera en vigueur tant et aussi longtemps que vous continuerez à payer la prime.

L'ASSURANCE-VIE HYPOTHÉCAIRE

EN CAS DE SUICIDE

En cas de suicide, la majorité des institutions prêteuses et des compagnies d'assurances paient la prime lorsque la police est en vigueur depuis deux ans. Exception faite pour les Caisses populaires. Sur leur formulaire, il est dit qu'elles ne paient que 75 % de la totalité des biens assurés par Desjardins, lorsque la police est en vigueur depuis 6 mois jusqu'à deux ans. Après deux ans, la police couvre la totalité des prêts assurés. Du moins ce que j'en ai compris. Si vous transigez avec une Caisse, posez-leur la question. Il est également écrit sur le formulaire, dans la même case concernant la clause de suicide, que «certains type» d'emprunt sont sujets à des conditions particulières et que l'assuré doit consulter sa police d'assurance. Dont il n'a pas copie, comme vous le savez.

FIN DE LA PROTECTION

Lorsqu'on parle d'une assurance hypothécaire, on doit savoir qu'il s'agit d'une protection en assurance-vie qui est «temporaire». Temporaire puisqu'elle se termine avec votre amortissement. Du moins, en ce qui concerne les institutions financières. Posez leur la question.

Lorsque vous achetez votre protection avec un agent d'assurance, vous pouvez lorsque que la maison est entièrement payée :

- annuler le contrat
- conserver votre protection en la renouvelant au nouveau taux proposé.
- la convertir (consultez un agent d'assurance pour en savoir davantage).
- appliquer cette assurance à une autre propriété (chalet ou autre).

FUMEUR OU NON FUMEUR

La plupart des institutions prêteuses n'ont pas de barème de prix pour les non fumeurs. Celui-ci est plutôt en fonction de l'âge de l'assuré. Avec un agent d'assurance, le non fumeur a l'opportunité d'économiser sur sa prime.

L'ASSURANCE INVALIDITÉ

Concernant l'assurance invalidité, j'ai lu sur certains formulaires de demande d'assurances, des clauses qui me laisse perplexe. Je vous en cite une. Essayez tout comme moi, de l'analyser.

«Un état d'incapacité qui résulte d'une maladie ou d'un accident, qui exige des soins médicaux continus, qui **l'empêche d'exercer chacune des activités normales d'une personne du même âge** ».

Que ce terme est large de sens! Je ne sais pas si vous comprenez la même chose que moi. «Chacune des activités normales d'une personne du même âge». Qu'est-ce que cela veut dire ? N'est-ce pas là une clause très ambiguë ? Est-ce que le fait de «faire la vaisselle ou simplement d'être capable de marcher», constitue une activité normale ? À vous d'en décider ! Mon exemple frise le ridicule, mais à mon sens, les termes employés dans cette clause, le sont également. D'où l'importance de lire la police et de poser vos questions. Ce n'est pas lorsqu'on vous dit que vous n'êtes pas éligible, qu'il vous faut les poser. À ce moment là, il est alors trop tard.

Prenons l'exemple de ma sœur : lorsqu'elle a contracté un prêt-rénovation, la banque lui a offert une assurance invalidité qu'elle a prise conjointement avec son mari. Elle était retournée aux études, au moment de la demande. Pendant deux ans, ils ont payé la prime. Ma sœur eut un grave accident de moto ce qui occasionna plus d'une année d'invalidité. Elle téléphona à la banque pour les prévenir et prendre les mesures nécessaires pour sa protection. On lui a répondu qu'elle n'était pas éligible à cette protection, puisqu'au moment de sa souscription, elle ne travaillait pas. Cependant, la prime a été prélevée chaque mois depuis deux ans, alors qu'elle n'y avait pas droit. On proposa de lui rembourser les primes qu'elle avait payées pendant ces deux années. Ma sœur refusa la proposition et finit par gagner son point. Personne ne l'a prévenue de ce fait lorsqu'elle a rempli le formulaire. Pourtant, elle avait spécifiée qu'elle ne travaillait pas, sur celui-ci. Si ma sœur ne s'était pas défendue, la compagnie ne l'aurait probablement pas payée.

PEUT-ON CANCELLER UNE PROTECTION ?

Une police d'assurance hypothécaire, ça se cancelle en tout temps sans pénalité. Donc, si vous croyez être encore assurable, vous pouvez magasiner et poser les questions que je vous ai mentionnées.

Ne cancellez jamais votre police actuelle avant d'être absolument certain que vous êtes encore assurable. Comme je vous l'ai déjà mentionné, il est préférable de prendre les devants en fournissant immédiatement un rapport médical. Car, lorsque survient un litige qu'il s'agisse d'institutions prêteuses ou de compagnies d'assurances, toutes ont les moyens financiers de vous traîner longtemps en Cour avant qu'un règlement ne survienne. D'où l'importance de lire les contrats et de poser des questions.

CONVERTIR UNE PRIME EN POURCENTAGE

Est-il avantageux pour le client, que sa prime d'assurance soit convertie en pourcentage et ajoutée au taux hypothécaire ? Toute une question ! D'après mon étude **«NON».** À ma connaissance, il n'y a que les Caisses populaires Desjardins qui fonctionnent de cette manière.

Quoi qu'il en soit, j'ai fait ma petite enquête, suite aux informations de monsieur Battah. Convertir le montant des primes d'assurances (vie et invalidité) en pourcentage puis, ajouter ce pourcentage au taux hypothécaire en vigueur représente une différence, dans le solde du prêt, à la fin de chaque terme. Une différence qui se trouve être avantageuse pour la société prêteuse et non pour le client. Supplément que le consommateur n'aurait pas à payer, si celle-ci fonctionnait comme les autres sociétés prêteuses.

Avant de vous donner le résultat de mes recherches, je dois vous dire que j'en ai arraché pour obtenir toutes ces informations. Les employés mandatés pour vendre ces différents types de protection (assurance-vie et invalidité) ont certainement subi un lavage de cerveau. Du moins, la personne qui les a formés à répondre aux questions des gens est un «AS» en son domaine. On dirait que les employés connaissent toutes les techniques qui font que leurs réponses embrouillent, tout en convaincant presque n'importe qui ! Peut-être est-ce là, une nouvelle méthode de marketing, qui permet de laisser croire au client qu'il obtient une aubaine. Cela sans mentir !

Voici ce qui s'est passé lorsque j'ai téléphoné à l'une des succursales de Desjardins. J'ai demandé quel était le taux d'intérêt pour une hypothèque avec assurance-vie, dont le montant du prêt est de **100 000 \$**, pour **un terme de 5 ans**, amorti sur 20 ans **(5/20 ans)**. J'ai donné mon âge **(48 ans)**. Jusqu'ici, tout allait bien. La personne a fait ses calculs et me donna l'information. Après avoir converti la prime d'assurance, le taux de mon prêt était de **6.63 %**.

Ensuite j'ai demandé le taux pour un prêt, sans assurance. Celui-ci était de **6.3 %**. Donc, une différence de **0,33 %**. Avec assurance-vie, le versement mensuel était de **748.10 \$,** sans assurance **729.12 \$**. C'est à ce moment que les choses se compliquèrent.

Gentiment, je lui ai demandé de m'expliquer pourquoi, elle ajoutait le taux de la prime à mon taux hypothécaire. Elle se mit immédiatement sur la défensive. Pendant plus de dix minutes, elle parla sans arrêt pour m'expliquer de différentes façons que cela ne changeait strictement rien au solde de mon prêt, ni au montant de la prime. À un certain moment, j'ai cru qu'elle s'étouffait tellement elle n'avait pas le temps de reprendre son souffle ! Tout ce charabia pour ne donner aucune preuve de ce qu'elle avançait. Alors, voulant m'assurer de la véracité de ses dires, je lui ai demandé de me donner le solde de mon prêt, après 5 ans, dans les deux cas (avec et sans assurance). Elle n'a jamais voulu.

Au cours de la conversation, j'avais réussi à obtenir le montant total d'intérêts payés sur 5 ans, pour le prêt sans assurance. Ce montant s'élevait à **28 951.33 \$**. Concernant le montant d'intérêts sur le prêt, avec assurance, elle spécifia qu'il était identique à l'autre. J'ai insisté en précisant que je doutais nullement de sa parole mais qu'elle pouvait facilement entrer les données du prêt dans le système informatique et me sortir un rapport détaillé sur 60 mois, en moins d'une minute. Faites le moi parvenir par télécopieur, ainsi, nous serons à armes égales pour discuter. Je n'ai que votre parole. Des paroles, ça s'envolent, tandis que les écrits, restent. Elle n'a jamais voulue, prétextant qu'elle n'avait pas le temps. Alors, pour détourner mon attention, et satisfaire mon appétit, elle me donna le montant total de la prime d'assurance sur 5 ans. Celle-ci, s'élevait à **1 581 $.**

J'avais ma calculatrice à mes côté. Je pouvais donc calculer les informations reçues au fur et à mesure. J'avais noté au départ, qu'elle avait mentionnée, avant de convertir la prime d'assurance en pourcentage, que celle-ci était de 0,27¢ du mille dollars et que mon versement serait de 18.95 $ par mois. Le prêt est de 100 000 dollars. Pas besoin de calculatrice pour constater que la prime était de 27 $ par mois, et non 18.95 $.Ça saute aux yeux avec un chiffre arrondi comme (100 000 $). Pourtant, elle resta sur ses positions, lorsque je lui en ai fait part. Comme elle m'avait donné le montant total de la prime (1 581$) pour 5 ans. Je lui ai demandé de diviser ce montant par 60 mois (5 ans) afin d'établir le vrai montant mensuel. Voyant le résultat (26,95 $), elle fut bien embarrassée d'expliquer cette distorsion des faits ! Et malgré tout, elle continua à dire que j'avais tort. La manière, dont je vois leur calcul, cela sans connaître les facteurs que la Caisse utilisent. Je pense qu'elle l'amortie sur la duré du terme ou de l'amortissement, ce qui expliquerait, selon moi, la différence.

Donc, il est inexacte de dire à un client que sa prime mensuel est de 18,95 $, lorsqu'en réalité, elle s'élève à 26,95 $. Cette façon de procéder est ce que j'appelle «la nouvelle méthode de marketing qui laisse croire au client qu'il obtient une aubaine, sans mentir». Car, il est vrai qu'elle n'a pas menti. Souvenez-vous qu'au début, elle m'avait mentionné que la prime mensuel était à 0,27 ¢ du mille. Quel montant allez-vous retenir entre 0,27¢ du mille et 18,95 $ par mois ?

Je dois avouer que je m'amusais beaucoup dans cette aventure. J'ai même poussé le jeu plus loin. Les deux montants qu'elle m'a donnés, sont suffisants pour calculer le montant des deux soldes après 5 ans. N'oublions qu'elle a toujours confirmé que le total des intérêts payés était le même dans les deux cas, pour 60 mois.

Donc, les soldes devraient également être identiques. Puisque tous les employés des Caisses, s'acharnent à dire, que la prime convertie ne pénalise nullement le client. C'est ce que nous allons voir !

Voici comment je suis arrivé à trouver le solde, avec 5 données au départ.

- Le prêt initial est de 100 000 $.

- Pour un terme de 5 ans, le montant total de mes versements mensuels en **capital, intérêts et assurance (C.I.A.)** est de 44 886 $ (748,10 par mois X 60 mois).

- Pour un terme de 5 ans, le montant total de mes versements mensuels en **capital et intérêts (C.I.)** seulement est de 43 747,20$ (729,12$ X 60 mois) **sans assurance.**

- Pour un terme de 5 ans, les intérêts que j'ai payés sont de 28 951,33 $.

- Pour un terme de 5 ans, la prime total d'assurance est de 1 581 $.

SANS ASSURANCE		AVEC ASSURANCE	
(C.I.)	**43 747,20 $**	(C.I.A.)	**44 886,00$**
Soustraire l'intérêt	28 951,33 $	Soustraire l'intérêt	28 951,33 $
Assurance	0,00 $	Soustraire l'assurance	1 581,00 $
Capital	**14 795,87 $**	Capital	**14 353,67 $**

Maintenant, prenons le montant du prêt initial pour faire les calculs :

Prêt initial	100 000,00 $	Prêt initial	100 000,00$
Soustraire le capital	14 795,87 $	Soustraire le capital	14 353,67 $
Solde	**85 204,13 $**	Solde	**85 646,33 $**

La différence entre les deux soldes est de   442,20 $

Lorsque je lui ai expliqué mon calcul, elle n'a pas su me répondre. Elle ne pouvait pas m'expliquer cette différence. Je lui ai dit qu'il serait plus facile de constater mon erreur (si erreur il y a) en me fournissant le fameux relevé informatique détaillé, étalé sur 60 mois (5 ans). Elle refusa. La discussion s'arrêta là. Après quarante minutes d'une joute oratoire.

Je n'étais pas satisfaite du résultat. Je voulais absolument avoir un rapport écrit et calculé par la Caisse. J'ai donc consulté une autre succursale. Même résultat. Mon troisième essai porta fruit. La personne m'envoya, par télécopieur, six pages. Trois pages pour chacun des cas (avec et sans assurance).

Je vous transmets les données et le solde de chacun sans faire les calculs. Car le résultat est similaire à ce que je viens de vous expliquer.

SANS ASSURANCE		AVEC ASSURANCE	
Montant du prêt	100 000,00 $	Montant du prêt	100 000,00 $
Taux d'intérêts	6,000 %	Taux d'intérêts	6,000 %
Taux d'assurance	0,000 %	Taux d'assurance	0,332 %
Taux au contrat	6,000 %	Taux au contrat	6,032 %
Terme	5 ans	Terme	5 ans
Amortissement	20 ans	Amortissement	20 ans
Capitalisation	Semestrielle	Capitalisation	Semestrielle
Remboursement mensuel	712,19 $	Remboursement mensuel	730,95 $
Capital cumulatif (60 mois)	15 203,93 $	Capital cumulatif (60 mois)	14 752,50 $
Frais de crédit Cumulatifs (60 mois)	27 527,47 $	Frais de crédit Cumulatifs (60 mois)	29 104,50 $
Solde après 60 mois	**84 796,07 $**	**Solde après 60 mois**	**85 247,50 $**

La différence   **451,43 $**

Cela ne s'arrête pas là ! Au moment du renouvellement, mon prêt sera de 85 247,50 $ au lieu de 84 796,07 $. C'est pas fini ! j'ai vieilli de cinq ans. Donc, ma prime converti sera alors de 0,39 % (C'est le taux que la caisse m'a donné pour 53 ans d'âge). Ce taux sera encore additionné à celui de mon prêt. Ce qui donne 6,69 %, en espérant que le taux hypothécaire n'a pas augmenté. Ce qui veut dire qu'à la fin du prochain 5 ans, vous aurez un solde qui aura près **de 900 dollars de plus**, qu'un prêt dont le montant de la prime d'assurance est calculé à part, c'est à dire : non converti en taux d'intérêt ni additionné au taux d'intérêt du prêt. Lorsque l'amortissement est terminé après 20 ou 25 ans, vous avez payé une somme approximative **de 3 000 $ en plus**. Cela, simplement parce que le montant de la prime est converti en taux d'intérêt et additionné à celui de votre prêt.

À cela, ajoutez maintenant une prime d'assurance invalidité convertie et additionnée aux deux autres. N'oubliez pas que cette dernière coûte beaucoup plus cher que l'assurance vie, pour 48 ans d'âge, la mensualité est 45.83 $.Encore une fois ce n'est pas tout à fait exacte puisqu'au terme du cinq ans, uniquement pour l'assurance invalidité le montant payé est de 5 368.17 $. Divisons ce montant par 60 mois, nous obtiendrons ainsi la vrai mensualité soit 89.46 $. Ce qui signifie qu'au terme du prêt soit 20 ou 25 ans, une personne possédant l'assurance-vie hypothèque et celle d'invalidité risque d'avoir payer en trop une somme pouvant aller jusqu'à près de 10 000 dollars et plus si l'assurance concerne le couple. Personnellement, j'aime bien choisir à qui j'aime faire des cadeaux.

Quel beau présent fait par chacun des membres assurés par la société des Caisses populaires Desjardins chaque année. J'e n'ai pas fait le calcul mais en multipliant ces chiffres par le nombre de membres assurés, cela doit bien donné des milliards de dollars par année que Desjardins mets dans ses coffres. Toutes les autres institutions prêteuses que j'ai contacté ne convertissent pas et n'additionnent pas la prime d'assurance au taux hypothécaire. Les institutions prêteuses (exception faite pour les Caisses) considèrent ces deux versements en tant que deux entités distinctes.

C'est à vous de choisir à qui vous souhaitez donner votre argent. En ce qui me concerne, les trois personnes que j'ai contacté (dans trois succursales différentes des Caisses populaires), n'ont pas su me démontrer la véracité de leur conviction. De plus, aucune n'a pu m'expliquer pourquoi mon solde était plus élevé à la fin du terme. Cela, même avec un rapport informatique qui provient de leur société avec tous les détails mois par mois, jusqu'au terme final de 60 mois (5 ans). En ce qui me concerne s'assurer chez Desjardins, c'est pas une aubaine.

Est-il possible que les Caisses populaire aient perdu, en cours de route, la vision de leur fondateur ?

Je tiens à remercier monsieur Ken Battah, agent d'assurance de Multi-Vie, courtier en assurance de m'avoir informée. Maintenant, c'est à vous, de faire votre enquête et de choisir à quel endroit vous souhaitez magasiner votre assurance hypothécaire.

Chapitre XII

Inspection en bâtiments
Inspection en bâtiments

J'ai ajouté ce chapitre car il est important que vous sachiez que les inspecteurs en bâtiments ne sont régis par aucune législation. Cela signifie que, pratiquement n'importe qui, peut s'octroyer le titre d'inspecteur en bâtiments. Au moment d'écrire ce texte, **cette profession n'est pas reconnue**. Elle devrait l'être vers l'an 2000, selon monsieur Brian Crewe, membre exécutif de l'Association des inspecteurs en bâtiments du Québec. Présentement, aucun critère concernant la formation, n'est exigé. Cela, partout en Amérique du nord.

Monsieur Crewe, travaille depuis quatre ans, de concert avec la S.C.H.L. afin que le ministère des Ressources humaines du Canada établisse un ordre professionnel à cet effet et qu'il accrédite par la même occasion, les inspecteurs en bâtiments comme étant une vraie profession.

De plus, ces sociétés travaillent à amasser un fonds de 600 000 $, afin d'établir les règles de l'art de cette formation et d'instaurer un programme de formation adéquate. Ce cour, dont la période n'est pas encore déterminée, sera suivi d'un examen sérieux de pratique et d'écrit. Ce qui permettra aux inspecteurs en bâtiment d'obtenir un certificat d'inspecteur certifié.

Maintenant, je comprends mieux pourquoi je n'ai jamais été impressionnée par le travail des inspecteurs en bâtiments, lorsque j'utilisais leurs services. La sensation que j'en éprouvais, était d'en savoir autant qu'eux, sinon plus. Je devais toujours les questionner car, ils ne mentionnaient rien, sur certains éléments qui à mon sens étaient importants. Donc, comment être certain que l'inspecteur en bâtiments qui vous est référé par un agent immobilier ou que vous avez personnellement choisi est compétent ? Il n'y a pas vraiment de possibilité de le savoir. Seuls, ses années de connaissances acquises dans le domaine pratique de la construction et les normes du Code du bâtiment, antérieures et actuelles, peuvent refléter ses compétences. Je vous suggère d'être présent et de poser des questions lors de l'inspection.

L'INSPECTEUR EN BÂTIMENT ET L'ASSURANCE

Je dois avouer, que je n'étais pas au courant du fait que certains inspecteurs en bâtiments ont une assurance, en cas d'une erreur majeure, suite à son inspection. Maintenant, c'est ce qui va déterminer mon choix ! Car, un inspecteur en bâtiments, qui possède une telle assurance est sérieux dans son travail. Il reconnaît l'importance de celui-ci, tout en sachant pertinemment qu'il n'est pas à l'abri d'une erreur humaine. Ce qui le protège et rassure le client qui utilise ses services.

Cependant, je suggère au client, de ne pas être crédule. Demandez, la preuve d'existence de cette police. D'ailleurs, c'est une question que tous les consommateurs devraient poser lorsqu'ils magasinent pour des travaux de réfections majeurs comme (la toiture, la plomberie, l'électricité, le revêtement extérieur, l'isolation, cuisine et salle de bain, fondation, portes et fenêtres).

Comment peut-on trouver rapidement un inspecteur en bâtiments, qui possède une expérience sérieuse et une telle assurance ? Par l'Association.

LES ASSOCIATIONS DES INSPECTEURS EN BÂTIMENTS

Ces associations sont des sociétés professionnelles sans buts lucratifs, à adhésion volontaire. Aux États-Unis, cette association se nomme, American society of home inspectors (A.S.H.I.). Au Canada la Société canadienne des inspecteurs en bâtiments et au Québec, l'Association des inspecteurs en bâtiments du Québec. Ce qui est important à retenir est que l'Association des inspecteurs en bâtiments du Québec est membre de la Société Canadienne des inspecteurs en bâtiments. Toutes ces sociétés ont un but commun, notamment, d'encourager l'excellence chez ses membres et de promouvoir l'amélioration continue du service au public.

LE CODE D'ÉTHIQUE

Le code d'éthique de ces sociétés est établi en fonction d'une philosophie, basée sur l'honnêteté, la justice et la courtoisie. Les inspecteurs en bâtiments qui adhèrent à la société, le font d'une manière active et volontaire. Ils en font le principe même, qui guide leur conduite. Tout inspecteur en bâtiments, membres d'une de ces sociétés peut à tout moment en être radié, s'il ne travaille pas dans le respect de ce code d'éthique.

INSPECTION EN BÂTIMENTS

L'intégrité est la clé d'or de la conduite professionnelle des membres de ces sociétés. En tout temps, ils ne peuvent participer à aucune entreprise de caractère douteux qui leurs permettraient d'entrer en conflit d'intérêts. Ce qui mettrait l'honneur et la dignité de leur profession en péril. (Il arrive que certains d'entre eux offrent aux professionnels de l'immobilier, des commissions pour référence donnée). Ce qui n'est pas permis pour les membres de l'Association.

OBLIGATIONS DE L'INSPECTEUR EN BÂTIMENTS

L'inspecteur doit :

- regarder les systèmes et les composantes installées et facilement accessibles
- fournir au client un rapport écrit qui :
    1. décrit les composantes ;
    2. indique ceux qui ont été inspectés ;
    3. indique ceux qui exigent une réparation immédiate.

L'inspecteur peut :

- inclure dans son rapport des éléments non exigés ;
- fournir des services d'une inspection additionnelle ;
- exclure, à la demande du client, certains systèmes ou composantes.

Pour connaître ce qui est entendu par «systèmes et composantes», je vous suggère de téléphoner à l'Association. Celle-ci pourra vous faire parvenir la liste des normes ainsi que celle des exclusions et limitations.

L'INSPECTION D'UNE PROPRIÉTÉ, C'EST DU SÉRIEUX

Selon monsieur Crewe, faire inspecter sa propriété, c'est du sérieux. Il ne s'agit pas là d'une inspection d'accommodation pour les agents d'immeuble destinée à faciliter leur vente. Au contraire, une bonne inspection est tributaire, du temps que l'inspecteur a mis pour effectuer sa visite. Demandez un rapport écrit, plutôt qu'un rapport enregistré sur magnétophone. Un rapport écrit, est valable en Cour lorsque survient une erreur pouvant occasionner au client, des frais.

Lorsqu'il s'agit d'un architecte ou d'un ingénieur qui pratique ce travail, ils ont une idée technique de la bâtisse. Monsieur Crewe mentionne, qu'ils peuvent être de bons inspecteurs, même s'ils ne sont pas membres de l'Association. En autant, que ceux-ci maîtrisent bien les normes du Code du bâtiment. Non, seulement celles d'aujourd'hui, mais également celles de 50 ans. Cela, afin de bien conseiller son client.

Un acheteur intéressé par une maison de 50 ans, dont le système électrique de celle-ci est désuet, pourrait se faire dire ; qu'il doit tout refaire celui-ci, alors qu'il ne s'agirait peut-être que de quelques réparations, qui permettrait de le rendre sécuritaire. Les normes du Code du bâtiment considèreraient alors ce système électrique, comme acceptable et sucuritaire.

DES ÉLÉMENTS DIFFICILES À DÉTECTER

Je vous ai mentionnée qu'il existe des systèmes et des composantes qu'il est pratiquement impossible à un inspecteur en bâtiments de déceler à l'œil nue (limitations et exclusions de l'Associations). Voici quelques exemples.

Lorsqu'il s'agit d'une cheminée, un inspecteur peut déclarer que celle-ci n'est pas obstruée, mais il ne peut vous dire, si celle-ci est en bon état. Pour vérifier intégralement l'état d'une cheminée, l'inspecteur devrait avoir en sa possession une caméra miniature, afin que son rapport soit exact. Ce qu'il n'a pas. Donc, c'est impossible pour lui, de vérifier si les joints sont remplis de mortier ou craqués. Par contre, un cheminot, peut vous y aider.

Il en est de même pour les tuyaux d'égouts. Ceux-ci étant sous le plancher, il devient alors impossible de vérifier leur état. Ils peuvent être brisés ou craqués, nul le sait ! Par contre, il pourra vous dire si l'évacuation semble bien se faire.

Concernant l'isolation, c'est la même chose. Les murs étant fermés, il devient difficile de savoir quels sont ceux qui sont isolés. Cependant, certains indices, comme la condensation permettent d'identifier des parties de la maison ou l'isolation fait défaut. C'est en observant les murs extérieurs, qu'il peut les déceler. Avec l'instrument adéquat, il mesure la différence de température et peut ainsi conclure que cet endroit n'est pas isolé. Mais, il lui est impossible de le dire pour toute la maison.

Pour plus d'informations, contactez l'Association des inspecteurs en bâtiments du Québec au numéro **1-514-234-2104**.

Chapitre XIII

Le professionnel
Le professionnel

Le fait de chercher pour un bon professionnel ne signifie pas uniquement trouver le plus bas prix. La qualité du service et de la recherche est plus importante encore. Le prix n'est pas toujours synonyme de qualité. Certains de ces professionnels ne font pas toujours la recherche adéquatement.

Consulter un professionnel avant d'acheter est certainement la meilleure façon de procéder. Il vous guidera, selon l'achat d'une propriété existante ou d'une propriété neuve, sur les clauses le mandatant à vous protéger. La manière dont votre promesse d'achat est rédigée peut faire en sorte que vous êtes, ou non, protégé contre les hypothèques légales ou autres. Il existe trois formes d'hypothèques qui peuvent être enregistrées sur votre propriété.

- **Les hypothèques conventionnelles.**
  (institutions financières, balance de vente)

- **Les hypothèques légales.**
  (fournisseurs non payés, donc on met votre maison en répondant sans votre autorisation)

- **Les hypothèques judiciaires.**
  (jugement contre vous)

☞ **Celle qui nous intéresse vraiment est la deuxième. Comme je vous l'ai déjà mentionné concernant les hypothèques légales, le fournisseur à trente jours après la fin des travaux pour enregistrer cette hypothèque et six mois pour prendre action, ce qui peut occasionner des tracas et des frais coûteux pour l'acheteur qui veut se défendre. Quant aux hypothèques judiciaires, le terme explique bien de quoi il en retourne.**

Au cas où vous n'auriez pas encore trouvé la perle rare dans ce domaine (quelqu'un à qui vous pourriez vouer une entière confiance), je peux vous en recommander un que j'ai déniché, il y a quelques années. J'aime sa façon de travailler. Vous trouverez son nom et ses coordonnés à la fin du livre. Le professionnel que vous choisirez peut être un avocat ou un notaire. Je cite les deux, parce c'est seulement au Québec et en France qu'existe la profession de notaire. Partout ailleurs, vous devez transiger avec un avocat.

COMMENT ACHETER INTELLIGEMMENT...

LE RÔLE DU PROFESSIONNEL

- Est de s'assurer que le vendeur est la bonne personne. Il doit exiger de celui-ci des pièces d'identités.

- Que les titres sont clairs et libres de toutes charges.

- Que toutes les servitudes sont enregistrées!

- Il doit aussi être en mesure d'enregistrer votre acte avec le bon numéro de cadastre et de lots... etc.

☛ Voilà pourquoi le certificat de localisation est important pour lui, lors de sa recherche.

Je vous suggère quand même, avant de signer les documents finals, de demander à celui-ci de vous faire parvenir la copie de l'acte et des ajustements afin de pouvoir les étudier avant de les signer. Il est très facile de calculer les ajustements de taxes et autres, entre le vendeur et l'acheteur. Je vous donne un exemple avec le compte de taxes. Faites de même avec les autres ajustements qui peuvent avoir cours dans une transaction.

Voici l'exemple: il s'agit d'une propriété dont les ajustements des taxes se font en date du 03/03/98.

Le paiement des taxes municipales (foncières) s'échelonne sur une période commençant le 01/01/98 Au 31/12/98 (les dates et les mois ne changent jamais). Celles-ci sont payables en deux versements.

Le total des taxes est de 1,551.12$ et le vendeur a payé pour la première partie de l'année 775.56$ donc l'acheteur devra au vendeur le montant payé par celui-ci à compter du 03/03/98. Calculons ensemble ce montant.

En tout 61 jours se sont écoulés depuis le début de l'année. Donc, il s'agit de calculer 61 jours, de multiplier par le montant des taxes, soit 1,551.12$, et de diviser par 365 jours. (en fait, ce n'est qu'une simple règle de trois.)

La partie que le vendeur doit payer pour 61 jours en tant que propriétaire est de:

$$\frac{61 \text{ jrs X } 1\ 151,12\$}{365 \text{ jrs.}} = 259,23\$$$

Le paiement des taxes municipales se fait en deux versements. Donc, le vendeur a payé la première partie des taxes, soit 775.56$. Ce qui veut dire que l'acheteur doit rembourser au vendeur :

775,56$ - 259,23$ = 516,33$.

Calculons maintenant les taxes scolaires. Elles sont échelonnées sur une période commençant le 01/07/00 Au 30/ 06/00 (du 1er juillet au 30 juin de chaque année). Dans le cas des taxes scolaires, elles ne sont facturées qu'en un seul compte par année. Je vous laisse le soin de vous pratiquer, en calculant vous-même celles-ci.

N'oubliez pas que le vendeur a payé en totalité le compte le 1er juillet 1997. Donc, les jours doivent partir de cette date.

Le montant de la taxe scolaire dans le cas présent est de 352,66$ pour l'année commençant le 01/07/97 et se terminant le 30/06/ 98.

La part que le vendeur doit payer pour la période dont il est propriétaire est:

$$\frac{\underline{\quad} \text{ jrs X } \$\underline{\qquad}}{365 \text{ jrs.}} = \$\underline{\qquad}$$

Le solde à payer est donc de $\underline{\qquad}$ - $\underline{\qquad}$ = $\underline{\qquad}$

Voici maintenant la réponse :

$$\frac{264 \text{ jrs X } 352,66\$}{365 \text{ jrs.}} = \underline{237,68\$}$$

352,66 $ - 237,68 $ = 114,98 $ que l'acheteur doit au vendeur.

(Taxes municipale) + $\underline{516,33 \$}$

Total : **631,31 $**

Il se peut qu'il y ait d'autres ajustements qui peuvent être faits en faveur de l'acheteur, ce qui diminuerait le montant à payer pour celui-ci. Lorsque vous demanderez au notaire de vous faire parvenir, la feuille des ajustements, analysez-la et si vous, ne comprenez pas demandez qu'il vous explique. Deux têtes valent mieux qu'une pour calculer. N'oubliez pas de vérifier, si le notaire a bien diminué le montant de votre dépôt, sur la partie à remettre au vendeur. Il arrive que celui-ci soit oublié. Cela m'est déjà arrivé. Mon dépôt de mille dollars n'avait pas été déduit du montant de la transaction.

Chapitre XIV

Les courtiers

Vous pensez vendre ou acheter une propriété prochainement ? Mais vous ne savez que faire. Vendre vous-même ou par l'entremise d'un agent immobilier?

Quel casse-tête que de devoir choisir ! Vous-vous sentez perdu ! Alors je vais essayer de répondre à vos interrogations en présentant quelques-unes des options qui s'offrent à vous en matière de courtage immobilier, tout en relevant les particularités de chacune. Ainsi, il vous sera plus facile de choisir le courtier (ou l'option) qui correspond le mieux à vos attentes.

TOUT D'ABORD : LES DIFFÉRENTS TYPES D'AGENTS

En premier lieu, je vais vous expliquer la différence entre un agent-inscripteur et un agent-vendeur.

L'AGENT-INSCRIPTEUR :

Ce sont eux qui réussissent à obtenir le contrat de courtage du propriétaire-vendeur. La force de l'agent-inscripteur réside dans sa technique d'approche pour ce type de client

L'agent devient alors le spécialiste de l'inscription des propriétés, et il y consacre la majorité de son temps préférant ainsi laisser la vente de ses propriétés inscrites aux autres agents immobiliers.

Lorsqu'un propriétaire-vendeur confie la vente de sa propriété à un spécialiste de l'inscription, il doit s'attendre à ce que cet agent ne soit pas autant disponible qu'un agent-vendeur lorsque viens le temps de faire des visites libres, étant donné le grand nombre d'inscriptions que celui-ci possède. À moins que l'agent-inscripteur n'ait toute une équipe à son service pour s'occuper des visites libres. Pour la publicité et autres services, il devrait -en principe- faire très bien son travail.

Voici un exemple, lorsqu'un acheteur n'est pas intéressé à acheter la propriété qu'il vient de visiter avec un agent immobilier, il peut arriver deux situations :

S'il s'agit d'un agent-inscripteur, celui-ci suggèrera d'autres propriétés parmi ses inscriptions. Advenant un refus de l'acheteur pour ce type de propriété, alors l'agent risque de mettre un terme à sa relation avec celui-ci, à moins qu'il le réfère à un agent-vendeur de son bureau. Tout à fait normal, puisqu'il se spécialise dans l'inscription. la plupart des agents-inscripteurs préfèrent avoir un contrat avec le vendeur que de prendre la chance de se promener avec un acheteur dont il n'a pas ou peu le contrôle.)

S'il s'agit d'un agent-vendeur, celui-ci fera tout en son pouvoir pour trouver à l'acheteur la propriété idéale. Il l'invitera à son bureau afin de consulter les nouvelles inscriptions. Il va monter un dossier de son client concernant les options recherchées. Si l'acheteur est vraiment sérieux, il va s'occuper de son client jusqu'à ce qu'il lui trouve la maison rêvée.

C'est de cette façon que vous pouvez reconnaître un agent-inscripteur d'un agent-vendeur. Ça ne convient pas à l'acheteur ! L'agent risque de ne pas aller plus loin avec celui-ci.

Lorsqu'un client-acheteur contacte un agent inscripteur pour la première fois :

(Un client-acheteur prend rendez-vous avec un agent spécialiste de l'inscription pour visiter une de ses propriétés. Après la visite, l'acheteur n'est plus intéressé par la propriété. L'agent- inscripteur va lui proposer d'autres propriétés qui font partie de ses propres inscriptions. Son travail avec l'acheteur risque de s'arrêter là, si celui-ci n'est pas intéressé par une autre de ses inscriptions. L'agent ira rarement à la recherche d'une propriété dans la banque de donnée informatique du réseau M.L.S. Tout à fait normal, puisqu'il se spécialise dans l'inscription. la plupart des agents-inscripteurs préfèrent avoir un contrat avec le vendeur que de prendre la chance de se promener avec un acheteur dont il n'a pas ou peu le contrôle.)

C'est de cette façon que vous pouvez reconnaître un agent-inscripteur d'un agent-vendeur. Ça ne convient pas à l'acheteur ! L'agent risque de ne pas aller plus loin avec celui-ci.

L'AGENT-VENDEUR

Ce sont eux qui vendent les maisons. Car, voyez-vous, dans plus de 80 % à 90 % des transactions, il y a partage de commission entre un agent-vendeur et un agent-inscripteur.

L'agent-vendeur peut avoir plus de difficulté à solliciter les futurs propriétaires-vendeurs. Par contre, il se dévoue corps et âme à chercher pour l'acheteur la maison idéale. Ce qui demande plus de déplacements et occasionne plus de dépenses. Il arrive que celui-ci rencontre le même client acheteur plus de vingt fois avant de lui trouver la propriété qui correspond à ses besoins.

Donc, l'agent qui donne régulièrement signe de vie en vous proposant de nouvelles inscriptions correspondant à vos besoins est fortement suggéré.

Surtout ne le laissez pas tomber! Vous trouvez la propriété qui vous intéresse en vous promenant. Prenez note du numéro de téléphone et contactez votre agent qui a travaillé très fort pour vous. Respectez-le ! Il n'est pas payé lorsqu'il vous fait visiter des dizaines de propriétés. Tout comme vous cet agent a une famille à faire vivre. Il mérite votre confiance. D'ailleurs, c'est loin d'être mauvais que d'avoir deux personnes qui travaillent pour vous : l'agent qui a inscrit la propriété et votre agent qui va négocier pour vous. Tous les deux désirent en arriver au même résultat : que la propriété se vende. Si vous étiez travailleur autonome, vous n'aimeriez certainement pas que votre client vous fasse la même chose.

Les courtiers immobilier s'ingénient à offrir à leurs agents tous les cours de formation ainsi que tous les outils nécessaires afin de parfaire continuellement leurs connaissances en matière d'immobilier. Cela afin qu'ils puissent donner le meilleur service possible à leurs clients.

Lorsque vous aurez choisi le courtier (ou l'option) qui correspond le mieux à vos attentes, vous devrez ensuite choisir l'agent. Pour ce faire, je vous suggère fortement d'en rencontrer deux ou trois. Il ne faut pas avoir peur de les questionner et de leur demander des preuves de leur efficacité. Peu importe le nombre d'inscriptions personnelles d'un agent, c'est le résultat des ventes qui compte. Demandez les preuves qu'il est bien l'auteur des ventes qu'il dit avoir faites. Exception faite des nouveaux agents qui débutent. Dans ce cas, vous devrez vous fier à votre intuition. Habituellement, les nouveaux agents sont prêts à soulever des montagnes pour faire la preuve de leur compétence. La majorité veulent à tout prix réussir dans leur nouvelle carrière.

Pour les propriétaires-vendeurs, je vous suggère de donner un mandat court soit environ trois mois, car si vous n'êtes pas satisfait du travail de votre agent et cela peu importe la raison, vous pourrez changer d'agent, plus rapidement. De plus, n'oubliez pas d'inscrire sur votre contrat de courtage, les promesses de votre agent:

➢ Le nombre de visites libres qu'il va effectuer (une fois ou deux par mois).
➢ Où, quand, combien de fois et comment la publicité de votre propriété sera-t-elle répartie ?
➢ Prévoit-il organiser des caravanes d'agents immobiliers?

Il m'est impossible de vous parler de tous les courtiers immobiliers, car la liste est trop longue et je finirais par me répéter. J'en ai sélectionné quelques uns pour vous faciliter la tâche. Ceux qui semblent se démarquer par certaines options. **Les autres courtiers sont tout aussi valables et compétents.** Mais n'oubliez jamais que peu importe le courtier que vous aurez choisi, **c'est l'agent qui fait toute la différence. D'où l'importance de bien le sélectionner.**

L'ordre dans lequel j'ai mentionné le nom ces différents courtiers, ne constitue aucunement une préférence de ma part. Il s'agit uniquement de l'ordre d'entrée des informations.

Chapitre XV

Proprio Direct

Proprio Direct

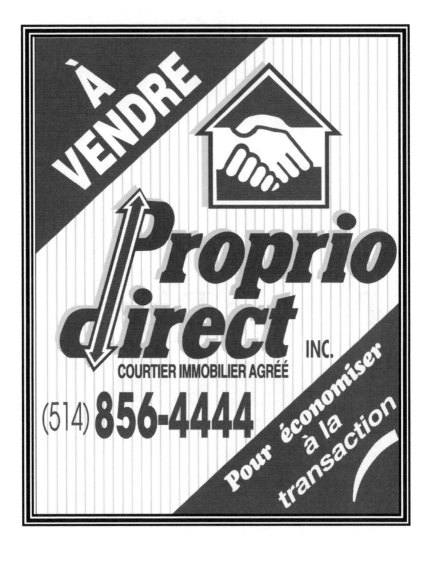

PROPRIO DIRECT : UN COURTIER QUI VOUS OFFRE LE MEILLEUR DES DEUX MONDES

Vous savez probablement déjà qu'il existe différentes façons pour vous aider à vendre votre propriété. L'une d'entre elle, a particulièrement retenu l'attention au fil des années.

Il s'agit de l'option Proprio Direct. Un courtier immobilier agréé fondé en 1987 et qui, au même titre que les autres, est membre à part entière de la Chambre immobilière du grand Montréal et de l'Association des courtiers et agents immobiliers du Québec.

Depuis plus de 10 ans, Proprio Direct révolutionne le marché de l'immobilier en offrant aux vendeurs et aux acheteurs la possibilité de transiger directement entre eux sans commission, tout en profitant des services et de l'encadrement professionnels d'un courtier.

Cette formule innovatrice a contribué à propulser Proprio Direct à l'avant scène du marché immobilier.

Elle rend service au vendeur et s'avère avantageuse pour l'acheteur. En fait, Proprio Direct est le complément idéal pour qui désire d'emblée vendre ou acheter sans intermédiaire, car ses services répondent autant aux besoins de l'acheteur qu'à ceux du vendeur.

MA VISITE CHEZ PROPRIO DIRECT

J'ai été très impressionné lors de ma première visite chez Proprio Direct. La préposée à la réception, calme et sereine, accueille chaleureusement visiteurs et clients. J'ai rencontré, le président et fondateur de Proprio Direct, monsieur François Dinel. Un homme sympathique et plein d'humour. Il m'invita à faire la visite des lieux. Je ne m'attendais pas à voir des bureaux aussi spacieux et bien organisés.

La structure de cette compagnie est assez exceptionnelle et on y utilise la fine pointe de la technologie. Tout y est ordonné et structuré. Lorsqu'un appel entre au bureau, la réceptionniste enregistre immédiatement les coordonnées de l'appelant. Ensuite, selon qu'il s'agisse d'un acheteur ou d'un futur propriétaire-vendeur voulant obtenir des informations ou encore, d'un propriétaire-vendeur déjà inscrit, elle dirige efficacement l'appel par ordinateur au service concerné et là, tout s'enchaîne. Chacun des employés, et ils sont nombreux, a une fonction spécifique et tous ont un endroit agréable et privé pour travailler. Lors de mes nombreuses visites dans cette entreprise, je n'ai ressenti en aucun cas, stress et chahut. Tous les employés et agents immobiliers semblent heureux d'y travailler. Décidément, j'aurais bien aimé bénéficier de cette atmosphère de bureau lors de mes débuts comme agent immobilier.

Après mon tour d'horizon de ces bureaux, j'ai vite compris pourquoi Proprio Direct suscite autant d'intérêt auprès des consommateurs.

On retrouve chez Proprio Direct des services complets qui dépassent largement l'idée préconçue du courtier à rabais qui vous laisse seul sans soutien.

UN COURTIER QUI A PRIS SA PLACE DANS LE MARCHÉ

À ses débuts, Proprio Direct offrait un service de mise en marché visant à regrouper acheteurs et vendeurs. En 1991, il devint courtier agréé et en 1992, il fit une entrée remarquée sur le réseau M.L.S. : ce qui a quelque peu bouleversé le monde des courtiers immobiliers. Avec le temps, la tempête s'est apaisée et les agents immobiliers ont fini par accepter le fait que le consommateur ait le droit de choisir. Car même avant l'arrivée de Proprio Direct, le marché de la vente directement par le propriétaire a toujours représenté un marché très élevé. Je crois qu'il y a de la place pour tout le monde et que les agents immobiliers ne sont aucunement pénalisés par les inscriptions de Proprio Direct puisqu'ils peuvent vendre aisément leurs inscriptions sur le réseau M.L.S..

Le propriétaire-vendeur qui choisit de vendre avec Proprio Direct, et qui veut bénéficier d'une assistance supplémentaire et d'un soutien professionnel, a tout avantage à profiter de la visibilité du réseau M.L.S.. De cette façon, il met toutes les chances de son côté.

Il peut en tout temps conserver son privilège de vendre lui-même sa propriété en évitant du même coup la commission de 7 % et s'il le désire, il peut profiter du réseau M.L.S. et de ses 5,000 agents immobiliers pour aussi peu que la moitié du coût, soit 3.5 %. (Souvenez-vous du partage de la commission entre l'agent-inscripteur et l'agent-vendeur).

Donc, avec Proprio Direct, le client s'offre le meilleur des deux mondes et met toutes les chances de son côté pour maximiser la vente de sa propriété.

L'AVANTAGE DU RÉSEAU M.L.S.

Ayant été moi-même un agent immobilier, je vais vous expliquer pourquoi l'agent n'est nullement pénalisé en transigeant avec Proprio Direct. Bien au contraire!

Je vous ai expliqué précédemment qu'il existait deux catégories d'agents immobiliers : les agents-inscripteurs et les agents-vendeurs. Je vous ai également mentionné que les agents-inscripteurs préféraient laisser la vente de leurs propriétés à d'autres agents. Ce qui implique que la commission de 7% est alors divisée en deux parties ; 3.5 % pour celui qui a inscrit la propriété et 3.5 % pour celui qui l'a vendue, ce qui est parfaitement équitable.

Or, lorsqu'un propriétaire-vendeur inscrit sa propriété avec Proprio Direct et décide de l'enregistrer au réseau M.L.S.(ce que je suggère fortement), la propriété devient disponible sur le marché de tous les courtiers immobiliers. Par conséquent, l'agent récolte la même commission que s'il avait vendu l'inscription d'un autre agent et cela, peut importe le nom du courtier.

Personnellement, je trouve que c'est un atout de plus pour les agents immobiliers. De toute façon, une personne, qui est fermement décidée à vendre elle-même sa propriété, ne se laissera pas influencer par les appels des agents immobiliers. Donc, c'est un marché de vente additionnel que les agents immobiliers peuvent s'approprier avec les clients-vendeurs de Proprio Direct, puisque celui-ci diffuse sur le réseau M.L.S. (réseau accessible à tous les agents).

COMMENT FONCTIONNE PROPRIO DIRECT

Proprio Direct fait sa promotion de différentes manières :

> **des enseignes ;**
> **diverses publicités télévisées et imprimées ;**
> **un magazine ;**
> **des envois postaux;**
> **des références, etc.**

Tous ces appels téléphoniques sont acheminés au siège social.

Comme je l'ai mentionné précédemment, ces appels, aussitôt reçus, sont dirigés par l'entremise d'un puissant réseau informatique dans les différents services destinés soit aux vendeurs ou aux acheteurs.

Des agents immobiliers qualifiés (agents d'information à l'interne) reçoivent les appels des clients. S'il s'agit d'un vendeur qui désire s'inscrire, on le réfère aussitôt à l'agent immobilier Proprio Direct de son secteur. Celui-ci le rencontre afin de le conseiller judicieusement.

Dans le cas d'un acheteur, le scénario est quelque peu différent, car Proprio Direct offre deux façons efficaces d'acheter sa propriété.

Primo : l'acheteur peut avoir accès aux propriétés qui sont à vendre directement par le propriétaire par le biais du magazine ou de l'enseigne Proprio Direct.

Secundo, il peut demander l'assistance de l'agent-vendeur Proprio Direct de son secteur, afin de l'aider à trouver la propriété tant recherchée. Peu importe l'option choisie, le client obtient un service de qualité axé sur ses besoins.

De plus, le service d'assistance à l'achat de Proprio Direct est ouvert 7 jours sur 7. Ce service reçoit tous les appels et qualifie les acheteurs potentiels. (Des milliers d'appels d'acheteurs annuellement).

L'acheteur peut même demander qu'on lui envoie (gratuitement) une liste de propriétés (avec photos et descriptions complètes) correspondant à ses critères de sélection.

LES NOMBREUX AVANTAGES QU'OFFRE PROPRIO DIRECT À LA VENTE COMME À L'ACHAT

POUR LE PROPRIÉTAIRE-VENDEUR

Proprio Direct s'est avant tout distingué du peloton par une formule ingénieuse qui permettait de vendre sans commission. Cela est devenu sa principale marque de commerce au fil des ans.

Mais quel en est l'avantage au juste? Tirons ça au clair.

Tout d'abord, lorsqu'un propriétaire décide de vendre sa propriété, il a déjà un prix de vente en tête. Quelques fois, il fixe son prix selon la valeur réelle de la propriété sur le marché, (ce qui est fort souhaitable). D'autres fois, il rêve en couleur en fixant un prix trop élevé. D'où l'importance de vérifier ce qui s'est vendu de similaire dans son quartier. Lorsque cette étude est complétée, il peut alors décider de vendre lui-même ou encore utiliser les services qu'offrent tous les autres courtiers immobiliers conventionnels. Cependant, autant les propriétaires-vendeurs, que l'entrepreneur général (constructeur), que le promoteur, que le courtier immobilier; tous savent pertinemment que l'acheteur va tenter de négocier son prix. Donc, à la valeur de la propriété s'ajoute ce que l'on appelle une marge de négociation, qui peut facilement jouer entre 5 000$ et 8 000$. À cela, vous ajoutez le montant de la commission à payer (idem pour les constructeurs, promoteurs, car ils doivent payer leurs vendeurs) et vous obtenez votre prix de vente sur le marché.

EXEMPLE : d'une propriété dont la valeur est de 100 000 $

AVEC L'AVANTAGE ET LE DÉSAVANTAGE DE CHACUN

	Courtiers conventionnels	Courtiers en ventes directes	
	Avec commission de 7 %	Sans commission, Ni inscription M.L.S.	Avec commission de 3.5 %, sur M.L.S.
Prix réel :	100 000 $	100 000 $	100 000 $
Marge négo.	5 000 $	5 000 $	5 000 $
Commission	7 000 $	0 $	3 500 $
Total	112 000 $	105 000 $	108 500 $

Selon vous, qui vendra le premier?

Notez que le vendeur, dans ce cas-ci, devra toutefois débourser un montant de 899 $ dollars plus taxes pour adhérer au service sans commission de Proprio Direct. Pour avoir accès au réseau M.L.S., vous devrez débourser un léger supplément de 199 $, en plus du 3.5 % de commission s'il y a lieu. Ce qui est bien peu comparativement à la commission de 7 000$ plus taxes (voir l'exemple ci-dessus mentionné) qu'il devra payer à un agent immobilier. (Eh oui ! Il y a des taxes sur la commission).

Par contre, le fait qu'il ait la possibilité de vendre sans commission lui permet d'afficher un prix plus intéressant; un prix correspondant davantage à la valeur marchande de sa propriété, la rendant ainsi plus attrayante pour l'acheteur.

En revanche, **l'avantage du courtier immobilier** est que vous n'avez strictement rien à vous occuper et la commission n'est payable que si la vente a lieu. Par contre: si vous trouvez l'acheteur vous-même, vous êtes dans l'obligation de payer quand même la commission. À moins d'avoir une entente signée avec l'agent à cet effet.

L'avantage du courtier en vente directe comme Proprio Direct : si la propriété est vendue par un agent de Proprio Direct ou via le réseau M.L.S., vous ne payez que 3.5% de commission au lieu de 7%. Si vous vendez vous même ou par le biais d'un acheteur référé par Proprio Direct, vous n'avez aucune commission à payer, mis à part le montant que vous devrez débourser pour vous inscrire.

LE DROIT AU CHOIX

Un des atouts de Proprio Direct; est de permettre aux acheteurs et aux propriétaires-vendeurs de transiger librement, dans les meilleures conditions possibles, sans pour autant sacrifier les services.

La mission première de Proprio Direct est de retenir l'acheteur. Enseigne, magazine, publicités télévisées et imprimées, publipostage sont tous des moyens utilisés par Proprio Direct afin de susciter l'intérêt des acheteurs.

D'AUTRES AVANTAGES OFFERTS PAR PROPRIO DIRECT

POUR UN PROPRIÉTAIRE-VENDEUR

➢ **Une enseigne avec un seul numéro de téléphone facile à retenir**

➢ **La trousse du propriétaire-vendeur** contenant tous les documents nécessaires pour faciliter la transaction.

➢ **Un service d'assistance à la rédaction de la promesse d'achat** afin d'assurer que le prix et les conditions entendus entre les deux parties soient bien rédigés sur les formulaires obligatoires de l'A.C.A.I.Q.

➢ **Trois parutions de votre propriété dans le Magazine Proprio Direct.** Ce magazine rejoint environ 100 000 lecteurs dans plus de 900 points de distribution à travers la grande région métropolitaine.

Si votre propriété est vendue par un des nombreux agents du réseau M.L.S., alors, un agent de Proprio Direct communiquera le plus tôt possible avec cet agent afin de confirmer un rendez-vous en présence des parties pour recevoir la promesse d'achat. L'agent de Proprio Direct vous conseillera sur ce qu'il faut faire : l'accepter, la refuser ou encore revenir en contre-proposition.

Des services garantis jusqu'à la vente. Les services de Proprio Direct sont disponibles tant et aussi longtemps que votre propriété est en vente.. À l'exception du réseau M.L.S. disponible en option, le service de base sans commission de Proprio Direct est offert pour un montant de 899$ plus taxes.

POUR UN ACHETEUR

➢ Un service gratuit d'assistance à l'achat

➢ Un service d'assistance à l'achat ouvert 7 jours sur 7.

➢ Le magazine Proprio Direct offrant un choix incomparable de propriété à vendre directement par le propriétaire.

➢ Un service gratuit d'envoi de listes de propriétés (avec photos et descriptions complètes) correspondant aux critères de recherche.

➢ Des listes de reprise de finance.

➢ Des services hypothécaires avantageux.

➢ Accès à une multitude de professionnels nécessaires à la transaction et ce, à des coûts concurrentiels : notaires, inspecteurs en bâtiment, arpenteurs, évaluateurs. etc.

➢ Un guide d'achat complet contenant de précieuses informations.

➢ Sur demande de l'acheteur, l'agent de Proprio Direct aidera celui-ci à rechercher sur le réseau M.L.S., la propriété rêvée, en plus de lui fournir l'information nécessaire sur :

- sa capacité d'emprunt ;
- l'option d'achat (bail) ;
- la manière d'économiser les frais de notaires ;
- le «RAP» (régime d'accession à la propriété).

Présentement, Proprio Direct ne dessert que la grande région métropolitaine incluant, les Basses Laurentides, St-Jean ainsi que Valleyfield. La bonne nouvelle est que Proprio Direct prévoit bientôt ouvrir des bureaux à travers le Québec.

UN SEUL NUMÉRO POUR S'INFORMER

(514) 856-4444

Chapitre XVI

La Capitale

LA CAPITALE REÇOIT LE PRIX DES CONSOMMATEURS

Depuis ses débuts, la performance de la Capitale a été à maintes reprises reconnue par différents organismes québécois et par le grand public.

Ces prix honorifiques témoignent probablement de la confiance du public dans les avantages gratuits que La Capitale offre aux consommateurs : parmi ceux-ci mentionnons :

- la garantie APEC (appareils, plomberie, chauffage et électricité).
- la garantie G.V.H (versements hypothécaires) en cas de perte d'emploi ou de décès.
- l'accès à son service de courtage hypothécaire complet, (avec diverses promotions)
- une alliance de deux réseaux prestigieux : le réseau immobilier La Capitale et «Coldwell Banker» présent, partout en Amérique du Nord.
- Les promotions ponctuelles.

Concernant le genre de promotions ponctuelles, qu'offre régulièrement La Capitale, en voici une, à titre d'exemple, qui peut vous intéresser. Cette nouvelle promotion en vigueur au premier semestre (six mois) de 1999 consiste dans le tirage d'un prix d'une valeur approximative de 15 000 $ parmi les consommateurs qui auront acheté par l'entremise d'un agent de La Capitale.

Le prix consistera dans le remboursement des intérêts sur l'hypothèque pour une période d'un an, des frais de déménagement, des frais de notaire ainsi que de nombreux autres frais généralement impliqués lors d'une transaction immobilière.

QUI EST LA CAPITALE ?

Le Réseau immobilier «La Capitale» est une filiale d'une des plus importantes institutions financières au Québec, la M.F.Q. –Mutuelle des Fonctionnaires du Québec.

La M.F.Q. détient un actif de près de 1,1 milliard de dollars et possède, en plus du Réseau immobilier La Capitale, de nombreuses filiales dont :

- La Personnelle Vie, compagnie d'assurances
- Les assurances «La Capitale» créneau concept de La Capitale.

En 1998, les ventes annuelles du Réseau immobilier La Capitale ont excédé le milliard de dollars. Selon «La Capitale», ses agents immobiliers effectuent en moyenne (par agent) plus de transactions que de l'ensemble des agents de l'industrie du courtage immobilier : et ce, un peu partout au Québec. Donc, à titre d'exemple, les agents de La Capitale ont effectué en moyenne 25 % plus de transactions que la moyenne des agents de la Chambre immobilière du Grand Montréal.

L'opération franchisage du courtier la Capitale lancée en 1996 est maintenant terminée. Le succès quelle a connu est dû en grande partie à l'entrepreneurship de plusieurs agents et directeurs qui se sont personnellement impliqués. Ceux-ci sont, aujourd'hui, franchisés, autonomes et indépendants ou regroupés en coopérative et copropriétaires de leur franchise.

Parti d'une quarantaine de succursales corporatives, monsieur Paul Legault, président-directeur général de «La Capitale» et son équipe de direction, gèrent aujourd'hui un réseau de 33 franchisés. Ceux-ci sont à la tête de 57 bureaux et kiosques immobiliers, un peu partout au Québec.

Une entente qui propulse La Capitale au rang des grands de l'immobilier.

L'alliance avec le méga-réseau panaméricain Coldwell Banker, qui compte près de 70 000 agents répartis dans 2 700 succursales aux États-Unis et au Canada, a permis à La Capitale de faire un pas de géant. Cette association est une étape additionnelle dans la poursuite de la mission de La Capitale, qui est de faire réaliser à ses agents le plus grand nombre possible de transactions. Ils y parviennent en utilisant différents véhicules tel celui des références transmises à travers les bureaux canadiens et américains ; un atout appréciable pour les agents et clients de La Capitale.

POUR VOUS AIDER À VENDRE

L'agent de La Capitale, pour vous aider à vendre,

> **prépare gratuitement** une analyse comparative du marché vous permettant d'avoir une bonne idée de la valeur de votre propriété

> **inscrit gratuitement** votre propriété sur le site Internet de La Capitale ; lequel site est publicisé massivement

> Installe une affiche «La Capitale» bien en vue devant votre propriété

> Il orchestre une campagne publicitaire : annonces dans les journaux, cartes «À VENDRE» distribuées dans des secteurs stratégiques, photos de votre propriété affichées sur des présentoirs (lorsque disponibles), et publicité institutionnelle à la télévision. Évidemment, afin d'attirer le plus d'acheteurs possible, il mettra l'emphase sur les garanties APEC et GVH.

> Il inscrit votre propriété à l'itinéraire des visites «caravanes» des agents immobiliers. Ainsi que sur le réseau informatique de la Chambre immobilière locale.

POUR VOUS AIDER À ACHETER

L'agent de La Capitale

> Grâce aux systèmes informatiques, vous aide à économiser du temps en faisant une pré-sélection des propriétés à visiter.

> De plus, il analyse vos capacités financières et fait pré-autorisé un prêt hypothécaire afin de geler votre taux d'intérêt.

> Il vous offre deux garanties gratuites (APEC et GVH) qui peuvent sécuriser votre investissement.

> Il cous offre régulièrement des promotions avantageuses; lesquelles peuvent vous faire économiser des milliers de dollars.

LE BUT ULTIME DE LA CAPITALE

Fournir le meilleur service possible à ses agents et ses clients, voilà le but ultime de La Capitale. Pour ses agents, cela représente un volume de ventes accru ; alors que pour les consommateurs, cela se traduit par des avantages profitables autant pour les acheteurs que pour les propriétaires-vendeurs.

Au niveau du recrutement d'agents, le créneau de La Capitale est d'attirer des agents orientés vers le service à la clientèle. Des agents intéressés par des outils et systèmes exclusifs qui leur permettront d'augmenter leur revenu tout en donnant un meilleur service aux consommateurs.

LES RAISONS DU SUCCÈS DE LA CAPITALE

- Son orientation dans le service à la clientèle.
- La qualité de son équipe
- Son avant-gardisme et esprit d'innovation.
- Des cours de formation continuelle offerts aux agents
- Les garanties gratuites «APEC et GVH» : deux avantages concurrentiels et uniques à La Capitale.
- L'efficacité de ses campagnes de marketing.
- Ses réseaux de références tels que :

1. **Le relogement corporatif.**
2. **Les reprises de finance.**
3. **Les ententes avec le réseau Coldwell Banker.**
4. **Les références inter-franchises et entre agents.**
5. **Les appels des consommateurs, suite aux campagnes de marketing**

LES PRINCIPAUX SERVICES OFFERTS PAR LA CAPITALE

- Service de courtage immobilier
- Service de courtage hypothécaire
- Service de relogement corporatif
- Service de reprises hypothécaire auprès de nombreuses institutions financières et auprès de la S.C.H.L.
- Service de garanties : APEC – GVH
- Service de références
- Service de formation
- Service de Marketing

LE SERVICE DE COURTAGE HYPOTHÉCAIRE

Avec les institutions financières qui multiplient les différents types de prêts, le financement hypothécaire est devenu beaucoup plus complexe qu'auparavant. Voilà une des principales raisons pour lesquelles La Capitale a mis sur pied une équipe spécialisée en financement hypothécaire.

Qu'ils s'agissent d'une nouvelle acquisition ou de financer de votre hypothèque actuelle, ce service est offert par une équipe d'agents possédant toute l'expertise nécessaire pour négocier pour vous le meilleur prêt hypothécaire sur le marché. En relation constante avec de nombreuses institutions financières, ces spécialistes connaissent tous les aspects du financement hypothécaire.

AVANTAGES D'UN TEL SERVICE HYPOTHÉCAIRE

La Capitale transige avec plusieurs institutions financières afin d'obtenir le taux d'intérêts le plus bas et les meilleures conditions possibles.

UN TAUX GARANTI

Souvent les institutions prêteuses, suite à une entente avec La Capitale, peuvent garantir votre taux d'intérêt entre le moment où vous contactez votre prêt et celui où vous achetez votre maison. Si ces taux d'intérêt augmentent entre-temps, le vôtre restera fixe. Dans le cas contraire, on révisera votre taux à la baisse.

En général, après avoir évalué vos besoins, un agent de La Capitale vous renseigne sur les différentes options et promotions et remplit les formulaires appropriés. Puis, il effectue toutes les démarches auprès des institutions prêteuses et il décroche le prêt le plus avantageux pour vous. Ainsi libéré du fardeau de faire le tour des sociétés prêteuses, vous épargnez du temps et de l'argent. Sans parler du stress.

LA PRÉ-QUALIFICATION HYPOTHÉCAIRE

La pré-qualification hypothécaire constitue le moyen le plus efficace de trouver la maison de vos rêves. Par l'entremise de l'agent hypothécaire de La Capitale, et sans aucune obligation ni frais de votre part, l'institution prêteuse émet un certificat attestant le montant du prêt autorisé. Ainsi, sachant à l'avance le montant dont vous disposez pour votre achat, vous pouvez mieux concentrer vos recherches.

AUCUN FRAIS D'ÉVALUATION

Par le biais de promotions saisonnières et suite à des ententes négociées par La Capitale, certaines institutions financières ne vous réclameront aucun frais pour l'évaluation de la maison à hypothéquer. Voilà le genre d'avantages que les agents de La Capitale obtiennent pour vous.

DES PROMOTIONS TRÈS PAYANTES

En plus de rechercher le meilleur prêt aux meilleures conditions possibles, l'agent hypothécaire de La Capitale suite à des ententes spéciales avec certaines institutions financières permet d'offrir un programme de promotions saisonnières bénéfiques pour le consommateur. Il peut s'agir :

- d'une réduction du taux hypothécaire

- d'une gratuité d'intérêt pour un certain nombre de mois

- ou d'une remise en argent pouvant atteindre plusieurs milliers de dollars.

LA GARANTIE GVH

Voici un produit conçu spécialement pour les acheteurs d'aujourd'hui tout en étant un atout additionnel pour un propriétaire-vendeur. La Capitale offre gratuitement à tous les acheteurs utilisant son service de courtage hypothécaire, une garantie de versement hypothécaire en cas de perte d'emploi ou de décès.

En effet, qui de nos jours peut se prétendre à l'abri des soubresauts de l'économie ? Une protection contre les caprices du marché de l'emploi ne peut que rassurer les acheteurs inquiets ou indécis.

EN QUOI CONSISTE CETTE GARANTIE

La Capitale garantit à l'emprunteur, en cas de perte de son revenu d'emploi ou de décès, le remboursement d'une somme d'argent équivalente à ses mensualités hypothécaires (capital et intérêts seulement), sous réserve d'un montant maximum de quinze mille dollars (15 000$). La durée maximale de la garantie est de douze mois.

PRÊTS ADMISSIBLES

Pour être admissible à la garantie GVH, il faut :

➢ L'acheteur doit obtenir son emprunt en utilisant les services de courtage hypothécaire du Réseau immobilier La Capitale inc.

➢ Amortir le prêt sur une période de dix (10) ans ou plus

➢ Que le prêt soit consenti sur un immeuble résidentiel de un (1) à cinq (5) logements au maximum dont un (1) logement au moins est occupé par le propriétaire au moment de la perte de revenu d'emploi.

➢ Que le prêt soit consenti pour un terme d'un an fermé, minimum.

LES CAS EXCLUS

Comme dans toute garantie, il y a toujours des cas qui ne sont pas admissibles ; entre autres, les travailleurs autonomes, ce qui est tout à fait logique ; un patron ne pouvant se congédier lui-même. Je vous suggère de demander à un agent de la Capitale de vous remettre une brochure qui explique clairement les exclusions de cette garantie.

LA GARANTIE APEC
UN ATOUT POUR LE PROPRIÉTAIRE-VENDEUR
UN BÉNÉFICE POUR L'ACHETEUR

Le propriétaire-vendeur, cherche avant tout à attirer le plus d'acheteurs possibles grâce à des avantages concurrentiels.

La garantie APEC peut aider dans cette tâche délicate. En effet, cette garantie fournit à l'acheteur **une protection d'un an couvrant :**

- La plomberie,
- L'électricité,
- Le chauffage et
- Certains appareils inclus dans la transaction

Votre propriété devient donc beaucoup plus intéressante pour un acquéreur éventuel. Détail non négligeable, puisque cette garantie est entièrement **gratuite et exclusive à La Capitale** .

CATÉGORIES D'IMMEUBLES ADMISSIBLES
À LA GARANTIE APEC

- Les immeubles **admissibles** à la garantie **APEC** sont ceux comportant trois(3) logements et moins.

- **La garantie APEC ne s'applique qu'aux immeubles usagés** ; donc, les immeubles neufs ne sont pas admissibles.

ADMISSIBILITÉ D'UNE PERSONNE À LA GARANTIE APEC

- Seule une personne qui a acheté un immeuble admissible à la garantie, **par l'entremise d'un agent immobilier de La Capitale** peut se prévaloir de la présente garantie.

- Toute personne qui achète un immeuble par l'entremise d'un agent immobilier agissant pour un courtier autre qu'un franchisé de la Capitale ne peut se prévaloir de cette garantie, même si sa vente avait été confiée à un agent de La Capitale.

L'existence de cette clause est justifiée ; le but de la Capitale étant d'aller chercher le maximum d'acheteurs, au même titre que les autres courtiers immobiliers. La Capitale a trouvé là, un moyen ingénieux d'arriver à son but grâce à ces deux garanties gratuites (APEC ET GVH)dont elle est la seule à offrir.

Pour la durée de la garantie APEC, le remboursement total, toutes taxes incluses, est de cinq mille dollars (5 000 $), dont mille dollars (1 000 $) par événement (réparations) toutes taxes incluses. Des frais de «franchise assurable» sont applicables par le bénéficiaire de la garantie lors d'une réclamation.

Concernant, les autres conditions, limitations et exclusions de cette garantie, je vous suggère de consulter un agent franchisé de la Capitale. Celui-ci est en mesure de vous les expliquer et de vous remettre un document à cet effet. Je vous ai donné ce que je croyais le plus important à retenir de cette garantie. Cependant, ne négligez pas le reste des informations car elles ont également leur importance.

Les deux garanties gratuites (APEC et GVH) offertes à l'acheteur constitue également pour le vendeur un rempart de sécurité.

PROGRAMME D'ACCÈS À LA PROPRIÉTÉ

Présentement, différents programmes gouvernementaux sont disponibles pour accéder plus facilement à l'achat d'une propriété.

- Le RAP – (utilisez vos RÉER et économisez en impôt.
- Le 5% de la S.C.H.L. (pour votre mise de fonds initiale).
- Les déductions fiscales admissibles en cas de déménagement.

D'ailleurs, un agent de La Capitale est en mesure de vous les expliquer et vous remettre la documentation appropriée sur le sujet.

Pour plus d'informations sur La Capitale ainsi que sur la succursale le plus près de chez vous, je vous conseille de consulter leur site Internet à l'adresse suivante :

http://www.lacapitale.com

ou composer le numéro sans frais de la Capitale :

1-800-363-6715

Chapitre XVII

Conclusion

J'ai écrit ce livre avec mon cœur et animée d'un ardent désir de vous aider. Je ne suis pas une experte en écriture, alors j'espère que vous me pardonnerez mon style. Je souhaite que cette lecture ait su vous plaire et que vous y avez appris des éléments nouveaux qui pourront vous être utiles, lors de l'achat de votre future propriété. Moi, j'ai pris un grand plaisir à écrire ce livre. Il me sera agréable de recevoir vos commentaires et, qui sait? Peut-être allons-nous nous rencontrer et nous parler, lors des prochains «Salons», qui auront lieu dans le courant de l'année.

Je vous souhaite bonne chance dans vos achats et j'espère de pas vous avoir découragé en vous présentant les différents problèmes que vous pouvez rencontrer dans votre aventure.

Je termine comme j'ai commencé : en vous disant qu'un achat immobilier reste et restera toujours un très bon investissement. Il s'agit d'être prudent, de ne sauter aucune des étapes de la recherche et de l'inspection et de ne vous fier qu'à vous même. Mettez au rancart les émotions et l'impulsivité. En suivant ces conseils, vous deviendrez très vite un expert pour tout dépister. Un vrai Sherlock Holmes, quoi !

Un grand merci à ceux qui m'ont lue. Je vous aime !

CHANCE ET PROSPÉRITÉ !

Voici ce que je vous ai déniché pour vous aider à bien comprendre la construction. Il vous est possible d'acheter ces fascicules et ces livres ou de les consulter à la Bibliothèque nationale ou à la Bibliothèque municipale. Pour tous ceux qui habitent des régions dépourvues de ces deux bibliothèques, prière de consulter le Gouvernement du Québec, Ministère des affaires municipales.

☞ Titre : L'aménagement des terrains en pente

- Auteur : Robert Langlois
- Éditions : Les Publications du Québec

Vous trouverez dans ce livre tout ce que vous devez savoir lors d'une construction sur un terrain en pente (toutes les contraintes qui peuvent exister lors d'une telle construction, les précautions à prendre. Et, plus encore!)

☞ Titre : La charpente en bois

- Auteur: Le contenu de cette publication a été réalisé par la Direction générale de la formation à distance du Ministère de l'éducation.
- Éditeur: Les Publications du Québec.
  (construction et rénovations de bâtiment).

Ce petit livre d'environ 13.00 $ vous permettra de comprendre la construction résidentielle et ses composantes. Ce bouquin est très instructif pour les néophytes. Vous connaîtrez également les différentes qualités des matériaux et leur utilisation. Une construction de «A à Z». Très facile à lire et à comprendre. De plus, il est très bien illustré.

☛ **Titre: *Réglementation sur l'évacuation et le traitement des eaux usées des résidences isolées. Q-2, R-8***

- Auteur: La Direction de la refonte des lois et des règlements
- Éditeur: Éditeur officiel du Québec

Dans ce petit livre, vous trouverez quelles sont les distances minimales requises à respecter concernant **l'érection et l'aménagement des ponts de dessertes suivants**:

- Puits d'eau d'alimentation.
- Cours d'eau, marais ou étang.
- Conduite d'eau de consommation et limite de propriété voisine.
- D'une résidence
- Vidange, ventilation, capacité d'une fosse septique *(selon le nombre de chambres à coucher).*
- De la superficie disponible *(toujours selon le nombre de chambres à coucher).*
- Environnement selon le type de sol et de pente.

De plus, vous y apprendrez tout sur les différents matériaux de fosse septique, celles qui sont permises et non permises, (béton, polyéthylène, plastique armé de fibres de verre, acier) et tout ce que vous devriez savoir sur une fosse sèche.

On y parle également des caractéristiques du champ d'épuration (selon le nombre de C.A.C.) ainsi que des distances minimales entre celui-ci et :

- un puits d'eau d'alimentation.
- un lac, cours d'eau ou étang.
- une résidence ou une conduite souterraine de drainage du sol.
- une limite de propriété d'une limite de talus, arbre, arbuste ou conduite d'eau de consommation.
- Et bien plus encore...

RÉFÉRENCES

Les Publications du Québec	(514) 873-6101
La Chambre des notaires	(514) 879-1793
Le Barreau de Montréal	(514) 866-9392
Le Barreau du Québec	(514) 954-3400
L'Association des architectes	(514) 985-5371
L'Associations des ingénieurs conseils du Québec.	(514) 288-2032
Association des Inspecteurs en bâtiment	1 (514) 234-2104
L'A.P.C.H.Q.	(514) 353-9960
L'A.C.Q.	(514) 354-8722
Expert en fondation : Les entreprises P.F. St-Laurent inc.	(514) 877-4910 Mtl. (450) 658-9606 Rive-Sud
Laboratoire acoustique : Décibel consultants	(514) 630-4855
Architectural 3D inc.	(514) 478-8828

RÉFÉRENCES PERSONNELLES DE L'AUTEURE

Jean Poupart Notaire et conseiller juridique	(514) 745-3810
Ken Battah Courtier en assurance	1 (450) 759-1459

POUR COMMANDER DES EXEMPLAIRES DE CE LIVRE...

UNE SUGGESTION CADEAU QUI SERA TRÈS APPRÉCIÉE PAR LES PERSONNES QUI VOUS SONT CHÈRES...

Pour commander par Internet, faites-nous parvenir votre demande par le biais de notre site Web, à l'adresse suivante :
http://www.editions-uriel.com

✂---

JE COMMANDE DÈS AUJOURD'HUI
CE GUIDE EN MATIÈRE D'IMMOBILIER
(Écrire en lettres moulées)

NOM : _____

ADRESSE : _____ **VILLE :** _____

CODE POSTAL : _____ **TÉLÉPHONE : (   ) _____-_____

PROVINCE : _____ **PAYS :** _____

Chèque ☐   **Mandat de banque** ☐   **C .O.D.** (en sus) ☐

Quantité : _____ x 24,95 $ = SOUS-TOTAL : _____ $

+ TPS (7%) _____ $

SVP allouez environ 10 jours pour la livraison   + Transport et manutention (4,50$ l'unité) _____ $

TOTAL : _____ $

✂---

Pour vos suggestions et commentaires, vous pouvez écrire à l'adresse : uriel@colba.net

Ce livre est maintenant disponible en librairie.

Les Éditions URIEL
7405, rue Beaubien, Est. Suite 302
Montréal (Québec)
Canada
H1M 3R5

Téléphone : (514) 353-9507
FAX : (514) 353-2731
EMAIL : uriel@colba.net
Site Web : http://www.editions-uriel.com

Transcontinental
IMPRESSION
IMPRIMERIE GAGNÉ

IMPRIMÉ AU CANADA